U0164135

成惕軒先生校訂
張仁青博士編著
彭正雄增訂公文

應用文

楊亮功題

丙種本
實用書信
最新公文

文史哲出版社印行

國家圖書館出版品預行編目資料

應用文：實用書信最新公文 / 張仁青編著,
成惕軒校訂,彭正雄增訂. -- 第四次增訂. --
臺北市 :文史哲出版社,民 109.11
面: 公分
ISBN 978-986-314-536-3 (平裝)

1.漢語 2 應用文. 3.公文程式

802.791 109018512

應用文：實用書信最新公文

編 著 者：張 仁 青
校 訂 者：成 惕 軒
增 訂 者：彭 正 雄
出 版 者：文 史 哲 出 版 社
http:// www.lapen.com.tw
e-mail :lapen@ms74.hinet.net
登記證字號：行政院新聞局版臺業字五三三七號
發 行 人：彭 正 雄
發 行 所：文 史 哲 出 版 社
印 刷 者：文 史 哲 出 版 社
臺北市羅斯福路一段七十二巷四號
郵政劃撥帳號：一六一八〇一七五
電話886-2-23511028 · 傳真886-2-23965656

實價新臺幣三二〇元

中華民國六十八年（1979）十 一 月 初 版
中華民國九 十年（2001）十一月第三次修訂二刷
中華民國一〇九年（2020）十一月第四次增訂初版

ISBN 978-986-314-536-3

大學用書

應用文

丙種本 書信公文

成惕軒委員校訂
張仁青博士編著
彭正雄增訂公文

目次

大學用書

應用文

成惕軒委員校訂
張仁青博士編著

第一章 導言

第一節 應用文之界說

人類爲合羣之動物，固不能離羣而獨居，而社會係由許多人所組合之一個整體，吾人生存在社會上，每日周遭所接觸者，無非人與事。文明日進，人事益繁，欲應付此繁複之人事，必然有特種文體之產生，以爲社會大衆所共同遵循、使用，此種文體卽所謂應用文。茲爲應用文立一明確之界說：

凡個人與個人之間，或機關團體與機關團體之間，或個人與機關團體之間，互相往來所使用之特定形式之文字，而爲社會大衆所共同遵循、共同使用者，謂之應用文。

第二節 應用文之由來

應用文之產生，由來甚久，遠在上古時代，文字尚未發明，先民卽以結繩記載事物，表達情意，大事大結，小事小結，多事多結，少事少結，此卽最原始之應用文。既有文字之後，以文字取代結繩之政，於是而有正式應用文之產生。惟不識之無之一般文盲，則仍以其他方式表達情意。如梁紹壬兩般秋雨盦隨筆所載故事一則（卷二圈兒詞條），略謂某地有一純情少女，不嫺文墨，以男友久無音信，思慕不已，乃畫『○◎○○○○○○○○○○』於箋，遣人送達，其男友不解，有好事者爲作圈兒詞解之云：

相思欲寄從何寄，畫個圈兒替。話在圈兒外，心在圈兒裏。我密密加圈，你須密密知儂意。單圈兒是我，雙圈兒是你。整圈兒是團圓，破圈兒是別離。還有那說不盡的相思，把一路圈兒圈到底。

此圈兒信卽該少女之應用文。又如曾國藩之部將鮑超，勇而無文，某次，爲太平軍所圍，情勢危急，遂命幕客作書向曾求援，詎知幕客咬文嚼字，反覆推敲，遲遲不能定稿。鮑超迫不及待，信手取軍旗一面，在『鮑』字四周畫無數圓圈，令使者飛馬送至曾處，曾一見，知爲敵兵所圍，卽派兵馳援。此軍旗卽鮑超之應用文。又如古時少女多不識字，與男子定情後，若久無消息，往往以鮮花一朵相遺，寓有『去年花裏逢君別，今日花開又一年』之意，暗示男方早日前來迎娶。此鮮花卽古代少女之應用文。蓋『美人自古如名將，不許人間見白頭』，婦女之青春有限，蹉跎歲月，終非所宜也。由此可見，無論何人，均不能自絕於應用文之外。

蓋嘗論之，文章之用途，大別有三：

一、**載道**　凡聖賢所著之書，或論立身處世之道，或述經國濟民之方，或明禮樂敎化之理者屬之。如周易、三禮、春秋三傳、論語、孟子、先秦諸子是也。

二、**怡情**　文學家之作品，率以抒發性靈爲主，往往將一己之情感注入作品之中，使人讀之，爲之流連哀思、迴腸盪氣者屬之。如歷代文人之文集是也。

三、致用　凡作品不含載道功能，不帶感情作用，上自中央政府之命令，下至販夫走卒之書函，以實際應用為目的者屬之。如尚書之堯典、舜典、大禹謨、皋陶謨、甘誓、湯誓、仲虺之誥、伊訓，左傳之呂相絕秦，樂毅之報燕王書是也。

平情而論，此三者皆各有其用，難分軒輊。惟自古以來，一般學者莫不重視載道與怡情之作，而輕忽致用之文，以為後者不得與於文章之列，諺所謂『深者不屑，淺者不能』，即指此而言。流風所扇，則有鄴下買驢之博士，書劵三紙，不見驢字者。顏氏家訓勉學篇：『田里間人，音辭鄙陋，無所堪能，問一言輒酬數百，責其指歸，或無要會。鄴下諺云：「博士買驢，書劵三紙，未有驢字。」使汝以此為師，令人氣塞。』亦有淹貫經史之通儒，不諳章表制誥之作法者。王應麟辭學指南：『宋神宗初即位，擢司馬光為翰林學士，光辭以不能為四六。』近今更有能作洋洋數十百萬言之學術論文，而不能寫通一紙八行書者。諸如此類，不遑悉舉。此蓋『文章不與政事同』，非必有何長短是非之可論也。

今者，吾國已由農業社會蛻變而為工商業社會，個人與個人間之酬酢，機關團體與機關團體間之業務往來，以至個人與機關團體間之交接，均較往日為頻繁，為密切。故身為現代知識分子，苟能稍悉應用文之內容，略諳應用文之作法，不特前清時代之所謂紹興師爺、刀筆墨吏，今日之所謂祕書、文書，人人可得而優為，抑且於處世、治事、應試各端，亦可獲致左右逢源之樂。

第三節　應用文之種類

時至今日，社會組織日益複雜，工商各業日益發達，交通日益便利，吾人之生活領域乃隨之而日益擴大，不復如往昔農業社會之單純。根據目前社會之需要，應用文之種類自亦不能不作大幅度的增加，其與吾人日常生活關係較密切、應用較多者，有下列十一類：

一、**公　文**　行政機關處理公務，固須用公文，而人民向行政機關表達意見、提出願望，亦須用公文。甚至民間團體、工農商場、公司行號對內對外之文書，亦趨『公文化』。故公文在應用文書中已佔重要之比重。

二、**實用書牘**　書牘乃是吾人互通音訊、交換意見、維繫感情、洽辦事務、討論問題之主要聯絡工具，故為現在社會中最重要、最普徧、最實用之應用文。

三、**柬　帖**　柬帖原為書牘之變式，亦為書牘之附庸，然今日人際關係複雜，交際應酬頻繁，對柬帖之使用日益普徧，遂自成一格。

四、**便條與名片**　便條係由書牘簡化而來，名片又由便條簡化而來，均為書牘之變式，其格式與作法，均與書牘不同，在應用上亦遠較書牘簡便。

五、**慶賀文**　慶賀文之範圍甚為廣泛，凡祝賀他人喜慶之文字，均在其涵蓋之內，較隆重者有頌詞、徵啓、壽序三類。

六、**祭弔文**　祭弔文之範圍亦極廣泛，凡哀悼死者之文字，均在其涵蓋之內，較隆重者有傳狀、哀啓、祭文、哀弔文、墓誌銘五類。

七、**對　聯**　對聯與駢文律詩同為吾國單音節文字所構成之特殊文體，亦吾國文化精神所孕育之絕妙文藝，舉目斯世，無論任何國家，皆不能產生此種綽約多姿、風華絕代之美文，所謂『祇此一家，別無分店』，此非余一人之私言，乃天下之公論。（說詳拙著中國駢文發展史第一章）身爲中國知識分子自不能不對此種文體有一概括之認識，固不限於日常應用而已。

八、**題辭**　題辭在應用文中爲最受歡迎之一種，蓋其格式固定，作法簡易，人人得而優爲。當茲工商業發達、人人忙碌之時代，實有推廣之必要。

九、**契約**　契約是一種法律行爲，由雙方或多方當事人同意而簽訂，規定雙方或多方當事人權利義務之文書，在發生財產關係或人事關係上普徧使用，固不得而略也。

十、**規章**　規章是規定組織範圍及權責畫分之一種文書，故凡機關團體公司行號等，於設立或創辦時，均有規章之訂立，記載其名稱、宗旨、組織、權責，以及辦事程序等條款，以爲共同遵守之準則。吾人既不能自外於社會，涉及規章者甚多，略知一二，當有助於應世，而不爲門外漢。

十一、**啓事廣告**　啓事廣告大都爲個人、團體、廠商等對社會大衆或一部分人有所陳述，以公開方式刋登於報紙雜誌，俾衆週知，以達到預定目的，其用途亦甚爲普徧。

上之所列，固不能概應用文之全，然如能就此十一類稍加鑽研，進而提筆能作，以之應世，必綽有餘裕也。

第四節　應用文之特質

文章既不與政事同，故應用文章固非普通文章可比，語其特質，蓋有四端：

一、**內容**　應用文之內容必須有一定範圍，且就當前之實際生活上取材，非若普通文章可以海闊天空，縱橫馳騁。

二、**對象**　應用文之對象爲特定之一個人，或一個機關，或一個團體，或一所學校，或一個地區，或一家公司，或一間工廠，或一段時間，非若普通文章可以漫無對象，超越人物、時間、空間而任意寫作，盡情發揮。

三、**格式**　應用文有固定之格式，人人得而遵守，始能舉國上下，通行無阻，荀子所謂『約定俗成』，庶幾近之，非若普通文章可以隨興所至，爲所欲爲。

四、**遣詞用字**　應用文有專門之術語，必須愼加選擇，斟酌至當，然後使用，非若普通文章可以自鑄美辭，推陳出新。

第五節　應用文寫作要點

應用文既不同於一般文章，在形式方面所受之束縛甚多，在內容方面所受之限制亦復不少，寫作時欲求得心應手，須先明其竅要。茲簡述如下：

一、**淺顯**　所謂應用文，顧名思義，係以實用爲主。一篇應用文能爲人所共喻，則其所負之使命即已完成。故此類文章之寫作，以淺顯爲貴。第所謂淺顯，初非庸熟之謂，尤非俚俗之謂，淺顯而能出以簡要，斯爲佳構。又讀者多爲一般民衆，故切忌飣餖字句，以自炫博雅，尤忌用生僻之字，以自矜詭異，致貽『札闥洪庥』（宋歐陽修與宋祁共修新唐書，宋好爲艱深之語，歐思諷之，書其扉曰『札闥洪庥』。宋見之曰：『非「書門大吉」耶，何必求異如此。』）之誚。

二、**簡潔**　應用文有別於美術文，亦有別於學術論文，故刻意雕琢，或旁徵博引，固非所宜，而冗長散漫，不知剪裁，尤所當戒。苟能以簡潔清新之文示人，必能博得對方之良好印象。

三、**明確**　應用文字最貴明確，立意措辭，須針對其目標，始克畢其能事。凡含糊籠統之字，模稜兩可之詞，應極力避免。民國六十三年七月行政院修訂行政機關公文處理手册，於公文用語廢除通行已久之『姑予照准』、『尚無不合』、『似可照辦』等不肯定且有意推卸責任之詞句，即在求其意義之明確。

四、**誠實**　先哲有云：『修辭立其誠。』又云：『不誠無物。』誠實之重要性，於此可見。譬彼戲劇小說，爲求情節離奇，以便達到感人之目的，往往不惜歪曲事實，或加油添醋，致與事實眞相相去懸絕者，所在多有，此在應用文之寫作，當懸爲厲禁。諸葛亮之出師表，李密之陳情表，陸贄之奉天改元大赦制諸篇，其所以能感人肺腑，扣人心弦，千載以下，猶傳誦不衰者，無他，有眞誠以貫之耳。

五、**禮貌**　應用文有特定之對象，無論對地位高於己者或不如己者，長輩或晚輩，長官或下屬，當握管行文之際，應尊重對方地位，注意普通禮貌，婉轉而不偏激，客觀而不武斷，以免引起對方反感。西哲亞里斯多德云：『對上級謙遜是本分，對平輩謙遜是和善，對下屬謙遜是高貴，對所有人謙遜是安全。』撰寫應用文而出以謙恭有禮，則其所得效果，無待蓍卜矣。

第二章　實用書牘

第一節　書牘釋名

書牘爲書信之總稱，乃應用文中最重要之一種。蓋書以代言，言以達意，良朋遠隔，積想爲勞，苟非信札往還，將何以溝通感情，相互存問。若乃三年不見，東山歎遠，五色增采，花箋抒情，使受書者讀之，永留佳象，人生之樂，曷逾於此。漢末阮瑀稱書記翩翩，晉初山濤有山公啓事，文采風流，喧騰衆口。曾國藩以書生總師干，與羣將通書，多自握管，用能上下輯睦，協和有成，卓然號一代中興名臣。論者謂曾氏蓋世之武功，有辭翰之勳績焉。書信之要，從可知矣。故善爲書札者，立意尚簡明，措辭貴得體，格式宜合時。人事紛紜，寸陰尺璧，若意雜辭蕪，則觀者生厭，旨明言暢，則聽者忘疲，此立言之尚簡明也。行輩有尊卑，交誼有深淺，至親無文，語宜質樸，長幼有序，言戒輕佻，或有所諮商，則宜委婉陳說，或有所申辯，則宜虛己剖分，此措辭之貴得體也。稱謂不訛，行款無誤，封緘有法，紙墨相宜，此格式之宜合時也。凡此種種，略事講求，不難諳練。至於性靈溢於紙上，笑語生於毫端，開函則如見其人，雒誦則如聞其語，自非廣涉名篇，勤加練習，神明於規矩之中者，不能至也。

書牘起源於何時，已難稽考，但自有文字後即有書牘，則可斷言。今所見最早之書牘，爲尚書之君奭篇，乃周公致召公奭之書函。下逮戰國，有樂毅報燕惠王書、魯仲連遺燕將書等。秦時有李斯諫逐客書。漢初有司馬遷報任少卿書、李陵答蘇武書、楊惲報孫會宗書等。東漢以後，作者益衆，佳構紛陳，屈指難數矣。

至於書牘之名稱，向極紛歧，未嘗統一，蓋以年世綿遠，文明日進，所用之材料變，則名稱亦隨之俱變。曾國藩編經史百家雜鈔，列有書牘類，曾作簡明之詮釋云：

書牘類，同輩相告者，經如君奭，左傳鄭子家、叔向、呂相之辭皆是。後世曰書，曰啓，曰移，曰牘，曰簡，曰刀筆，曰帖，皆是。

按呂相之辭，乃指春秋晉卿呂宣子絕秦之外交辭令（詳見左傳成公十三年），並非私人書信，應列入公文書中。而『移』亦非私人書信，其性質與『檄』相近，乃公文書之一種。此蓋曾氏之偶失，無須爲賢者諱也。茲將書牘之別名詳列於後：

(1)**書**　文心雕龍書記篇：『書者，舒也，舒布其言，陳之簡牘。』書牘之名稱紛繁，以『書』最爲世所習用。

(2)**啓**　文心奏啓篇：『啓者，開也。高宗云：「啓乃心，沃朕心」，取其義也。孝景諱啓，故兩漢無稱，至魏國箋記，始云啓聞。』自魏以降，以『啓』代『書』者，時時可見。

(3)**啓事**　作書札白事曰啓事。晉書山濤傳：『濤爲吏部尚書，凡用人行政，皆先密啓，然後公奏，舉無失才，時稱山公啓事。』

(4)**書信**　晉書陸機傳：『機有駿犬，名曰黃耳，甚愛之。既而羇寓京師，久無家問，笑語犬曰：

「我家絕無書信，汝能齎書取消息不。」犬搖尾作聲，機乃爲書以竹筩盛之而繫其頸，犬尋路南走，遂至其家，得報還洛。其後因以爲常。』此爲書信二字連用之始。

(5) **書疏** 曹丕與朝歌令吳質書：『歲月易得，別來行復四年。三年不見，東山猶歎其遠，況乃過之，思何可支。雖書疏往返，未足解其勞結。』

(6) **書記** 曹丕與朝歌令吳質書：『元瑜書記翩翩，致足樂也。』按記亦書類，書記係同義之複合詞。

(7) **書啓** 歐陽修與陳員外書：『吏以私自達於其屬長，則曰牋記書啓。』古時蓋以施於尊貴者，近世則概指書牘，前清州縣廨署，有專司書啓之事者。

(8) **尺素** 文選飲馬長城窟行：『客從遠方來，遺我雙鯉魚，呼兒烹鯉魚，中有尺素書。』呂向注：『尺素，絹也。古人爲書，多書於絹。』

(9) **雁書** 漢書蘇武傳：『天子射上林中，得雁，足有係帛書，言武等在某澤中。』李白送友人遊梅湖詩：『莫惜一雁書，音塵坐胡越。』

(10) **雁封** 王瑳詩：『雁封歸飛斷，鯉素還流絕。』

(11) **雁帛** 柳貫舟中睡起詩：『江驛北來無雁帛。』

(12) **雁音** 林景熙答柴主簿詩：『銅槃消息無人問，寂寞西樓待雁音。』

(13) **魚雁** 宋无次友人春別詩：『波流雲散碧天空，魚雁沈沈信不通。』琵琶記臨妝感歎：『雁杳魚沈，鳳隻鸞孤。』

(14)**雁信** 溫庭筠寄湘陰閻少府乞釣輪子詩：『若向三湘逢雁信，莫辭千里寄漁翁。』

(15)**雙鯉** 韓愈寄盧仝詩：『先生有意許降臨，更遣長鬚致雙鯉。』古人寄書，常以尺素結成雙鯉形，故云。

(16)**雙魚** 李白贈漢陽輔錄事詩：『漢口雙魚白錦鱗，令傳尺素報情人。』

(17)**魚書** 韋皋憶玉簫詩：『長江不見魚書至，爲遣相思夢入秦。』

(18)**魚素** 蔡伸卜算子詞：『望極錦中書，腸斷魚中素。』

(19)**魚箋** 福惠全書：『暫役魚箋，聊申燕賀。』

(20)**尺書** 岑參虢州酬辛侍御見贈詩：『相思難見面，時展尺書看。』古時書函長約一尺，故云尺書。下云尺牘、尺簡、尺翰、尺紙、尺楮、尺函，皆此義。

(21)**尺牘** 漢書陳遵傳：『遵瞻於文辭，善書，與人尺牘，主皆藏去以爲榮。』

(22)**尺簡** 唐書藝文志：『安祿山之亂，尺簡不藏。』

(23)**尺翰** 陳書蔡景歷傳：『尺翰馳而聊城下。』

(24)**尺紙** 宋書序傳：『聊因尺紙，使卿等具知厥心。』

(25)**尺楮** 王邁謝辟不就啓：『敬裁尺楮，往白前茅。』

(26)**尺函** 福惠全書：『尺函遠錫。』

(27)**玉札** 對他人書牘之敬稱。皮日休懷華陽潤卿博士詩：『數行玉札存心久，一掬雲漿漱齒空。』

(28)**玉函** 書牘之美稱。

(29) **玉音** 書牘之美稱。楊億送劉秀州詩：『騎置迢迢阻玉音，左魚江海遂初心。』

(30) **好音** 史可法復多爾袞書：『南中向接好音，法遂遣使問訊吳大將軍。』

(31) **瑤函** 對他人信札之美稱。

(32) **瑤章** 同右。

(33) **瑤札** 同右。宇文融詩：『飛文瑤札降，賜酒玉杯傳。』

(34) **瑤緘** 書札之美稱。羅隱寄黔中王從事詩：『貪將醉袖矜鶯谷，不把瑤緘附鯉魚。』

(35) **華翰** 對他人書札之美稱。劉禹錫謝竇相公啓：『每奉華翰，賜之衷言。』

(36) **簡** 古無紙時，書寫於竹曰簡，於帛曰帖，於版曰牘，亦謂之牒，亦謂之札。說詳朱駿聲說文通訓定聲 世皆沿用爲書信之通稱。

(37) **帖** 詳右。

(38) **牘** 詳右。

(39) **牒** 詳右。

(40) **札** 詳右。

(41) **箋** 紙之精緻華美者曰箋，或曰牋，如花箋、錦箋，多供題詠書札之用，故書札通稱曰箋。

(42) **牋** 詳右。

(43) **刀筆** 宋楊億黃庭堅皆自稱其所著之尺牘曰刀筆。按古用竹簡木牘代紙，以木筆沾漆書寫，謬誤者以刀削而除之，後遂以刀筆爲書札之代稱，掌案牘之吏曰刀筆吏。

(44)**朶雲**　書札之美稱。唐韋陟常以五采箋作書，自謂所書陟字若五朶雲，時號五雲體。
(45)**雲箋**　書札之美稱。按俗稱他人之覆函曰『還雲』，所謂還雲、雲箋，蓋均係自朶雲而引伸者。
(46)**緘札**　書札之美稱。李商隱春雨詩：『玉璫緘札何由達，萬里雲羅一雁飛。』
(47)**華簡**　同右。
(48)**華札**　同右。
(49)**瑶函**　同右。
(50)**芝函**　同右。
(51)**瑤簡**　同右。
(52)**雲翰**　同右。
(53)**手書**　對他人書札之敬稱。
(54)**手札**　同右。
(55)**手翰**　同右。
(56)**大札**　同右。
(57)**惠書**　同右。
(58)**惠翰**　同右。
(59)**惠簡**　同右。
(60)**手筆**　同右。後漢書趙壹傳：『報皇甫規書曰：「忽一匹夫，於德何損，而遠辱手筆，追路相尋，誠足愧也。」』

(61)**手畢** 對他人書札之敬稱。爾雅釋器：『簡謂之畢。』郭璞注：『今簡札也。』山谷題跋：『子京別紙多云伏奉手畢，南人謂畢爲筆，因效之。』

(62)**手紙** 日本人稱書札曰手紙（てがみ）。

(63)**慈諭** 對祖父母及父母書札之敬稱。

(64)**手示** 同右。

(65)**手諭** 同右。

(66)**嚴諭** 對祖父及父親書札之敬稱。

(67)**鈞諭** 對尊長書札之敬稱。

(68)**賜書** 同右。

(69)**賜函** 同右。

(70)**手教** 同右。

(71)**翰諭** 同右。

(72)**翰示** 同右。

(73)**稟函** 對子孫書札之稱。

(74)**來稟** 同右。

(75)**來書** 對卑幼書札之稱。

(76)**來　函**　同右。

以上七十六種書牘之名稱，乃二千餘年來世所習見者，隨時代之變遷，除少數名稱仍爲今人所沿用外，餘多廢置。

第二節　書牘之種類

書牘之種類繁多，要而歸之，『對人』『對事』兩大類而已。

一、對　人

(一)**對長輩**　如對父母、祖父母、岳父母、長輩、長官、業師等是。

(二)**對平輩**　如對兄弟姊妹、堂兄弟姊妹、表兄弟姊妹、朋友、同學、同事等是。

(三)**對晚輩**　如對子女、孫曾、姪子女、晚輩、學生等是。

二、對　事

(一)**發抒情感**　如通候、仰慕、求愛等是。

(二)**純粹應酬**　如祝壽、慶賀、慰唁等是。

(三)**實際應用**　如借貸、求職、貿易等是。

(四)**發表議論**　如論學、論事、論立身處世等是。

對人係以發信人之關係而言，對事係以發信人之目的而論，事實上人與事合爲一體，不容分割。書信之對象爲人，且爲特定之人，似宜以人分類爲是。惟寫信之目的在於敍事，無事則不必寫信，故又以事分類爲妥。

第三節　書牘之結構

書牘所以代晤談，故晤談之程序，卽書牘之結構。假使因事詣人，自宜先通名刺（熟人可免，而改爲敍寒暄。），然後陳其來意，所懷既竭，於是道別而去。本此以觀書牘，大體可分三部分：首爲開頭應酬語，猶敍寒暄也。次爲正文，卽書信主體，猶陳來意也。末爲結尾應酬語，猶臨去道別也。茲爲淸晰計，將書牘範例及其結構表列如左：

書牘範例

賀友人當選省議員

某某吾兄左右：敬啓者，不覩英姿，又經匝月，想念之深，與時俱積。頃披中央日報，欣悉榮膺臺灣省議會第六屆議員，昭物望於圭璋，騰英聲於冠冕。行見秉持公意，歡洽輿情，奠民主之初基，展敬恭於　珂里。忝居同窗之末，亦與有榮焉。今後尚祈　不遺

在遠，南針時賜，以匡不逮，實爲至望。耑此奉賀，順頌

儷祺。

弟
某某謹啓○月○日

伯母前祈叱名請安。

書牘結構

- 前文
  - ①稱　　謂：某某吾兄。
  - ②提 稱 語：左右。
  - ③啓事敬辭：敬啓者。
  - ④開頭應酬語：不覩英姿……與時俱積。
- 正文
  - ⑤書牘主體：頃披中央日報……亦與有榮焉。
- 後文
  - ⑥結尾應酬語：今後尙祈不遺在遠……實爲至望。
  - ⑦結尾敬辭：耑此奉賀……順頌儷祺。
  - ⑧署名敬禮：弟某某謹啓。
  - ⑨月　　日：○月○日。
  - ⑩補　　述：伯母前祈叱名請安

上述各部分，往往因人因事，可斟酌情形，予以省略。如家人通信，③④⑥⑩各項，以率眞而可省。喪事唁問，③④⑩三項，以哀悼而可省。茲按上列結構次序，略加說明如下：

一、稱　謂　此爲書牘發端重要部分，所以確定通訊人雙方關係。稱謂一誤，使人有其餘不足觀之感。

聞某大學有一畢業生，函請校長介紹工作，起首卽書『某某校長仁兄大鑒』，似此不可原諒之錯誤，未有不令人噴飯者。如係求職，其結果如何，可以不問而知。又對方有字或號者，須稱其字號，確無字號，始可逕稱其名。

二、**提稱語**　提稱語在『稱謂』之下，表示請求受信人察閱之意，故與『稱謂』均宜適合收信人身分。如對父母當用『膝下』、『膝前』，對業師當用『函丈』、『壇席』，對婦女當用『慧鑒』、『妝次』，對朋友當用『惠鑒』、『足下』。

三、**啓事敬辭**　通常用在『提稱語』之下，爲陳述事情之發語詞。可分去信、回信兩種：普通對祖父母及父母，無論去信、覆信均用『敬稟者』、『敬肅者』。對親友長輩及業師，去信用『敬肅者』、『敬陳者』，覆信用『敬覆者』、『謹覆者』。對平輩去信用『逕啓者』、『茲啓者』，覆信用『逕覆者』、『茲覆者』。對晚輩去信可以不用，覆信可用『茲覆者』、『茲覆如左』之類，非以示敬，特作爲發語詞而已。其實此一項本非必要，現代書信多略而不用。惟有所商請，對長輩用『敬懇者』，對平輩用『茲有懇者』、對晚輩則用『茲有託者』。

四、**開頭應酬語**　在一般正式書信中，通常多有此項，其種類甚多，有表思慕，有敍別情，有頌揚德業，有祝福起居，或切時，或切事。如對男性尊長，則云『仰瞻　仁宇，時切葵忱』。對女性尊長則云『遠隔　慈雲，倍深瞻仰』。對平輩則云『久違　雅範，時切馳思』。對婦女則云『久別　芳儀，時深系念』。

五、**書牘主體**　爲作書主旨，最宜注意，既無定式，亦無定法，如何使意思顯豁，層次分明，端視作者之用心耳。

六、**結尾應酬語**　多寥寥數語，如對長輩則云『乞賜　俞允，無任盼禱』。對平輩則云『臨潁神往，不盡所懷』。對情人則云『紙短情長，欲言難罄』。

七、**結尾敬辭**　可分為兩部分：一為敬語，如『肅此』、『專此』之類。二為問候語，如用『請』字，下宜用『安』字，如『敬請　崇安』、『即請　台安』。如用『頌』字，下宜用『祺』、『祉』、『綏』等字，如『順頌　秋祺』、『即頌　刻祉』、『祗頌　台綏』之類。

八、**署名敬禮**　署名在書牘中為不可缺少之部分。末尾署名宜與『稱謂』相呼應，所以示通訊人雙方關係。如對父母稱『男』或『女』，對業師稱『受業』或『學生』，對朋友稱『弟』或『妹』。署名下附有敬辭，如對尊親用『敬稟』或『叩稟』，對平輩用『拜啓』或『頓首』，對晚輩用『手啓』或『手泐』。又對家族及關係極親近之人，只署名而不書姓，此外則多全寫姓名。

九、**月日**　月日所以標明發信時間，在書信中亦不可缺。如韓愈姪十二郎旣歿，僕人耿蘭之報不知當言月日，致橫生枝節，是其著例。

十、**補述**　書信首尾已完，或有遺漏之事，可於信末補述。開頭可用『再者』、『再啓者』，結尾可用『又啓』、『又及』。然此乃不得已之辦法，鄭重恭敬之信札，以不用為宜。又時下青年有以英文『P.S』(postscript) 代替『補述』者，務須戒絕。至於附帶問候之補述，如『伯父大人前敬祈叱名請安』、『某某姊前煩代致候』、『舍妹囑筆問候』之類，則無論對方身分，均一體適用。

以上書牘結構，大體略備於此，運用之妙，但存乎一心耳。

第四節　書牘之術語

書牘爲應用文，與人交際，自當從順時宜，但亦不可失之鄙俗。茲爲便檢閱參考起見，特將書牘慣用術語分別製表於後，並附加說明。

（一）稱　謂

一、家　族

稱人	自稱	對他人稱	對他人自稱
祖父 祖母	孫 孫女	令祖 令祖母	家祖父（或家大父） 家祖母（或家大母）
伯（叔）祖父 伯（叔）祖母	姪孫 姪孫女	令伯（叔）祖 令伯（叔）祖母	家伯（叔）祖 家伯（叔）祖母
父親 母親	男（或兒） 女	令尊（或尊公或尊翁） 令堂（或尊堂或尊萱）	家父（或家君・家尊・家大人・家嚴） 家母（或家慈）
伯（叔）父 伯（叔）母	姪 姪女	令伯（叔） 令伯母（叔母）	家伯（叔） 家伯母（叔母）
兄（或某哥） 嫂（或某姊）	弟 妹	令兄 令嫂	家兄 家嫂

弟 弟婦（或某弟 妹）	兄 姊	令弟 令弟婦	舍弟 舍弟婦
姊 妹	弟（妹） 兄（姊）	令姊 令妹	家姊 舍妹
夫子（或某哥・某兄・夫君） 某某（單稱名或字）	妻（或妹） 某某（單稱名或字）	某先生 （或尊夫君）	外子 （或某某・拙夫）
吾妻（或某妹・賢妻・愛妻） 某某（單稱名或字）	夫 某某（單稱名或字）	尊夫人（或閫） 嫂	內子（或拙荊） 內人（或賤內）
吾兒（或幾兒或某某兒） 吾女（或幾女或某某女）	父 母	令郎（或公子・郎君・嗣） 令嬡（或嬡・愛）	小兒（或小犬・豚犬・賤息・豚兒） 小女
賢媳（或某某或某某兒）	父 母（或愚）	令媳	小媳
某某 姪（或賢姪） 姪女（或賢姪女）	伯（叔） 伯母（叔母）	令姪 令姪女	舍姪 舍姪女
幾孫 孫女（或某某孫 孫女）	祖 祖母	令孫 令孫女	小孫 小孫女
賢姪孫 賢姪孫女	伯（叔）祖 伯（叔）祖母	令姪孫 令姪孫女	舍姪孫 舍姪孫女

君舅姑（或父母親）	媳（或兒）	令舅姑	家舅姑
伯（叔）翁姑（或伯（叔）父母）	姪媳	令伯（叔）翁姑	家伯（叔）翁姑

【說明】

㈠凡尊輩已歿，『家』字應改為『先』字。自稱已歿之祖父母，為『先祖父母』或『先王父』、『先祖考』、『先王母』、『先祖妣』。稱已歿之父母，父為『先父』、『先君』、『先嚴』、『先考』、『先君子』、『先府君』，母為『先母』、『先慈』、『先妣』。

㈡稱人父子為『賢喬梓』。對人自稱為『愚父子』。稱人兄弟為『賢昆仲』、『賢昆玉』，對人自稱為『愚兄弟』。稱人夫婦為『賢伉儷』，對人自稱為『愚夫婦』。

㈢家族幼輩稱呼，『賢』字大可不用，即媳婦亦可不用。

㈣舅、姑對媳婦，本多自稱愚舅、愚姑，因與舅父或姑母之稱有時相混，故用一『愚』字。其實可自稱父母，或逕寫字號為宜。

㈤稱已故之兄姊曰『先兄』『先姊』，稱已故之弟妹曰『亡弟』『亡妹』。

二、親戚

稱人	自稱	對他人稱	對他人自稱

姑丈 姑母	姪（或內姪） 姪女（或內姪女）	令姑丈 令姑母	家姑丈 家姑母
外祖父 外祖母	外孫 外孫女	令外祖父 令外祖母	家外祖父 家外祖母
舅父 舅母	甥 甥女	令母舅 令舅母	家母舅 家舅母
姨丈 姨母	姨甥 姨甥女	令姨丈 令姨母	家姨丈 家姨母
表伯（叔）父 表伯（叔）母	表姪 表姪女	令表伯（叔） 令表伯（叔）母	家表伯（叔） 家表伯（叔）母
表舅父 表舅母	表甥 表甥女	令表母舅 令表舅母	家表母舅 家表舅母
岳父 岳母	子壻（或壻）	令岳 令岳母	家岳 家岳母
伯（叔）岳父 伯（叔）岳母	姪壻	令伯（叔）岳 令伯（叔）岳母	家伯（叔）岳 家伯（叔）岳母
姻伯（或叔）父 姻伯（或叔）母	姻姪 姻姪女	令親	舍親
親家（或親翁） 親家母（或親家太太）	姻愚弟 姻愚妹（或姻侍生）	令親家（或令親翁） 令親家母（或令親家太太）	敝親家（或敝親翁） 敝親家母（或敝親家太太）

姊丈　姊倩	內弟　姨妹（或弟妹）	令姊丈	家姊丈　家姊夫
妹丈　妹倩	內兄　姨姊（或兄姊）	令妹丈	舍妹丈　舍妹夫
表兄　表嫂	表弟　表妹	令表兄　令表嫂	家表兄　家表嫂
內兄　內弟（或兄弟）	妹壻　姊壻	令內兄　令內弟	敝內兄　敝內弟
襟兄　襟弟	姻愚弟　姻愚兄	令僚壻	敝連襟
姻兄　姻嫂	姻弟　姻侍生（或姻愚妹）	令親	舍親
賢內姪　賢內姪女	姑丈　姑母	令內姪　令內姪女	舍內姪　舍內姪女
賢外孫　賢外孫女	外祖　外祖母	令外孫　令外孫女	舍外孫　舍外孫女
賢甥　賢甥女	愚舅　愚舅母	令甥　令甥女	舍甥　舍甥女
賢壻　賢倩	愚岳　愚岳母	令壻（或令坦倩）	小壻

賢表姪 姪女	愚表伯（叔） 伯母（叔母）	令表姪 姪女	舍表姪 姪女
賢姻姪 姪女	愚	令親	舍親

【說　明】

㈠親戚中，『姻伯』、『姻叔』、『姻丈』乃指姻長中無一定稱呼者，如姊妹之舅姑及其兄弟姊妹，兄弟之岳父母及其父母兄弟姊妹，用此稱謂最富彈性。

㈡平輩者皆依表列定稱。

㈢幼輩稱呼『賢姻姪』三字，祇能用於極親近者。普通親戚雖屬晚輩，亦以『姻兄』相稱，而自稱『姻弟』或『姻末』。

三、師友同學

稱人	自稱	對他人稱	對他人自稱
太夫子 師母	門下晚生		
夫子（或吾師・老師） 師母	生（或受業・學生）	令業師 師母	敝業師 師母
太世伯（叔）父 母	世再姪 姪女		

世伯（叔）父 母	世姪 姪女		
世 仁 丈	晚		
世兄 姊（或吾兄 姊）	世弟 妹（或弟妹）	令友	敝友
學長（或學兄 姊）	學弟 妹（或弟妹）	貴同學	敝同學
同學（或學弟 妹）	小兄 愚姊（或友生）	令高足	敝門人 敝學生
世講（或世臺 世兄）	愚		

【說明】

㈠『夫子』二字，常爲妻對夫之稱。女學生對師長，則以稱『老師』、『吾師』或『業師』爲宜。

㈡世交中伯叔字樣，視對方與自己父親年齡而定，較長者稱『伯』，較幼者稱『叔』。

㈢世交而兼有戚誼者，按尊長年齡比較，稱『太姻世伯（叔）』、『姻世伯（叔）』。

㈣確有世誼關係，年長於己二十歲以上，而行輩不易確定者，稱『仁丈』或『世丈』。

㈤世交平輩中，如係交誼深厚者，可稱『吾兄』、『我兄』，一則表示親近，再則免與通稱晚輩爲『世兄』者相混。

㈥對女老師之夫可稱『師丈』或『某（姓）先生』，不可稱『師公』或『師父』。

四、工友

稱人	自稱	對他人稱	對他人自稱
某某（稱名字）	某某（單具名字）	尊紀（或貴价女工友）	某某（或小价敝女工友）

除右列四表外，尚有其他關係之稱謂，如部屬對長官，通常稱『鈞長』或『鈞座』，或稱職銜，如『某公部長』，自稱『職』。如對舊時長官，則自稱『舊屬』。稱他人長官，則在職銜上加『貴』字，如『貴部長』。對他人稱自己長官，則曰『敝部長』。

（二）提稱語

用途	語彙
用於祖、父母及父母	膝下・膝前・尊前・道鑒
用於長輩	尊前・尊鑒・賜鑒・鈞鑒・崇鑒・尊右・侍右・道鑒
用於師長	函丈・壇席・講座・尊前・尊鑒・道鑒
用於平輩	台鑒・大鑒・惠鑒・左右・足下・閣下・雅鑒・偉鑒・英鑒
用於同學	硯右・硯席・文几・文席（上欄『台鑒』等語亦可通用）
用於晚輩	青鑒・青覽・如晤・如握・如面・收覽・知悉・知之・收悉・收閱

用於政界	勛鑒・鈞鑒・鈞座・台座・台鑒・閣下・左右
用於軍界	麾下・鈞鑒・鈞座・幕下
用於教育界	講席・座右・麈次・有道・著席・撰席・史席・道鑒
用於弔唁	苫次・禮席・禮鑒・禮次・素覽
用於哀啓	矜鑒・荃詧
用於釋家	方丈・法鑒
用於道教	法鑒
用於耶教	道鑒
用於婦女	妝次・奩次・閫照・慧鑒・妝鑒・繡次・妝閣・芳鑒・淑覽・懿鑒

【說　明】

㈠對直屬長官，可參酌尊長及軍政兩欄，以用『鈞鑒』、『賜鑒』爲普通。

㈡對晚輩欄，凡用『鑒』均客氣成分較多，『覽』次之。『如晤』至『如面』，用於晚輩較親近者。『收覽』以下，大都用於己之卑親屬。

㈢喜慶函無一定之提稱語，可按關係依表列酌用。

(三)啓事敬辭

用途	語彙
用於祖父母及父母	敬稟者・謹稟者・叩稟者
用於長輩及長官	茲肅者・敬肅者・謹肅者・敬啓者・謹啓者（覆信：謹覆者・敬覆者・肅覆者）
用於通常之信	敬啓者・謹啓者・啓者・茲啓者・逕啓者（覆信：茲覆者・敬覆者・逕覆者）
用於請求之信	茲懇者・敬懇者・茲託者・敬託者・茲有懇者・茲有託者
用於祝賀	敬肅者・謹肅者・茲肅者
用於訃信	哀啓者・泣啓者
用於補述	又・再・再啓者・再陳者・又啓者・又陳者

【說明】

通常『請求』、『補述』各種用語，有時可成四字句，如『茲敬陳者』、『茲有懇者』、『茲再陳者』、『茲有啓者』，行文時視文氣需要而定。

（四）開頭應酬語

一、思慕語

(一)對人思慕

用途	語句
用於祖父母及父母	▲引領◯慈雲㊀，倍切孺慕。▲引瞻◯慈顏㊁，良深孺慕。▲仰望◯慈暉，孺慕彌切。▲翹首◯慈雲，倍切依依。▲瞻企◯慈雲，彌殷孺慕。▲◯慈雲翹首，孺慕彌殷。
用於親友長輩	▲◯光輝仰望，思慕時深。▲引領◯吉輝，倍切神往。▲仰企◯光輝，時深傾慕。▲仰慕◯光輝，神情遙注。▲遙仰◯山斗㊂。系念殊殷，而停鸞峙鵠㊃，無日不懸心目間也。……惟有翹首◯鈞顏，徒切瞻依耳。
用於師長	▲遙望◯門牆㊄，輒深思慕。▲瞻仰◯斗極，殊切依馳。▲翹瞻◯星嶽，倍切神馳。▲路隔山川，神馳◯絳帳㊅。▲仰瞻◯道範，倍切依依。▲未知何日重立◯程門㊆，再聆◯孔鐸㊇，而依依◯絳帳之思，未嘗不寤寐存之。▲山川修阻。立雪無從，陶鑄之恩㊈，未嘗頃刻去懷也。▲程門立雪，何日忘懷，遙企◯斗山，時深馳慕。
用於長官	▲翹企◯斗山，輒深景仰。▲◯仁風德化，仰慕彌殷。▲◯雲天翹望，◯泰斗瞻馳。▲引領◯福星㊉，彌殷仰慕。▲◯雲天在望，心切依馳。▲◯斗山之仰，深切私衷。
用於親友平輩	▲望風懷想，時切依依。▲風雨晦明，時殷企念。▲瞻企◯芝標㊁，渴念殊極。▲每念◯故人，輒深神往。▲相思之切，與日俱增。▲言念◯故人，精爽飛越。▲神馳◯左右，夢想爲勞。▲屋梁落月㊂，時念◯故人。▲伊人秋水㊂，倍覺黯然。▲久未晤敎，渴念良殷，極思一見爲快也。

(二)對景思慕

用途	語句
用於春季	▲仰對春光，懷深雲樹㊃。▲暮雲春樹，想念殊殷。▲春深南國，人佇春風。▲對此鳥語花香之際，倍深懷思馳念之情。

用於夏季	▲薰風披處，時念○故人。▲薰風拂拂，楊柳依依，長夏無聊，倍念○知己。▲靜對荷塘，翹瞻倍切。▲對此柳線牽愁之日，忽憶春宵共話之歡。
用於秋季	▲每對秋光，彌深葭溯。▲風清月朗，輒念○故人。▲秋水蒹葭，倍切洄溯。▲對此銀河瀉影之時，頓起異苔同岑之感。▲對此白露蒼蒼之候，殊深伊人渺渺之思。▲悵望秋風，神馳夢寐。
用於冬季	▲雪梅霜樹，仰企良殷。▲寒燈夜雨，殊切依馳。▲梅影橫窗，懷念倍切。▲對此寒窗煮茗之時，益增落月屋梁之感。▲瘦影當窗，懷人倍切。▲寒梅將放，能不黯然神往也。

(三)未會思慕

用於親友長輩	▲久仰○斗山，時深景慕。▲久欽○碩望，時切神馳。▲仰企○慈仁，無時或釋。▲每懷○德範，輒深神往。▲久仰○芳型，未瞻○道範，未知何時得能暢聆○教益也。▲夙仰典型，未領清誨，譬如北斗在天，可望而不可及，悵何如之。
用於親友平輩	▲景仰已久，趨謁無從。▲瞻○韓徒切(五)，御○李無由(六)。▲久仰○仁風，未親○儀範。▲久慕○高風，未親○雅範。▲久欽○叔度(七)，○謦欬未親(八)，未知何時能慰夙願耳。▲久耳○大名，○清芬莫挹，仰跂○德門，悵惘靡已。

(四)復信思慕

用於親友長輩	▲方殷思慕，忽奉○頒函。▲仰企方殷，忽接○翰諭。▲翹企正切，忽蒙○賜函。▲仰企正殷，辱蒙○翰示。▲仰企正殷，蒙頒○雲翰，迴環捧誦，眷注殊深。▲瞻仰正切，○手翰惠頒，如親○謦欬。

用於親友平輩

▲仰企正殷，忽奉○大札。▲懷思正切，忽奉○琅函。▲馳念正殷，忽得○手示。

▲方深景念，○華翰忽頒。▲正欲修函致候，而○朶雲忽至，迴環雒誦㊈，不啻晤言。

▲正深企念，忽奉○瑤章㊉。捧誦之餘，恍親○芝宇(十一)。

【說　明】

㊀上列各表，句中凡有『○』記號者，其下一字應平抬，或挪抬，表示禮貌。以下各表悉同，不另說明。

㊁思慕語爲開頭應酬語之一種，先述自己仰慕之忱，以示敬意者。惟此類套語，習用已久，表中所列，舉例而已。作書時，仍以別立新意，自撰新詞爲佳。

【注　釋】

㊀引領慈雲　引領，延頸遠望也，望則伸其頸，故云。孟子梁惠王篇：『孟子曰：「如有不嗜殺人者，則天下之民皆引領而望之矣。」』慈雲，佛家語，喻佛之慈心廣大如雲也，世每借以稱祖父母或父母。

㊁慈顏　稱尊長之容顏也。張萬頃登天目山下作詩：『宦遊偏不樂，長爲憶慈顏。』

㊂山斗　亦曰泰斗，泰山北斗之合稱。唐韓愈以六經之文爲諸儒倡，蓋自比孟軻，以荀況揚雄爲未淳，自愈沒，其言大行，學者仰之如泰山北斗。見唐書本傳贊。按泰山，高山。北斗，北辰。皆爲人所景仰者。

㊃停鸞峙鵠　頌揚賢人之辭。韓愈殿中少監馬君墓誌銘：『鸞鵠停峙，能守其業者也。』

㊄門牆　論語子張篇：『叔孫武叔語大夫於朝曰：「子貢賢於仲尼。」子服景伯以告子貢，子貢曰：「譬之宮牆，賜之牆也及肩，窺見室家之好。夫子之牆數仞，不得其門而入，不見宗廟之美，百官之富。得其門者或寡矣，夫子之云，

不亦宜乎。」』後遂稱師門曰宮牆、門牆。

㊅絳帳　後漢書馬融傳：『融居宇器服，多存侈飾，常坐高堂，施絳紗帳，前授生徒，後列女樂。』按馬融爲一代大儒，世因美稱講座曰絳帳，或曰絳帷。

㊆立程門　朱子語錄：『游楊二子初見伊川，伊川瞑目而坐，二子侍，既覺曰：「尚在此乎，且休矣。」出門，門外雪深一尺。』按游楊謂游酢楊時，均程頤之高第弟子。

㊇孔鐸　論語八佾篇：『儀封人請見曰：「君子之至於斯也，吾未嘗不得見也。」從者見之，出曰：「二三子何患於喪乎，天下之無道也久矣，天將以夫子爲木鐸。」』鐸，鈴也，金口木舌，施政教時，振之以警衆。

㊈陶鑄　范土曰陶，鎔金曰鑄，蓋卽因材造作，使成一定形式之義。

㊉福星　舊時稱地方官有恩德及民者曰一路福星，言一路之人頌爲福星也。戴翼賀陳待制啓：『福星一路之歌謠，生佛萬家之香火。』

㊀芝標　稱人儀表之美。

㊁屋粱落月　杜甫夢李白詩：『落月滿屋粱，猶疑照顏色。』書札中常用爲懷念朋友之辭。

㊂伊人秋水　詩經秦風蒹葭：『蒹葭蒼蒼，白露爲霜，所謂伊人，在水一方。溯洄從之，道阻且長，溯游從之，宛在水中央。』

㊃雲樹　暮雲春樹之簡稱。杜甫春日憶李白詩：『渭北春天樹，江東日暮雲，何時一樽酒，重與細論文。』渭北，杜所居地，江東，李所居地，此借雲樹以寫相思之感。後因習用爲思念遠方友人之辭。

㊄瞻韓　李白與韓荊州書：『白聞天下談士相聚而言曰：「生不用封萬戶侯，但願一識韓荊州。」何令人之景慕，一至於此。』按韓朝宗時任荊州長史。後人因以瞻韓、識荊爲宗仰賢人之敬辭。

(十六)御李　東漢李膺，負天下重望，荀爽謁之，因為之御，既還，喜曰：『今日得御李君矣。』見後漢書李膺傳。後因以御李為敬慕賢者之辭。

(十七)叔度　黃憲字。憲東漢慎陽人，夙有高名，荀淑稱為顏子。陳蕃謂時月之間，不見黃生，則鄙吝之萌復存於心。郭泰謂叔度汪汪若千頃陂，澄之不清，淆之不濁，不可量也。其為士流景慕如此，天下號曰徵君。見後漢書本傳。

(十八)謦欬　喻言笑。莊子徐无鬼篇：『況乎兄弟親戚之謦欬其側者乎。』

(十九)雒誦　猶言反覆讀誦，亦作洛誦。莊子大宗師篇：『副墨之子，聞諸洛誦之孫。』王先謙集解：『謂連絡誦之，猶言反復讀之也。洛絡同音借字。』

(二十)瑤章　對他人書札之敬稱。按上文『翰諭』、『翰示』、『雲翰』、『手翰』、『大札』、『手示』、『華翰』、『朶雲』亦同。

(二十一)芝宇　唐書元德秀傳：『房琯每見德秀，歎息曰：「見芝紫德秀字眉宇，使人名利之心都盡。」』此借眉宇以稱容顏。按宇，眉也，面之有眉，猶屋之有宇。後因美稱他人曰芝宇。

二、闊別語

㈠按人敘別

用於祖父母及父母	▲叩別○尊顏，於茲數載。▲自違○膝下，倏忽一年。▲拜別○慈顏，忽已半載。▲自違○慈顏，業經匝月。
用於親友長輩	▲睽違○教範，荏苒經年。▲拜別○尊顏，轉瞬數月。▲不覩○芝儀，瞬又半載。▲自違○榘教，倏忽一年。▲睽違○清誨，裘葛頻更㈠。

用於師長	▲不坐○春風，倏已匝月。▲不親○教誨，幾度寒暄。▲自違○提訓，屈指經年。▲拜別○尊顏，倏逾旬日。
用於平輩	▲不奉○清談，又匝月矣。▲不親○雅範，倏忽經年。▲揖別○丰儀，蟾圓幾度㈡。▲自違○雅教，數月於茲。
用於軍政界	▲不瞻○德曜，倏已經年。▲溯隔○榰輝，幾度蟾圓。▲不親○仁宇，數載於茲。▲自睽○星標，數更寒暑。

㈡按時敘別

春別至夏	春風握別，又到朱明㈢。憶風雨別離，正綠野人耕之候，而光陰迅速，已碧荷藕熟之時矣。
春別至秋	送君南浦㈣，春復徂秋。賦別離於昔日，楊柳依依㈤，數景物於今晨，蒹葭采采㈥。
春別至冬	春初話別，又屆歲寒。鳥哢春園，折楊柳而握別，驛馳冬嶺，撫梅萼以增懷。
夏別至秋	麥天一別，又屆秋風。昔聽蟬噪青槐，方攄別意，今覩雁飛紫塞㈦，頓感離懷。
夏別至冬	不通音問，經夏徂冬。炎日當空，方賦離情於涼館，寒風吹沼，忽牽別恨於灞橋㈧。
秋別至冬	自經判袂，秋去冬來。玉露初凝，爾日別離不舍，雪梅將綻，今宵感慨偏多。

㈢按地敘別

近處相別	不親○叔度，倏爾數月，咫尺相違，如隔千里。
遠處相別	憶隔○光儀，又更裘葛，關河修阻，跋涉維艱。

旅中相別	前在旅邸聚談，辱荷○殷殷關注，旋以睽違兩地，頓覺歲序推移。
途中相別	某日邂逅相逢，得聆○雅敎，別後關山遠阻，頓覺節序催人。
異地相別	楚水吳山，江河迢遞，一經隔別，境異情疏。江湖浪迹，同是他鄉，又賦別離，情何能已。

㈣按事敘別

臨別贈詩文者	前者握別，雅荷○拳拳，承錫○佳章，實壯行色。
臨別賜筵宴者	臨賦驪歌，辱承○賜宴，醉心飽○德㈠，感媿殊深。
臨別賜財物者	行李在途，正增別緒，忽邀○厚貺，備感○深情。
臨別人送己	辱承○走送，笑語良歡，兩地停雲㈡，益增悵觸㈢。
臨別己送人	憶自行旌遠指，趨送長途，別來物換星移㈢，不覺蟾圓幾度矣。

【說　明】

表中所列，僅供參考而已。蓋此類詞句，沿用甚久，已成習套，上乘之書牘，自當別鑄新辭，不可襲用。曹丕稱美建安七子之作云：『於學無所遺，於辭無所假。』典論論文『於辭無所假』云者，卽昌黎韓氏所謂『惟陳言之務去』之意也。建安七子作品之獨有千古，卽以此焉。雖然，初學儉腹，藝事未精，悉空依傍，自造美辭，未免陳義過高，不切實際。故模擬爲創作之初階，已爲古今文家所公認。董其昌氏論書有云：

其始必與古人合，其後必與古人離。畫禪室隨筆姚鼐氏論文亦云：

學古人必始而迷悶，苦毫無似處，久而能似之，又久而自得，不復似之。（惜抱尺牘）

近人陳曾則氏言之尤爲精闢。

初學者必從摹擬入手，雖出於有意，無礙也。其學既進，其境既熟，其術日深，而後能去其形貌，而得其神理。張廉卿先生云：『與古人訢合於無間』，非好學深思，安能得之。（古文比）

僉謂初學者不可不多所規摹，以求與古人相合，亦取法乎上之意也。良以初學不從模擬入手，便求與古人離，是猶登高而不自卑，行遠而不自邇，其終無所成也必矣。惟模擬既久，須能自化，模擬而不能化，則終身役於古人，必不能自成家數。凡百詞藝皆然，固不獨書牘一端而已。

【注釋】

㈠裘葛　謂一歲也。多衣裘，夏衣葛，以禦寒暑，故以裘葛爲一歲之代詞。柳貫詩：『裘葛屢催年。』

㈡蟾圓　俗傳月中有蟾蜍，故稱月爲蟾光、蟾魄、蟾圓、蟾宮、蟾窟。歐陽詹長安玩月詩序：『稽於天道則寒暑均，取於月數則蟾兔圓。』

㈢朱明　謂夏也。爾雅釋天：『春爲青陽，夏爲朱明，秋爲白藏，多爲玄英。』邢昺疏：『云夏爲朱明者，言夏之氣和，則赤而光明也。』

㈣南浦　泛指送別之地。文選江淹別賦：『送君南浦，傷如之何。』

㈤楊柳依依　詩經小雅采薇：『昔我往矣，楊柳依依。』依依，柔貌。

㈥蒹葭采采　詩經秦風蒹葭：『蒹葭采采，白露未已，所謂伊人，在水之涘。溯洄從之，道阻且右，溯游從之，宛在水中沚。』毛氏傳：『采采，猶萋萋也。』馬瑞辰傳箋通釋：『萋萋，猶蒼蒼，皆謂盛也。』

(七)紫塞　秦所築長城，土皆紫色，故稱紫塞。見崔豹古今注。

(八)灞橋　在陝西長安縣東，橋橫灞水上，古人多於此送別，故又名銷魂橋。

(九)叔度　黃憲字。已見前注。

(一〇)醉心飽德　孟子告子篇：『詩云：「既醉以酒，既飽以德。」言飽乎仁義也，所以不願人之膏粱之味也。』

(一一)停雲　陶潛停雲詩序：『停雲，思親友也。』今人書札中常以停雲表思慕之意。

(一二)悵觸　感觸也。李商隱戲題樞言草閣詩：『君時臥悵觸，勸客白玉盃。』

(一三)物換星移　謂時節景物之變更也。王勃滕王閣序：『閒雲潭影日悠悠，物換星移幾度秋。』

三、頌揚語

(一)頌揚各界

用於政界	▲匡時巨擘，濟世長才。▲三臺俊碩(一)，一代耆英。▲龍門俊品(二)，鳳閣仙才(三)。
用於軍界	▲允文允武，如虎如貔。▲孫吳偉略(四)，韓范雄才(五)。▲伊周事業(六)，頗牧韜鈐(七)。 ▲投筆文場，播聲威於中外，飄纓武帳，奠偉績於山河。
用於學界	▲胸藏萬卷，筆掃千軍。▲懷抱澄清，風儀俊拔。▲詞壇祭酒，藝苑名家。 ▲擷來宋豔班香(八)，詞壇譽駿，摘得江花謝草(九)，藝苑才鴻。▲雄詞倒峽，豪氣凌雲。
用於商界	▲運籌有策，貨殖多能。▲居有為之地，吐氣揚眉，展致富之才，業崇財裕。 ▲陶朱駿業(一〇)，子貢經營(一一)。▲大隱於市(一二)，企業宏開。

用於醫界	▲肱傳三折⑬，方列千金⑭。　▲全心濟世，妙手成春。　▲祕傳金匱⑮，功著杏林⑯。 ▲術妙軒岐⑰，望隆盧扁⑱。
用於人品	▲德潤珪璋，才含錦繡。　▲丰姿嶽峙，雅量淵深。　▲璵璠粹品⑲，岱岳崇標⑳。 ▲高懷霽月㉑，雅度春風。

(二)頌揚親友

用於長輩	▲香山比算㉒，洛社齊名㉓。　▲虛懷若谷，和氣如春。　▲多煖宜人，春和煦物。 ▲譽隆望重，德劭年高。　▲齒德俱尊，才名並重。　▲算衍椿齡㉔，望隆梓里㉕。 ▲萬頃澄波，黃叔度之器量㉖，千尋聳榦，嵇中散之楷模㉗。
用於平輩	▲矯然之鶴，卓爾飛龍。　▲秀鍾山嶽，志聳雲霄。　▲襟期高曠㉘，吐屬溫和。 ▲叔度光儀，元龍氣量㉙。　▲度靄春風，氣和多日。　▲風流倜儻，意氣騰驤。
用於婦女	▲月魄精光，冰心慧質。　▲風傳林下㉚，秀占璇閨㉛。　▲韋曹比美㉜，鍾郝播徽㉝。 ▲夙聞懿範，咸仰坤儀㉞。

【說　明】

頌揚語旨在恭維受信者，使書信之效用格外加強。用時應考量對方之身分地位，以及雙方之關係，務求恰如其分。倘頌揚太過，恐對方誤爲有意挖苦，反爲不妙。

【注　釋】

㈠三臺　臺灣地區之別稱。蓋臺灣地區有臺北臺中臺南三大城市，故有此稱。

㈡龍門　三秦記：『江海魚集龍門下，登者化龍，不登者點額暴腮而還。』世因以龍門喩高名碩望，凡得其接引而增長聲價者，謂之登龍門。後漢書李膺傳：『膺獨持風裁，以聲名自高，太學中語曰：「天下模楷李元禮。」士有被其容接者，名爲登龍門。』

㈢鳳閣　卽中書省。唐書百官志注：『光宅（武后年號）元年，改中書省曰鳳閣。』

㈣孫吳　春秋孫武、戰國吳起，並精兵法，世言善用兵者，輒稱孫吳。

㈤韓范　謂宋名臣韓琦與范仲淹。二氏在兵間久，爲朝廷所倚重，邊人謠曰：『軍中有一韓，西賊聞之心膽寒。軍中有一范，西賊聞之驚破膽。』見宋史韓琦傳及名臣言行錄。

㈥伊周　謂商伊尹、周周公也。二人並爲佐命之臣。文選潘岳西征賦：『彼負荷之殊重兮，雖伊周其猶殆。』

㈦頗牧韜鈐　頗牧，謂戰國時趙名將廉頗與李牧。世言名將，恆以頗牧並舉。韜鈐，爲六韜與玉鈐篇之合稱，皆古之兵書，後謂用兵之法曰韜鈐。張說赴朔方軍應制詩：『禮樂逢明主，韜鈐用老臣。』

㈧宋豔班香　戰國楚宋玉、漢班固，並以賦名，摛藻豔麗，故言文學之美者，多引用之。

㈨江花謝草　南朝宋謝靈運、梁江淹，俱以詩擅名一代，故言南朝文才之美者，恆以江謝並稱。

㈩陶朱　春秋楚范蠡善居積，既佐越破吳，變姓名，游江湖，後之陶山，爲朱公，居十九年，三致千金，因成巨富。見史記范蠡傳。

⑪子貢　端木賜之字。賜春秋衞人，孔子弟子，善貨殖，家累千金。見史記貨殖傳。論語先進篇：『子曰：「賜不受命，

而貨殖焉，億則屢中。」』

㊁大隱　謂隱於朝市也。文選王康琚反招隱詩：『小隱隱陵藪，大隱隱朝市。』

㊂肱三折　喻醫生之閱歷多也。左傳定公十三年：『三折肱，知爲良醫。』

㊃方千金　唐孫思邈撰千金要方九十三卷，其意以爲人命至重，貴於千金，一方濟之，德莫踰於此，故名。

㊄金匱　金匱要略之省稱，漢張機撰，凡二十五篇，二百六十二方，爲醫雜症者所祖，與素問難經並稱醫學名著。

㊅杏林　三國吳時，董奉居廬山，爲人治病，不取錢，病重者令植杏五株，輕者一株，數年，得杏十萬株，號董仙杏林。見神仙傳。後人以杏林爲稱頌醫家之詞。

㊆軒岐　黃帝軒轅氏與岐伯（亦作歧伯）並精醫術，其論醫之語備載於內經，醫家奉以爲祖，合稱岐黃。

㊇盧扁　戰國鄭人秦越人受禁方於長桑君，治病以診脈爲名，而洞見五臟癥結，遂以精醫名天下。家於盧，世稱盧醫。又以其術與黃帝時良醫扁鵲相類，故世以扁鵲號之。見史記扁鵲傳。

㊈琠璠　美玉也。左傳定公五年：『季平子卒於房，陽虎將以琠璠斂，仲梁懷弗與。』

⑩岱岳　泰山別名。

⑪霽月　儒雅清朗之喻。宋史周敦頤傳：『黃庭堅稱其人品甚高，胸懷灑落，如光風霽月。』

⑫香山　唐白居易晚年居洛陽之香山，與胡杲、吉旼、鄭據、劉眞、盧眞、張渾、狄兼謨、盧貞燕集，皆高年不預世事，人慕之，繪爲九老圖。見唐書白居易傳。

⑬洛社　宋神宗熙寧年間，文彥博以太子太師致仕，居洛陽，效唐白居易九老會故事，集士大夫老而賢者於富弼之第，置酒賦詩相樂，序齒不序官，賓主凡十有二人，時人謂之洛陽耆英會。見宋史文彥博傳。

⑭椿齡　謂年齡同於大椿也。莊子逍遙遊篇：『上古有大椿者，以八千歲爲春，以八千歲爲秋。』後遂假以爲祝壽之辭。

㉕梓里　謂故鄉也。劉迎詩：『吾不愛錦衣，榮歸誇梓里。』

㉖黃叔度　卽黃憲。已見前注。

㉗嵇中散　晉嵇康仕至中散大夫，世稱嵇中散。山濤謂其爲人，醒若孤松之獨立，醉若玉山之將頹。見晉書本傳。

㉘襟期　猶言胸懷、懷抱。杜甫醉時歌：『日糴太倉五升米，時赴鄭老同襟期。』

㉙元龍　陳登字。登東漢下邳人，爲人忠亮高爽，有扶世救民之志，許汜嘗與劉備共論人物，汜曰：『陳元龍湖海之士，豪氣不除。』備曰：『元龍文武膽志，當求之於古耳，造次難得比也。』見三國志本傳。

㉚林下　世說新語賢媛篇：『王夫人卽謝道韞神情散朗，故有林下風氣。』後因稱頌婦女舉止嫺雅者曰有林下之風。

㉛璇閨　閨房之美稱。沈佺期古歌詩：『璇閨窈窕秋夜長，繡戶徘徊明月光。』

㉜韋曹　謂韋逞母與曹世叔妻也。韋逞母宋氏，前秦人，其家世學周官，氏傳其父業，苻堅登位，令就其家立講堂，置生員百二十人，隔絳紗幔而受業，號氏爲宣文君。見晉書列女傳。曹世叔妻班昭，東漢安陵人，博學高才，和帝召入宮，令皇后諸貴人師事之，號曰大家，世稱曹大家。見後漢書列女傳。

㉝鍾郝　謂晉賢婦鍾氏與郝氏也。鍾氏爲王渾妻，太傅鍾繇之曾孫女，聰慧弘雅，博涉載籍，禮儀法度，爲中表所則。郝氏爲渾弟湛之妻，亦有德行。鍾雖出自貴族，而與郝雅相親重，郝不以賤下鍾，鍾不以貴陵郝，時人稱鍾夫人之禮，郝夫人之法。見晉書列女傳。

㉞坤儀　猶言母儀、婦德。

四、疏候祝福語

類別	用語
用於親友尊長	山川遙阻，稟候多疏，恭維○福履增綏，○維時納祜，爲頌爲祝。（路遠） 俗務宂繁，致稽稟候，敬維○福躬安吉，○潭第康寧㈠，定符私頌。（事忙） 病魔纏擾，片楮莫呈，敬維○杖履沖和，○優游林壑，爲祝爲頌。（因病）
用於親友平輩	道途修阻，尺素鮮通，比維○興居佳勝，○潭福著臻，爲頌無量。（路遠） 勞人草草㈡，音問常疏，遙維○公私如意，○道履延康，爲祝爲頌。（事忙） 偶嬰小極㈢，尺素未通，辰維○起居勝常㈣，諸事順適，爲幸爲祝。（因病） 考期將屆，未遑箋候，遙維○動定咸亨，○潭祺叶吉，定符所頌。（應試）
用於師長	雲山阻隔，稟候多稽，恭維○道履增祥，○講壇納福，式符所頌。（路遠） 宂瑣紛乘，久疏稟候，恭維○春風靄吉㈤，○化雨溫良㈥，爲無量頌。（事忙） 微軀久病，稟候用疏，敬維○絳帳春深㈦，○杏壇祥集㈧，定符下祝。（因病）
用於政界	久疏函候，時切馳思，敬維○德懋棠陰㈨，○名播海內，爲祝爲頌。 稟候多稽，徒深瞻慕，恭維○勛猷卓越，○動定綏和，以欣以慰。
用於軍界	箋候久疏，下懷殊切，恭維○威望遠隆，○動定叶吉，至以爲頌。 瞻慕雖殷，稟候竟缺，敬維○戎旌著績，○軍府揚威，定符所祝。
用於學界	函候久疏，時深懷念。敬維○道履佳勝，○筆陣縱橫，爲祝爲慰。 自違○雅範，音問多疏，比維道履康綏，○蘊抱宏遠，以欣以慰。
用於商界	久疏音問，懷念爲勞，辰維○駿業日隆，○百務順遂，爲頌。 不通函候，倏逾多時，比維○商務亨通，○指揮如意，爲祝爲頌。

【說　明】

㈠『疏候語』用於久不通信者，久不通信，自有原因，上列諸種事由，用時須按照事實，分別參酌。

㈡『祝福語』乃祝福收信人之生活起居，對尊長尤不可免。因其常與疏候語連用，以求語氣相貫，故予以合併。其下再加一句，作爲欣慰之表示，此一部分卽告完成。

㈢凡用『恭維』『敬維』均客氣成分較多，宜施之於尊長。『辰維』『遙維』『比維』則宜施之於平輩。

【注　釋】

㈠潭第　猶言全家。韓愈符讀書城南詩：『一爲公與相，潭潭府中居。』按潭潭，深廣貌，後人因美稱他人之居宅曰潭府、潭第。

㈡勞人草草　詩經小雅巷伯：『驕人好好，勞人草草。』草草，勞心也。

㈢嬰小極　謂遭遇小病，爲所困也。文選李密陳情表：『而劉夙嬰疾病，常在牀蓐。』世說言語篇：『顧司空顧和詣王丞相王導，丞相小極，對之疲睡。』

㈣辰維　猶言時思。

㈤春風　喻敎育之被於衆生，如春風之被於萬物。宋朱光庭詣汝州，就學於程顥，歸語人曰：『在春風中坐了一月。』見伊洛淵源錄。

㈥化雨　言敎化及人，若時雨之澤物也。孟子盡心篇：『君子之所以敎者五，有如時雨化之者。』

㈦絳帳　講座之美稱。已見前注。

㈧杏壇　孔子講學處，在今山東曲阜孔廟大成殿前。莊子漁父篇：『孔子遊乎緇帷之林，休坐乎杏壇之上。』

㈨棠陰　喻去官有遺愛也。周召公巡行南國，勸政勸農，或止舍於甘棠之下，既去，民愛其樹而不忍傷，爲作甘棠之詩。見詩經召南甘棠注疏。後因以棠陰爲稱頌賢吏之辭。

五、一般開頭應酬語

類別	應酬語
寄信語	▲前肅安稟，度呈○慈鑒。▲昨肅寸稟，諒已呈○鑒。▲前肅蕪緘，諒邀○霽鑒。▲前肅寸箋，計呈○鈞鑒。（對親友長輩用）
	▲昨上蕪緘，諒達○台鑒。▲前具寸函，度已達○鑒。▲前遞寸緘，計早呈○覽。▲日前郵寄蕪函，諒已早邀○惠察。（對親友平輩用）
	▲昨寄一函，諒已收覽。▲前覆手函，想早收閱。▲前寄手諭，當早收讀。▲昨寄手函，想必收悉。（對家族卑幼用）
接信語	▲頃奉○手諭，敬悉種切。▲刻奉○鈞示，敬悉種切。▲刻奉○翰諭，敬悉各節。▲昨奉○賜諭，敬承一一。▲頃承○鈞誨，拜悉一切。（對親友長輩用）
	▲辱承○惠示，敬悉一切。▲昨奉○台函，拜悉種切。▲昨展○華函，就諗一一。▲展誦○瑤函，如親○芝宇。▲○惠函獎借，媿不敢當。（對親友平輩用）
	▲昨接來函，已悉一切。▲頃得家書，知客中安好。▲昨接來信，足慰懸念。▲前由某君便攜之函，已照收悉。（對家族卑幼用）

訪謁語	▲日前走謁○崇階，適值○公出未遇，臨風翹首，徒切依馳。▲趨謁尊齋，未值爲悵。▲昨以某事趨談，未能相遇，悵惘何如。▲昨經尊處，正擬謁談，適聞座有佳賓，遂未遽相驚擾，疏略之罪，尚祈○諒之。
會晤語	▲昨承○枉駕，把晤良歡，雞黍未陳，實深簡慢，辱在知交，定邀○曲諒。▲辱降○玉趾，備領○教言，飢渴之懷，得以消釋，中心快慰，無可言宣。▲昨謁○崇階，多承○教益，望風懷想，能不依依。▲日前晉謁○高門，叨承○盛饌，飲和食德，齒頰猶芬。▲日昨承○教，獲益良多，昔人謂聞君一夕話，勝讀十年書，誠非虛言。
告幸語	▲幸處事周詳，未貽隕越。▲幸各事安適，足告○雅懷。▲幸知黽勉㊀，尚免愆尤㊁。 ▲所○囑之事，已圓滿達成，足釋○遠注。（對事）
	▲幸舉家安好，足紓○綺注。▲幸全家平善，乞釋○錦懷。（對家庭）
	▲幸賤體粗安，乞紓○錦注。▲幸頑軀粗適，足慰○遠懷。（對身體）
	▲學慚窺豹㊂，業愧囊螢㊃。▲探囊無智㊄，學治不能㊅。▲鞭策雖加，驅馳無效。 ▲才疏學淺，刻鵠不成㊆。▲天賦既薄，學殖尤荒㊇。（學淺）
	▲鉛刀一割㊈，其效立見。▲才粗智薄，隕越時虞。▲任重材輇㊉，時虞竭蹶。 ▲汲深綆短㊁，匱乏堪虞。▲遼東之豕㊂，徒自懷慚。（智薄）
	▲性類拙鳩㊂，識慚老馬㊃。▲見類蛙鳴，識同蠡測㊄。▲井蛙之見㊅，不值一哂。 ▲孤陋寡聞，世事未習。▲一管所窺，寧知全豹。（識短）

自愧語

▲家徒四壁㉗，囊乏一文。　▲乞米有書㉘，點金無術㉙。　▲家貧志墜，浪迹風塵。
▲送窮無韓子之文㉚，乞米濫顏公之帖。（家貧）

▲株守有地㉛，托鉢無門㉜。　▲樗櫟庸材㉝，學難問世。　▲久賦閒居，終非善計。
▲凌雲有志，接引無人。　▲碌碌家居㉞，終非了局。（謀拙）

▲自攖世網，塵俗益多。　▲塵緣未盡，俗務難清。　▲俗務冗繁，塵囂雜沓。
▲瑣務紛乘，苦無暇晷。　▲俗事蝟集，瑣務絲紛。（事冗）

▲遇事多蹇，近狀潦倒。　▲命舛時乖，事多拂逆。　▲事多偃蹇㉟，境又迍邅㊱。
▲窘境迫人，飢來驅我。　▲命途多乖，時運不齊㊲。（困頓）

▲一身落落㊳，兩鬢蕭蕭㊴。　▲兩鬢已斑，一身多病。　▲鬢添霜色，面少歡容。
▲桑榆晚景㊵，老大堪悲㊶。　▲去日苦多，來時可想。（老大）

▲一身無寄，四海爲家。　▲遠涉關河，靡所棲止。　▲天涯飄泊，旅況艱難。
▲骨瘦如梅，身輕似絮。　▲枝棲動盪，旅食艱辛。（旅愁）

▲貿易無方，經營乏術。　▲有心營業，無術生財。　▲欲覓蠅頭㊷，還慚鼠目㊸。
▲欲謀微利，自愧薄才。（無術）

▲歲月蹉跎，依然故我。　▲栗六如恆㊹，一無善狀。　▲故我依然，毫無善狀。
▲平居碌碌，乏善可陳。（通用）

謝贈語

▲蒙賜○瑤章，過承獎譽，迴環諷誦，感媿良深。
▲辱賜○佳什，褒獎備至，展誦之餘，感激無已。（詩詞）

▲洒承○厚惠，錫我○多珍，拜領之餘，感激無似。
▲辱荷○隆情，下頒○厚貺，卻之不恭，受之有媿。（禮物）

時令語

（春）

▲日麗風暄，鶯啼燕舞。▲鳳曆春回㉟，洪鈞氣轉㊱。▲三陽啓泰㊲，四序履端㊳。
▲歌管迎年，樓臺不夜。▲三元肇慶㊴，萬象更新。（正月）

▲暖吐花脣，晴舒柳眼。▲探花穀旦㊵，問柳芳辰。▲花容正麗，柳葉方新。
▲舞蝶良辰，育蠶令節。▲桃腮暈赤，柳眼舒青㊶。（二月）

▲嫩綠凝眸，深青橫黛。▲人逢拾翠㊷，候届踏青㊸。▲東風作節，暗雨銷魂。
▲綠楊堤外，紅芍烟中。▲韶光三月，春色十分㊹。（三月）

（夏）

▲隴麥辭春，畦田迎夏。▲梅肥紅樹，麥秀靑疇。▲雨釀黃梅，日蒸綠李。
▲鳥呼布穀㊺，人正分秧。▲長風扇暑，茂樹連陰。（四月）

▲甘雨蘇苗，薰風解慍㊻。▲榴火舒丹㊼，槐陰結綠。▲蘭湯薦浴㊽，蒲酒浮觴㊾。
▲風自南來，日方北至。▲榴紅噴火，暑氣逼人。（五月）

▲荷風扇暑，麥雨流膏。▲蓮渚風淸，梅庭月朗。▲祝融司令，炎帝當權。
▲氣蒸千里，炎熵八荒。▲炎威可畏，夏景偏長。（六月）

（秋）

▲涼風消夏，淡月橫秋。▲水天一色，風月雙淸。▲白露迎秋，澄江如練。
▲爽氣朝來，新涼初透。▲銀漢風淸，星河波淡。（七月）

（冬）

▲碧天似水，丹桂初芬。▲蟾光皎潔，桂影婆娑。▲玉輪光滿⑳，銀漢秋高。

▲梧葉風高，桂枝月滿。▲滿天月朗，永夜風清。（八月）

▲楓雕江錦，菊綻籬金。▲白雁書天，黃花匝地㉑。▲葉正辭青，蘆將颭白。

▲風淒露冷，霜肅秋高。▲節逢泛菊，序屬佩萸㉒。（九月）

▲橙黃橘綠，蘆白楓丹。▲時為陽月㉓，景屬小春㉔。▲日行北陸㉕，春到南枝。

▲景入梅花，香分荔葉。▲霜凌梅蘂，雪冷楓林。（十月）

▲松風一枕，梅月半窗。▲長天凍雪，大地飛霜。▲寒梅欲放，臘柳將舒。

▲春惜三分，陽添一線。▲月淡梅寒，霜凋楓冷。（十一月）

▲竹葉浮杯，梅花照席。▲梅信傳春，椒觴開臘㉖。▲風消宇宙，雪霽乾坤。

▲多殘臘盡，歲暮春回。▲畫閣迎春，錦筵守歲㉗。（十二月）

【說　明】

㈠『寄信語』意在向收信人探問前信是否收到，以免隔閡。

㈡『接信語』為接到他人來信，覆信時順便提及，以釋對方懸念。

㈢『訪謁語』係日前趨訪（或趨謁）未遇，寫信時順便提及，使對方知已去過。

㈣『會晤語』用於相識不久之人，信中提及，亦可增進感情。

㈤『告幸語』係以己之近況尚佳，請對方勿以為念，惟事類繁多，當分別應用。

㈥『自愧語』乃自謙之辭，謙虛為國人傳統之美德，自當酌量使用，但用之不可太過，太過則流於虛偽，反為不美。

㈦『謝贈語』係收到他人之餽贈表示謝意者，雖寥寥數語，亦不可省。

㈧『時令語』在書牘中為不可或缺之應酬語，蓋開頭即入正題，令收信人有突如其來之感，未免唐突，故應酌量加入若干無關宏旨之語句，以資點綴。惟是，表中所列各語，僅供參考，寫信時仍當自鑄新辭，如五月用『蟬鳴荔熟』，六月用『夏木含風』，八月用『晶盤高掛』，九月用『丹桂飄香』，十二月用『寒流肆虐』之類。

【注釋】

㈠黽勉　勉力也。詩經邶風谷風：『黽勉同心，不宜有怒。』

㈡愆尤　過失也。李白古風十八：『功成身不退，自古多愆尤。』

㈢窺豹　喻所見不廣。晉書王獻之傳：『獻之年數歲，嘗觀門生樗蒲，曰：「南風不競。」門生輩曰：「此郎亦管中窺豹，時見一斑。」』言從管孔中視豹，僅見一處之斑文，而不及全豹也。

㈣囊螢　晉書車胤傳：『胤博學多通，家貧不常得油，夏月則練囊盛數十螢火以照書，以夜繼日焉。』

㈤探囊　言事之易也。五代史南唐世家：『李穀曰：「中國用吾為相，取江南如探囊中物耳。」』

㈥學冶　喻克承家業。禮記學記：『良冶之子，必學為裘，良弓之子，必學為箕。』孔穎達疏：『積世善冶之家，其子弟見父兄陶鑄金鐵，使之柔合，以補治破器，使之完好，故子弟仍能學為裘袍補續獸皮，片片相合，以至完全也。』

㈦刻鵠　喻摹仿而得其近似也。馬援誡兄子嚴敦書：『龍伯高敦厚周慎，謙約節儉，吾愛之重之，願汝曹效之。杜季良豪俠好義，清濁無所失，吾愛之重之，不願汝曹效也。效伯高不得，猶為謹敕之士，所謂刻鵠不成尚類鶩者也。效季良不得，陷為天下輕薄子，所謂畫虎不成反類狗者也。』見後漢書馬援傳。

(八)學殖　左傳昭公十八年：『夫學，殖也，不學將落。』杜預注：『殖，生長也，言學之進德如農之殖苗，日新月益。』

(九)鉛刀　不利之刀，喻無用也。後漢書班超傳：『超上疏請兵曰：「昔魏絳列國大夫，尚能和輯諸戎，況臣奉大漢之威，而無鉛刀一割之用乎。」』

(一〇)材輇　小才也。莊子外物篇：『後世輇才諷說之徒，皆驚而相告也。』按才材通叚字。

(一一)汲深綆短　才小不堪任重之喻。荀子榮辱篇：『短綆不可以汲深井之泉，知不幾者不可與及聖人之言。』綆，汲井索也。

(一二)遼東之豕　少見多怪之喻。後漢書朱浮傳：『往時遼東有豕，生子白頭，異而獻之，行至河東，見羣豕皆白，懷慚而還。』

(一三)拙鳩　禽經：『鳩拙而安。』張華注：『鳩，尸鳩也。方言云：「蜀謂之拙鳥，不善營巢，取鳥巢居之，雖拙而安處也。」』今用爲性拙之謙辭。

(一四)老馬　韓非子說難篇：『管仲隰朋從於桓公而伐孤竹，春往冬返，迷惑失道。管仲曰：「老馬之智可用也。」乃放老馬而隨之，遂得道。』今謂老於其事堪爲先導曰老馬識途。

(一五)蠡測　喻所見之小。漢書東方朔傳：『以管窺天，以蠡測海。』

(一六)井蛙之見　喻識見不廣。莊子秋水篇：『井蛙不可以語於海者，拘於墟也。夏蟲不可以語於冰者，篤於時也。曲士不可以語於道者，束於教也。』

(一七)家徒四壁　謂室中一無長物，徒見牆壁也。史記司馬相如傳：『文君夜奔相如，相如乃與馳歸，家居徒四壁立。』

(一八)乞米書　即乞米帖，唐顏眞卿所書，其略云：『拙於生事，舉家食粥，而已數月，今又罄矣。』蘇軾次韻米黻二王書跋尾詩：『忍飢看書淚如洗，至今魯公餘乞米。』

㈩點金術　古仙人之術。列仙傳：『許遜，南昌人，晉初爲旌陽令，點石化金，以足逋賦。』

⑳送窮文　唐韓愈有送窮文，蓋遊戲之作。

㉑株守　喻拘泥不知變通。韓非子五蠹篇：『宋人有耕田者，田中有株，兎走觸株，折頸而死，因釋其耒而守株，冀復得兎，兎不可復得，而身爲宋國笑。』

㉒托鉢　佛家語。僧人之食器曰鉢，以手承鉢曰托鉢，食時必托鉢以取食，又出外沿門乞食時亦必托鉢。

㉓樗櫟　不材而無用之喩。莊子逍遙遊篇：『吾有大樹，人謂之樗，其大本擁腫而不中繩墨，其小枝卷曲而不中規矩，立之塗，匠者不顧。』又人間世篇：『匠石至齊，至於曲轅，見櫟社樹，其大蔽數千牛，絜之百圍。匠石不顧曰：「散木也，是不材之木也，無所可用，故能若是之壽。」』

㉔碌碌　無能貌。史記酷吏傳贊：『九卿碌碌奉其官，救過不贍，何暇論繩墨之外乎。』

㉕偃蹇　猶言不順利。

㉖迍邅　謂處境艱難不敢前進也。周易屯卦：『屯如邅如。』按屯迍通叚字。

㉗時運不齊　言時運人各不同也。語見王勃滕王閣序。

㉘落落　不苟合也。後漢書耿弇傳：『將軍前在南陽建此大策，常以爲落落難合，有志者事竟成也。』

㉙蕭蕭　猶言稀疏。

㉚桑楡　日落之時，其迴光尚留於桑楡之上，故借爲晚暮之稱。後漢書馮異傳：『始雖垂翅回谿，終能奮翼黽池，可謂失之東隅，收之桑楡。』又世說言語篇：『謝太傅語王右軍曰：「中年傷於哀樂，與親友別，輒作數日惡。」王曰：「年在桑楡，自然至此，正賴絲竹陶寫，恆恐兒輩覺，損欣樂之趣。」』

㉛老大堪悲　文選樂府古辭長歌行：『少壯不努力，老大徒傷悲。』

㉒蠅頭　蘇軾滿庭芳詞：『蝸角虛名，蠅頭微利。』謂利薄也。

㉓鼠目　眼小而外突，以喻識見之小。元好問送奉先從軍詩：『虎頭食肉無不可，鼠目求官空自忙。』

㉔栗六　俗稱事務忙迫曰栗陸，亦作栗六。

㉕鳳曆　曆也。鳳知天時，少皞時以鳳鳥氏為曆正，故後世謂曆曰鳳曆。詳見左傳昭公十七年注疏。杜甫上韋丞相詩：『鳳曆軒轅紀，龍飛四十春。』

㉖洪鈞　文選張華答何劭詩：『洪鈞陶萬類，大塊稟羣生。』李善注：『洪鈞，大鈞，謂天也。大塊，謂地也。』李周翰注：『洪鈞，造化也。大塊，自然也。』又杜甫上韋丞相詩：『八荒開壽域，一氣轉洪鈞。』

㉗三陽啓泰　亦作三陽開泰、三陽交泰，世俗歲首稱頌之辭。因周易正月為泰卦（䷊），三陰在上，三陽在下，象徵天地交而萬物通，故稱。翰墨全書：『元旦，三陽交泰，萬象昭蘇。』

㉘四序　謂春夏秋冬四時也。魏書律曆志：『四序遷流，五行變易。』

㉙三元　陰曆之正月初一日為年月日三者之始，謂之三元。南齊書武帝紀：『緣淮戍將，久處邊勞，三元行始，宜沾恩慶。』

㊵穀旦　吉日也。詩經陳風東門之枌：『穀旦于差，南方之原。』毛氏傳：『穀，善也。』鄭玄箋：『旦，明。』孔穎達疏：『陳國男女，棄其事業，候良辰美景而歌舞淫泆，見朝日善明，無陰雲風雨，則曰可以行樂矣。』

㊶柳眼　柳葉初生，細長如眼也。江采蘋樓東賦：『花心颺恨，柳眼弄愁。』

㊷拾翠　文選曹植洛神賦：『或采明珠，或拾翠羽。』杜甫秋興詩：『佳人拾翠春相問，仙侶同舟晚更移。』古時少女遊春，每拾花草以為樂。

㊸踏青　古人於夏曆三月三日上巳或清明節出遊郊野，謂之踏青。

㊹春色十分　猶言春意盎然。某尼詩：『盡日尋春不見春，芒鞋踏徧嶺頭雲，歸來偶把梅花嗅，春在枝頭已十分。』見鶴林玉露。

㊺布穀　鳥名，卽尸鳩，每穀雨（夏曆三月中旬）後始鳴，夏至（夏曆五月中旬）後乃止，農家以爲候鳥，以其聲似呼布穀，故名。

㊻薰風解慍　尸子：『帝舜彈五弦之琴，以歌南風。其詩曰：「南風之薰兮，可以解吾民之慍兮，南風之時兮，可以阜吾民之財兮。」』

㊼榴火　石榴花開時紅如火，世稱之爲榴火。曹伯啓謝朱鶴皋招飲詩：『滿院竹風吹酒面，兩株榴火發詩愁。』

㊽蘭湯薦浴　蘭草味香，古時婦女常煮以洗浴。庾信祀圜丘歌：『沐蕙氣，浴蘭湯。』顧瑛天寶宮詞：『後宮學做金錢會，香入蘭盆浴化生。』（七夕俗以蠟作嬰兒形，浮水中以爲戲，爲婦人宜子之祥，謂之化生。）

㊾蒲酒　卽菖蒲酒，舊俗於端午日飲以避邪。殷堯藩端午日詩：『不效艾符趨世俗，但祈蒲酒話昌平。』

㊿玉輪　謂月也。韋莊絳州過夏留獻鄭尙書詩：『光景暗銷銀燭下，夢魂長寄玉輪邊。』

(51)黃花　菊花之代名。李清照醉花陰詞：『東籬把酒黃昏後，有暗香盈袖，莫道不銷魂，簾卷西風，人比黃花瘦。』

(52)佩萸　舊俗以夏曆九月九日重陽節登高飲菊花酒，佩帶茱萸，可避災厄。續齊諧記：『汝南桓景（東漢人）隨費長房遊學累年。長房謂之曰：「九月九日汝家當有災厄，急令家人各作絳囊，盛茱萸以繫臂，登高飲菊花酒，此禍可消。」景如言，舉家登山，夕還，見雞犬牛羊一時暴死。長房聞之曰：「代之矣。」今世人每至九日登高飲酒，婦人帶茱萸囊，蓋始於此。』

(53)陽月　夏曆十月俗稱陽月。爾雅釋天：『十月爲陽。』

(54)小春　夏曆十月也。初學記：『十月天時暖似春，故曰小春。十月爲陽月，故又名小陽春。』

(55)日行北陸　左傳昭公四年：『古者，日在北陸而藏冰。』又後漢書律曆志：『日行北陸，謂之冬。』按北陸，星名，二十八宿之一，又名虛宿。

㊱椒觴 盛椒酒之觴也。椒酒者，以椒置酒中，取其馨烈也。荊楚歲時記注引四民月令：『過臘一日謂之小歲，拜賀君親，進椒酒，椒是玉衡星精，服之令人身輕能（音義同耐）老。』

㊲守歲 東京夢華錄：『除夕，禁中爆竹山呼，聲聞於外，士庶之家，圍爐團坐，達旦不寐，謂之守歲。』

（五）結尾應酬語

臨書語	▲謹此奉稟，不盡欲言。▲謹肅寸稟，不盡下懷。▲肅此稟達，不盡縷縷㈠。 ▲臨稟惶恐，欲言不盡。▲耑肅奉達，不盡依依。▲肅此奉陳，不盡所懷。 ▲仰企○風規，馳忱曷已。（對親友長輩用）
	▲臨穎神馳，不盡所懷。▲臨楮眷念，不盡區區。▲耑此奉達，不盡欲言。 ▲臨書馳切，益用依依。▲爰修尺素，不盡所懷。▲冗次裁候㈡，幸恕草草㈢。 ▲紙短情長，莫盡萬一。（對親友平輩用）
請教語	▲如蒙○鴻訓，幸何如之。▲幸賜○清誨，無任銘感。▲乞賜○指示，俾有遵循。 ▲敬祈○訓示，不勝感禱。（對親友長輩用）
	▲乞賜○教言，以匡不逮。▲引企○金玉㈣，惠我實多。▲幸賜○南針，俾覺迷路。 ▲如蒙不棄，乞賜○蘭言㈤。（對親友平輩用）
	▲倘荷○玉成㈥，無任銘感。▲如蒙○噓植㈦，永鐫不忘。 ▲倘蒙○汲引㈧，感荷無既。（推薦）

類別	用語
請託語	▲倘蒙○照拂，永感○厚誼。▲得荷○支持，銘感無旣。▲倘承○青睞⑨，永矢不忘。▲如荷○關垂，感同身受。（關照）
	▲如承○俯諾，實濟燃眉⑩。▲倘荷○通融，永銘肺腑。▲倘承○挹注⑪，受惠實多。▲倘荷○雅兪，感且不朽。（借貸）
求恕語	▲不情之請，尙乞○見諒。▲區區下情，統祈○垂察。▲統希○霽照⑫，不勝感禱。▲瀆費○淸神，不安之至。（通用）
歉遜語	▲省度五中⑬，倍增歉仄。▲心餘力絀，寤寐不安。▲夙夜撫懷，殊深歉仄。▲每一念至，倍覺汗顏。（通用）
恃愛語	▲恃在○愛末，冒昧直陳。▲辱在夙好，用敢直陳。▲恃愛妄瀆，幸祈○曲諒。（通用）
餽贈語	▲謹具不腆⑭，聊申微意。▲謹具薄儀，聊申下悃。▲土產數包，聊申敬意。（贈物）
	▲謹具芹獻⑮，藉祝○鶴齡⑯。▲附呈微儀，略表祝悃。▲敬具菲儀，用祝○椿壽⑰。▲非儀將意，至祈○賞存。（祝壽）
	▲附呈微儀，用佐沓筵⑱。▲薄具菲儀，用申賀敬。▲奉上菲儀，敬申賀悃。（賀婚）
	▲附上微儀，用申匳敬。▲謹具薄儀，用申匳敬。▲謹具薄儀，藉申匳敬。（送嫁）
	▲謹具奠儀，藉申哀悃。▲附具奠儀，藉作楮敬⑲。▲附具芻香⑳，聊申弔敬。▲因事遠羈，未能躬親執紼，良用歉然，謹具唁敬一緘，即乞○代薦爲感。（喪禮）

請收語	▲伏祈○台收。▲至祈○檢收。▲乞賜○莞存㊂。▲伏望○哂納。▲敬希○鑒納。 ▲乞賜○笑納。▲敬請○詧收。▲伏乞○鑒存。（通用）
盼禱語	▲無任禱盼。▲不勝企禱。▲是所至禱。▲至爲盼禱。▲是所至盼。 ▲實所企禱。▲是所至幸。▲是所企幸。▲禱企良殷。（通用）
求允語	▲倘荷○俞允㊂。▲務祈○慨允。▲乞賜○金諾㊂。▲至祈○慨諾。▲敬求○賜可。 ▲伏乞○允可。（通用）
感謝語	▲私衷銘感，何可言宣。▲銘感肺腑，永矢不忘。▲感荷○隆情，非言可喻。 ▲寸衷感激，沒齒不忘。▲東海恩深，圖報無日。▲腑篆心銘，感荷無已。（通用）
保重語	▲寒暖不一，千祈○珍重。▲乍暖猶寒，尚乞○珍攝。▲寒暖不一，○順時自保。 ▲秋風多厲，幸祈○保重。▲寒風凜冽，伏祈○珍衛。（對親友長輩用） ▲寸心千里，寄語加餐。▲春寒料峭㊃，尚乞○自珍。▲暑氣逼人，諸祈○珍衛。 ▲秋風多厲，○珍重爲佳。▲寒氣襲人，諸希○珍攝。（對親友平輩用） ▲伏祈○節哀順變。▲伏希○勉節哀思。▲還乞○稍節哀思。▲伏祈○節哀自愛。 ▲伏祈○勉節哀思，順時自保。（對居喪者用）
干聽語	▲率瀆○清聽，不勝惶恐。▲恃在愛末，用敢瀆○聽。▲冒瀆○鈞聽，實非得已。 ▲不憚煩言，有瀆○清聽。▲冒昧上陳，有瀆○清聽。▲敢冒○崇威，上瀆○尊聽。 ▲冒觸○尊威，有瀆○鈞聽。（通用）

候覆語	
	▲如遇鴻便，乞賜○鈞覆。▲懇賜○鈞覆，無任盼禱。▲乞賜○覆示，不勝感禱。▲敬乞○不遺小草，○錫以誨言，俾永佩勿諼，良深禱幸。（對親友長輩用）
	▲佇盼○佳音，幸即○裁答。▲幸賜○好音，不勝感禱。▲雁魚多便㉟，幸賜○覆音。▲敬希○撥冗賜覆，不勝切盼。▲乞○惠好音㊱，是幸是幸。（對親友平輩用）

【說　明】

㈠『臨書語』是表示信中所言未能盡情之意，『不盡下懷』、『不盡縷縷』、『不盡依依』諸語，亦可用之於平輩。

㈡『請教語』是表示願意接受對方指教之意，用在討論問題，或有所請示之函件為多，用時對事件之性質與對方之身分，須加以斟酌。

㈢『請託語』是託人辦事，不勝感激之意，亦須按事類選擇使用。

㈣『求恕語』是請人對自己予以原諒，故措辭應力求委婉。致書尊長如用『伏乞』、『敬乞』、『至祈』字樣，則益顯恭敬。

㈤『歉遜語』是對受信人表示歉意，含有求恕成分，用詞亦以婉轉為主。表中所列諸語，以施之於長輩、平輩為宜。

㈥『恃愛語』是倚仗交情，直率陳說，以免對方見怪。

㈦『餽贈語』是送禮時所用，遣詞用字以誠懇、謙遜為尚。

㈧『請收語』是贈人財物，請人收納，常與『餽贈語』連用。

㈨『盼禱語』是有求於人之結束語，可與『請託語』比照使用。

⑩『求允語』是求助於人，以懇切爲主。

⑪『感謝語』是受人之惠，表示謝意，與上述『請教』、『請託』各類均有關連，可對照。

⑫『保重語』應切合時令，方爲得當。但對晚輩可免。

⑬『干聽語』多出於不得已，方干擾對方之聽，可與『求恕語』錯雜運用。

⑭『候覆語』應注意事情必須答覆者，方請對方答覆。與『請教語』略似，惟語氣較爲肯定而已。

【注釋】

㊀縷縷　謂情緒之多，不能一一細述也。

㊁冗次　謂在忙碌之中也。

㊂草草　潦草、草率之意。

㊃金玉　對他人言詞之敬稱，謂其言詞有如金玉之貴重也。

㊄蘭言　猶云美言。周易繫辭：『二人同心，其利斷金，同心之言，其臭如蘭。』謂言之氣味相投也。

㊅玉成　成全之意。張載西銘：『富貴福澤，將厚吾之生也。貧賤憂戚，庸玉汝於成也。』庸，殆也。言困窮卑賤，飽嘗憂戚，殆上天欲磨鍊汝，使汝有所成就也。

㊆噓植　噓，吹噓，爲人揄揚之意。植，栽培也。

㊇汲引　引進人才之意。駱賓王上兗州刺史啓：『汲引忘疲，奬提不倦。』

㊈青睞　謂喜悅而正視也。晉阮籍能爲青白眼。詳見前注。

㊉燃眉　事急之喻。五燈會元：『僧問蔣山佛慧如何是急切一句，慧曰：「火燒眉毛。」』

⑪挹注　詩經大雅泂酌：『挹彼注茲。』挹，酌取也。注，瀉入也。意謂挹彼大器之水，注之此小器之中。今謂挪移財物，取有餘以補不足曰挹注。

⑫霽照　猶言明察。

⑬五中　五臟也，卽心、肝、脾、肺、腎五種內臟。

⑭不腆　猶言不厚、不豐。左傳僖公三十三年：『不腆敝邑，爲從者之淹。』

⑮芹獻　列子楊朱篇：『昔人有美戎菽、甘枲、莖芹、萍子者，對鄉豪稱之，鄉豪取而嘗之，蜇於口，慘於腹，衆哂而怨之，其人大慚。』今以物贈人，而自謙其品之不佳，曰芹獻、獻芹，或云一芹。

⑯鶴齡　世以鶴爲仙禽，故祝壽之辭每及之，如云松鶴遐齡。王建閑說詩：『桃花百葉不成春，鶴壽千年也未神。』

⑰椿齡　謂年齡同於大椿也。莊子逍遙遊篇：『上古有大椿者，以八千歲爲春，以八千歲爲秋。』後遂借以爲祝壽之辭。

⑱巹筵　卽結婚酒席。以一瓠分爲兩瓢謂之巹，古婚禮既畢，壻與婦各執一瓢以飲之，世因稱夫婦成婚曰合巹。說詳禮記昏義。

⑲楮敬　俗謂紙曰楮，謂紙錢（卽冥幣）曰楮錢，故致送奠儀曰申楮敬。

⑳芻香　祭奠之物。東漢時，郭泰有母憂，徐穉往弔之，置生芻一束於廬前而去，衆怪不知其故，泰曰：『此必南州高士徐孺子也。詩不云乎：「生芻一束，其人如玉。」吾無德以堪之。』見後漢書徐穉傳。後人因稱祭奠之儀曰生芻。

㉑莞存　猶言笑納。小笑曰莞。論語陽貨篇：『夫子莞爾而笑。』

㉒俞允　俞，亦允也，俞允係同義之複合詞，猶今語曰許可。

㉓金諾　稱人然諾能守信義之足貴也。史記季布傳：『楚人諺曰：「得黃金百千，不如得季布一諾。」』顧雲上路相公啓：『果踐玉音，不移金諾。』

㉔料峭　風寒貌。蘇軾送范德孺詩：『春風料峭羊角轉，河水渺綿瓜蔓流。』
㉕魚雁　書信之代名。已見前注。
㉖好音　稱他人書信之敬辭。已見前注。

(六) 結尾敬辭

一、一般敬辭

申悃語
▲肅此敬達。▲肅此馳稟。▲耑肅寸稟。▲肅此專呈。▲敬此。▲謹此。 ▲肅修寸簡。(對親友長輩用)
▲耑此奉達。▲匆此布臆。▲特此奉達。▲草此奉聞。▲耑此。▲草此。 ▲特此布達。(對親友平輩用)
▲用申賀悃。▲藉申賀意。▲肅表賀忱。▲聊申賀悃。▲敬申賀悃。(申賀用)
▲恭陳唁意。▲藉表哀忱。▲藉申哀悃。▲瀝函馳慰。▲肅此上慰。(弔唁用)
▲肅誌謝忱。▲肅此敬謝。▲藉鳴謝悃。▲用展謝忱。▲肅此鳴謝。(申謝用)
▲敬抒辭意。▲用申辭悃。▲敬達辭忱。▲心領肅謝。▲肅此鳴謝。(辭謝用)
▲敬抒別意。▲用抒離情。▲用申別意。▲特訴離悰。▲藉陳別緒。(送行用)
▲耑肅敬覆。▲耑此奉覆。▲肅函奉覆。▲耑此敬覆。▲匆此布覆。(申覆用)

請鑒語
▲伏乞○鑒察。 ▲伏祈○垂鑒。 ▲伏乞○荃詧。 ▲伏維○霽照。 ▲伏維○亮照。
▲統希○藹照。 ▲統祈○愛鑒。 ▲諸乞○愛照。 ▲伏乞○朗照。 ▲並祈○垂照。
▲乞賜○垂察。 ▲諸維○朗照。 ▲諸維○惠察。 ▲敬祈○亮察。 ▲諸維○鼎照。
▲惟祈○霽詧。 ▲敬希○垂察。 ▲統維○澂詧。 ▲諸希○荃照。 （通用）

【說明】

㈠『申悃語』是申訴已意，使對方知之，信中已敍及，以此作結尾。

㈡『請鑒語』係請對方收鑒，與『申悃語』有連帶關係，可連用。

二、請安語

用於祖父母及父母	▲叩請○金安。 ▲恭請○福安。 ▲敬請○金安。
用於親友長輩	▲恭請○禔安。 ▲敬請○鈞安。 ▲恭請○崇安。 ▲敬頌○崇祺。 ▲祇頌○福祉。
用於師長	▲恭請○誨安。 ▲敬請○敎安。 ▲敬請○講安。 ▲祇請○道安。 ▲叩請○絳安。
用於親友平輩	▲即請○大安。 ▲敬請○台安。 ▲順頌○台祺。 ▲順頌○時綏。 ▲即頌○時祺。 ▲即祝○刻安。 ▲順候○起居。 ▲此頌○台綏。 ▲敬候○近祉。 ▲藉頌○日祉。
用於親友晚輩	▲順問○近祺。 ▲即詢○近佳。 ▲即問○刻好。 ▲即問○近好。 ▲順詢○日佳。

用於政界	▲敬請○勛安。▲恭請○鈞安。▲祗請○政安。▲虔頌○勛綏。▲祗頌○勛祺。
用於軍界	▲敬請○戎安。▲恭請○麾安。▲肅請○捷安。▲敬頌○勛綏。▲祗頌○勛祺。
用於學界	▲敬請○學安。▲祗頌○文祺。▲即頌○文綏。▲祗請○著安。▲順請○撰安。
用於文士	▲敬祝○吟安。▲祗頌○文祺。▲順請○撰安。▲敬候○文安。▲藉頌○著祺。
用於婦女	▲敬祝○妝安。▲順頌○閫祺。▲即祝○壼安。▲藉頌○閫祉。▲敬候○繡安。
用於商界	▲敬請○籌安。▲順頌○籌祺。▲敬候○籌綏。▲順候○財安。
用於旅客	▲敬請○旅安。▲順請○客安。▲順頌○旅祺。▲即頌○旅祉。
用於家居者	▲敬請○潭安。▲敬頌○潭綏。▲即頌○潭祉。▲順頌○潭祺。
用於有祖父母及父母者	▲敬請○侍安。▲敬頌○侍祺。▲敬候○侍祉。▲順頌○侍祺。
用於夫婦同居者	▲敬請○儷安。▲敬請○雙安。▲敬頌○儷祉。▲順頌○儷祺。
用於賀婚	▲恭賀○燕喜。▲恭賀○大喜。▲恭請○喜安。▲祗賀○大禧。
用於賀年	▲恭賀○年禧。▲恭賀○新禧。▲敬頌○新禧。▲祗賀○新禧。
用於弔唁	▲敬請○禮安。▲兼候○孝履。▲並候○素履。▲祗請○素安。
用於問疾	▲恭請○痊安。▲即請○衞安。▲順請○痊安。▲敬祝○早痊。

用於按時令	▲敬請○春安。▲即頌○春祺。▲順候○夏祉。▲此頌○暑綏。▲即請○秋安。▲順候○秋祺。▲敬頌○冬綏。▲此請○爐安。

（七）署名下敬辭

用於祖父母及父母	謹稟·敬稟·叩稟·敬叩·謹叩·叩上·叩
用於長輩	謹上·敬上·拜上·謹肅·敬啓·謹啓·肅上·敬叩
用於平輩	敬啓·謹啓·拜啓·鞠躬·謹上·謹白·上言·頓首·上
用於晚輩	手泐·手書·字·白·諭·手示·手白·手諭·手字·手啓
用於補述	又啓·又啓者·又及·又陳·補啓·再啓·再啓者·再及·再陳·又稟者

（八）附候語

問候長輩	▲令尊（或堂）大人前，乞代叱名請安。▲某伯前祈代請安，不另。▲某伯處煩叱名道候。▲某姻伯前乞代叩安，恕不另箋。
問候平輩	▲某兄處祈代致候。▲令兄處乞代候。▲某兄處煩代道候。▲某姊前乞代道念。▲某弟處希爲道念。▲某弟處煩爲致候，不另。▲嫂夫人均此。

問候晚輩	▲順問○令郎佳吉。▲並候○令嬡等近好。▲順問○令姪等均佳。
代長輩附問	▲家嚴囑筆問候。▲某某姻伯囑筆問候。▲家母囑筆致候。
代平輩附問	▲某兄囑筆問好。▲某妹附筆致候。▲家姊囑筆請安。
代晚輩附問	▲小兒侍叩。▲兒輩侍叩。▲小孫隨叩。▲小女侍叩。

【說明】

㈠『附候語』須另行書寫，既醒目，又所以示敬。

㈡以上三表中所列術語，可視實際情況，隨意選用，不必拘泥。

第五節　書牘之款式

（一）信箋

信箋行款格式，宜注意者，有下列五事：

一、信箋式樣繁多，對尊長或新交，以用中式八行信箋爲宜。弔喪忌用紅色行線。

二、信箋摺疊，先一直摺，次一橫摺，大小略如信封，此爲有禮貌之式樣。若反摺乃以報凶，或表示絕交之用，最宜避忌。

三、信箋繕寫，通幅必有一行到底，不宜行行弔腳。又舊有一字不成行，一行不成頁之說，亦以避免爲宜。其他應偏寫之字，不宜寫在平擡地位，名字不宜拆置兩行，亦應注意。

四、擡寫爲表示尊敬之法。普通有三擡、雙擡、單擡、平擡、挪擡五種。最通用者爲平擡、挪擡。平擡卽涉及受信人時，提行書寫與各行相平。挪擡爲就原行空一格寫，稱自己尊親及受信人子姪輩時用之。惟今人則凡涉及收信人時，率以平擡、挪擡交互使用，亦頗見靈活。

五、字體以楷書小字爲尊敬，行草放大爲簡式。大抵對尊長，字體宜端正，行款宜正直，用於隆重儀式者亦然。此外不妨用行書，切勿近於潦草。

(二) 信封

信封繕寫款式，宜注意者，有下列四事：

一、信封以中式且中間有長方紅格者最爲適宜，如用西式信封，以純白者爲最大方。如弔喪之信，信封宜用素色，或將長方紅格線條用墨塗黑。

二、字體以端楷表示尊敬。行書放大者，惟用於平輩及後輩。

三、信封可分左右中三路，繕寫時應各依中線，不可偏斜。右路寫受信人地址住所，上端應空二格寫起，字宜緊湊，地址宜詳明。受信人學校、商店等，寫在右路左行或中路右行，字可縮小擠緊。中路中行寫受信人姓名、稱呼、台啓等字樣。自信封上端寫起，至下端爲止，字宜略大，排列宜勻稱。（按此行某某某先生等字，係郵差對受信人之稱謂，不可誤會。）左路寫發信人地址、處所、姓名等。掛號信件尤宜仔細，應自信封上端三分之一處寫起，下空兩字爲止，字宜擠緊。發信月日卽寫在左路之末端，字宜縮小，或寫在背面緘縫中亦可，普通多略去。

四、託人轉達信件，信封繕寫稱謂，皆有定式。大抵託人親交者，中路託致人與受信人宜並寫。但託致人一行，應縮小擠緊，受信人一行，仍宜自上排列到底，以資分別。右路不寫受信人地址，但寫『敬祈』、『敬煩』等字樣。中路託致人用適當稱謂，下加『面塵』、『面陳』、『面呈』、『吉便帶交』、『面交』、『吉便帶致』等字樣，如『某某學長面交』、『某某兄吉便帶致』……等是。受信人則用本人應稱稱謂，例如：『某某家兄親啓』、『家嚴大人安啓』等是。左路發信人應具名，或加對託致人稱謂，下附懇託字樣，例如：『某某敬託』、『弟某某拜干』……等是。又託人飭役送達之信，右路仍書『敬祈』等字，中路右行應提行書明『飭交』字樣，而受信人則用送信人稱呼，例如：『敬祈飭交某某先生啓』是。至派專人投送之信件，右路寫『專呈』、『卽送』等字樣。候回信者，可於左路上端寫『候覆』、『請片』字樣。回信交原送信人帶回者，不寫地址，右路爲『覆呈』、『藉呈』等字樣，中路寫『某某先生惠啓』……等。

玆將信封繕寫款式列舉於後，以備參閱。

100

臺北市羅斯福路四段

國立臺灣大學　文學院

中國文學系　公啓

國立臺灣師範大學沈緘

臺北市和平東路一段一六二號

106

111

臺北市士林區

臨溪路七十號

私立東吳大學

章校長孝慈　鈞啓

臺中市國光路一○九巷三號二樓翁緘

400

237

臺北縣 三峽鎮
光華新村桃源街一五六號

閔蜀鵑小姐 惠啟

屏東縣新園鄉藍山路七十四號邵 緘

919

106

臺北市 大安區
師大路九十三巷五號四樓

彭浪博士 大啟

花蓮縣光復鄉大富村七十號 范 緘

961

敬煩

少威學長　面呈

家慈大人　安啓

弟
同塵敬託

（三）明信片

明信片繕寫，正面照信箋格式，其受信人地址一面，照信封繕式。惟中路不用『啓』字，而代以『收』字。左邊不用『緘』字，而代以『寄』字。蓋啓義爲開，緘義爲封，皆指信封而言，明信片並無封套，萬不可誤用。

※　※　※　※

茲爲便於初學者之參考，特將書信用語綜合表列於後：

㈦書牘用語簡表

類別	對象	稱謂	提稱語	啓事敬辭	結尾敬辭	問候語	自稱	署名下敬辭	信封
家族	祖父、祖母	祖父大人、祖母大人	膝下、膝前	敬稟者、叩稟者	專肅、肅此	恭叩頤安、恭請金安	孫男、孫女	稟上、敬叩	安啓
	父親、母親	父親大人、母親大人	膝下、膝前	敬稟者、謹稟者	耑肅奉稟、耑肅	叩請福安、敬叩金安	男、女	叩稟、叩上	安啓
	伯父・母、叔父・母	伯父・母大人、叔父・母大人	尊前、崇鑒	敬肅者、敬陳者	肅此、謹此	敬請禔安、敬頌崇祺	姪、姪女	謹上、拜上	安啓
	兄、姊	○○哥、○○姊	賜鑒、尊鑒	敬啓者、謹啓者	敬此、謹此	敬祝安康、虔頌福祉	弟、妹	敬上、謹上	大啓
	弟、妹	○○弟、○○妹	惠鑒、如晤	茲啓者、啓者	耑此、草此	即候近佳、順頌時祺	愚兄、愚姊	手書、手啓	展啓
	夫	○○ 夫君、夫子	大鑒、偉鑒	敬啓者、謹啓者	專此、特此	祇祝近安、順祝旅安	妻、妹	斂衽、上言	大啓
	妻	○○ 賢妻、妹	慧鑒、雅鑒	敬啓者、謹啓者	耑此、匆此	祇祝妝安、順祝闔安	夫、兄	再拜、頓首	展啓
	君舅、君姑	君舅大人、君姑大人	尊前、尊鑒	敬稟者、謹稟者	專肅、肅此	敬請金安、恭請福安	媳、兒	稟上、敬叩	安啓
	弟婦	○○妹	慧鑒、惠鑒	茲啓者、啓者	專此、特此	順祝近安、順頌近祺	兄、姊	手啓、謹啓	展啓

						親戚			
子	女	姪兒 姪女	嫂	媳	孫男 孫女	外祖父 外祖母	姑丈 姑母	舅父 舅母	姨丈 姨母
○○兒 ○○吾兒	○○女 ○○吾女	○○賢姪 ○○姪女	○○嫂	○○賢媳	○○吾孫 ○○孫女	外祖父大人 外祖母大人	姑丈大人 姑母大人	舅父大人 舅母大人	姨丈大人 姨母大人
知之 收覽	覽悉 收閱	青鑒 青覽	賜鑒 尊鑒	如晤 親覽	知悉 收悉	尊前 尊右	尊前 尊右	尊前 尊右	尊前 尊右
			敬啓者 謹啓者			敬肅者 謹肅者	敬肅者 謹肅者	敬肅者 謹肅者	敬肅者 謹肅者
此諭	此諭	匆此 草此	敬此 謹此奉達	手此 草此	此諭	耑肅 肅此	耑肅 肅此	耑肅 肅此	耑肅 肅此
		順問近佳 即詢近綏	敬祝安康 虔祝懿安	即問近佳 即詢近好		虔頌崇祺 敬頌福綏	虔頌崇祺 敬頌福綏	虔頌崇祺 敬頌福綏	虔頌崇祺 敬頌福綏
父母	父母	伯叔	弟妹	愚舅 愚姑	祖父 祖母	外孫男 外孫女	內姪 內姪女	外甥 外甥女	姨甥 姨甥女
手字 示	字示	手書 手泐	敬上 謹上	手書 手啓	字示	拜上 敬上	拜上 敬上	拜上 敬上	拜上 敬上
啓	啓	啓	啓	啓	啓	安啓	安啓	安啓	安啓

岳父母	岳父母大人	尊前 尊右	敬肅者 謹肅者	耑肅 肅此	敬請崇安 敬頌福綏	子壻 壻	拜上 敬上	安啟
親家	親翁母	惠鑒 左右	敬啟者 謹啟者	耑此 謹此	順請儷安 順祝安祉	姻愚弟 姻侍生	拜啟 敬啟	台啟 大啟
表叔伯父・母	表叔伯父・母大人	賜鑒 侍右	敬肅者 謹肅者	耑肅 謹肅	敬請福安 祇頌崇祺	表姪 表姪女	拜上 謹上	安啟
表舅父母	表舅父母大人	賜鑒 侍右	敬肅者 謹肅者	耑肅 謹肅	敬請福安 祇頌崇祺	表甥 表甥女	拜上 謹上	安啟
伯叔岳父母	伯叔岳父母大人	賜鑒 侍右	敬肅者 謹肅者	耑肅 謹肅	敬請福安 祇頌崇祺	姪壻	拜上 謹上	安啟
姻伯叔父・母	姻伯叔父・母大人	賜鑒 侍右	敬肅者 謹肅者	耑肅 謹肅	敬請福安 祇頌崇祺	姻愚姪 姻姪女	拜上 謹上	安啟
姊丈	○○姊丈倩	台鑒 英鑒	敬啟者 謹啟者	專此布臆 謹此奉達	祇祝近安 虔頌近祺	內弟 姨妹	頓首 再拜	大啟 台啟
妹丈	○○妹丈倩	台鑒 英鑒	敬啟者 謹啟者	專此布意 謹此奉達	祇祝近安 虔頌近祺	內兄 姨姊	頓首 再拜	大啟 台啟
表兄嫂	○○表兄嫂	台鑒 英鑒	敬啟者 謹啟者	專此布達 謹此奉達	祇祝近安 虔頌近祺	表弟 表妹	頓首 再拜	惠啟 台啟
表弟弟媳	○○表弟弟媳	台鑒 英鑒	敬啟者 謹啟者	專此布達 謹此奉達	祇祝近安 虔頌近祺	表兄 表姊	頓首 再拜	惠啟 台啟

內兄 內弟	○○內兄 ○○內弟	台鑒 雅鑒	敬啓者 謹啓者	專此布達 謹此奉達	祇祝近安 虔頌近祺	愚妹壻 愚姊壻	頓首 再拜	大啓 台啓
襟兄 襟弟	○○襟兄 ○○襟弟	台鑒 雅鑒	敬啓者 謹啓者	專此布達 謹此奉達	祇祝近安 虔頌近佳	姻愚弟 姻愚兄	頓首 再拜	大啓 台啓
外孫 外孫女	○○賢外孫 ○○賢外孫女	青覽 青鑒		手此 草此	即問近好 順問近佳	外祖 外祖母	手啓 手書	啓
內姪 內姪女	○○賢內姪 ○○賢內姪女	青覽 青鑒		手此 草此	即問近好 順問近佳	姑丈 姑母	手啓 手書	啓
外甥 外甥女	○○賢外甥 ○○賢外甥女	青覽 青鑒		手此 草此	即問近好 順問近佳	愚舅 愚舅母	手啓 手書	啓
姨甥 姨甥女	○○賢姨甥 ○○賢姨甥女	青覽 青鑒		手此 草此	即問近好 順問近佳	愚	手啓 手書	啓
女壻	○○賢壻 ○○賢倩	青覽 英鑒		手此 草此	即問近好 順問近佳	愚岳 愚岳母	手啓 手書	啓
表姪 表姪女	○○賢表姪 ○○賢表姪女	青覽 青鑒		手此 草此	即問近好 順問近佳	愚	手啓 手書	啓
表甥 表甥女	○○賢表甥 ○○賢表甥女	青覽 青鑒		手此 草此	即問近好 順問近佳	表舅父 表舅母	手啓 手書	啓
姻姪 姻姪女	○○賢姻姪 ○○賢姻姪女	青覽 青鑒		手此 草此	即問近好 順問近佳	愚	手啓 手書	啓

師生					朋輩世交				
太老師 師母	師長	師父	學生（男）門徒	學生（女）門徒	父之友	父之友	世誼長輩	世誼長輩	世誼平輩
太夫子大人 太師母	○○吾師 ○公夫子	○○吾師	○○學弟 賢棣	○○學妹 女弟	○○老伯 伯母	○○老叔 叔母	○○世伯 伯母	○○世叔 叔母	○○吾兄 姊
崇鑒 賜鑒	函丈 壇席	尊前 尊鑒	如面 如晤	惠覽 雅鑒	尊鑒 尊右	尊鑒 尊右	尊鑒 尊右	尊鑒 尊右	足下 惠鑒
敬肅者 敬陳者	敬肅者 敬陳者	敬肅者 敬陳者			敬啟者 謹啟者	敬啟者 謹啟者	敬啟者 謹啟者	敬啟者 謹啟者	敬啟者 謹啟者
耑肅 肅此上陳	耑肅 肅此上陳	耑肅 肅此上陳	手此 草此	手此 草此	耑肅 肅此	耑肅 肅此	耑肅 肅此	耑肅 肅此	耑此布達 特此布臆
恭叩崇安 敬頌崇祺	恭請誨安 敬請講安	恭請教安 祗頌崇祺	順祝進步 即詢近佳	順祝進步 即詢近佳	敬請崇安 恭請鈞安	敬請崇安 恭請鈞安	敬請崇安 恭請鈞安	敬請崇安 恭請鈞安	順祝近安 順頌時綏
門下晚生	受業 學生	門徒 門生	小兄 愚姊	小兄 愚姊	愚姪 愚姪女	愚姪 愚姪女	世愚姪 世姪女	世愚姪 世姪女	弟 妹
拜上 叩上	拜上 敬叩	拜上 敬叩	手啟 手書	手啟 手書	拜上 謹上	拜上 謹上	拜上 謹上	拜上 謹上	再拜 頓首
安啟 道啟	道啟	道啟	啟	啟	鈞啟	鈞啟	鈞啟	鈞啟	台啟 大啟

						各界			
世誼平輩	世誼晚輩	同學	同門生	朋友	朋友夫婦	政界長輩	軍界長輩	商界長輩	學界長輩
○○吾弟 妹	○○世講 臺	○○學兄 姊	○○師兄·弟 姊·妹	○○仁兄 姊	○○吾兄 夫人	○○公主任 ○○公部長	○○公將軍 ○○公團長	○○公董事長 ○○公總經理	○○公校長 ○○公廳長
英鑒 惠鑒	雅鑒 惠鑒	文几 惠鑒	大鑒 惠鑒	偉鑒 惠鑒	雙鑒	勛鑒 鈞鑒	麾下 幕下	賜鑒 尊鑒	道鑒 道席
敬啟者 謹啟者		敬啟者 謹啟者	敬啟者 謹啟者	敬啟者 謹啟者	敬啟者 謹啟者	敬肅者 謹肅者	敬肅者 謹肅者	敬肅者 謹肅者	敬肅者 謹肅者
耑此布達 特此布臆	耑此布達 特此布臆	耑此布達 特此布臆	耑此布達 特此布臆	耑此布達 特此布臆	耑此布達 特此布臆	耑肅 謹肅	耑肅 謹肅	耑肅 謹肅	耑肅 謹肅
順祝近安 順頌時綏	順祝近安 順頌時綏	順祝近安 順頌時綏	順祝近安 順頌時綏	順祝近安 順頌時綏	順祝儷安 虔頌儷祺	敬頌勛綏 祗頌勛祺	敬請戎安 恭請麾安	敬請崇安 恭頌崇祺	敬請鐸安 恭頌崇祺
兄 姊	愚	學弟 學妹	師弟·兄 妹·姊	弟 妹	弟 妹	晚 後學	晚 後學	晚 後學	晚 後學
再拜 頓首	敬啟 手啟	再拜 頓首	再拜 頓首	再拜 頓首	再拜 頓首	敬上 謹上	敬上 謹上	敬上 謹上	敬上 謹上
台啟 大啟	啟	台啟 大啟	台啟 大啟	惠啟 大啟	惠啟 親啟	勛啟 鈞啟	勳啟 鈞啟	鈞啟 親啟	道啟 鈞啟

政界平輩	軍界平輩	商界平輩	學界平輩	方外					
				和尚	尼姑	神父	牧師	修女	道士
○○先生 女士	○○連長 ○公營長	○○襄理 ○公課長	○公教授 ○○社長	○○上人 ○○道人	○○老師太 ○○師太	○○司鐸	○○牧師	○○修道	○○法師
惠鑒 閣下	麾下 幕下	惠鑒 大鑒	左右 雅鑒	方丈 法鑒	法鑒	有道 道鑒	有道 道鑒	有道 道鑒	法鑒
敬啓者 逕啓者	敬啓者 逕啓者	敬啓者 逕啓者	敬啓者 逕啓者	敬啓者 逕啓者	敬啓者 逕啓者	敬啓者 逕啓者	敬啓者 逕啓者	敬啓者 逕啓者	敬啓者 逕啓者
專此布臆 特此布達	專此布臆 特此布達	專此布臆 特此布達	專此布臆 特此布達	專此布臆 特此布達	專此布臆 特此布達	專此布臆 特此布達	專此布臆 特此布達	專此布臆 特此布達	專此布臆 特此布達
順頌勛綏 專候勛祺	順頌勛綏 專候勛祺	即祝時安 順頌籌祺	祗請著安 順頌文祺	敬祝道安 祗頌道祺	敬頌道綏 虔祝道安	祗祈主佑 敬祈神佑	敬祝神佑	敬祝神佑	敬祝道安 祗頌道祺
弟 妹	弟 妹	弟 妹	弟 妹			弟 妹	弟 妹	弟 妹	
拜啓 敬啓	拜啓 敬啓	拜啓 敬啓	拜啓 敬啓	拜啓 敬啓	拜啓 敬啓	拜啓 敬啓	拜啓 敬啓	拜啓 敬啓	拜啓 敬啓
台啓 大啓	台啓 大啓	台啓 大啓	台啓 大啓	道啓 惠啓	道啓	道啓	道啓	道啓 惠啓	道啓

其他

賀年	賀男壽	賀女壽	賀結婚	問疾長輩	弔唁
				○○世伯 伯母	
				崇鑒	禮鑒 苫次
				敬肅者 謹肅者	
				專肅 專此奉候	
恭賀年禧 祇賀春釐	祇祝嵩齡 恭賀千春	祇祝萫禧 恭叩遐齡	敬賀大禧 祇賀燕喜	虔祝痊安 敬祝豫安	敬請禮安 專唁素履
				晚	
				拜上 敬上	
				道啓 鈞啓	啓

【說明】

㈠上表稱謂欄中之『○』及『○○』符號，均表示寫信時須寫對方之名字或別號。如係家族，可稱其排行，如『三哥』『二叔』之類。

㈡同欄內之『提稱語』『啓事敬辭』『結尾敬辭』『問候語』『署名下敬辭』『信封』多列有兩種用語，寫信時可任擇一種使用。

㈢表中用語，祇是『約定俗成』，爲世所習用而已，並非絕對不可移異。寫信時，可視對方之身分，當時之需要，以及彼此關係之深淺，愼加選擇，靈活運用，不必拘泥。在『其他類』中留有許多空白，亦爲此而設也。

第六節　實用書牘範例

(一) 家　書　類

杜少陵春望詩云：『烽火連三月，家書抵萬金。』當烽火漫天、兵燹匝地之時，人命危賤，曾雞犬草芥之不若，此時若能獲得一封家書，可以知悉骨肉親人之生死存亡，其價值又何止萬金。卽在平時，由於雲山暌隔，團聚爲難，能藉寸楮以報平安，亦可以上紓父母之遠念，下慰兒女之孺慕。雖云電訊交通日益發達，或朝發夕至，或聲傳千里，究不抵信札之長短自如，經濟實惠。昔人云：『白雲深處是吾家。』（唐書狄仁傑傳：『仁傑薦授幷州法曹參軍，親在河陽，仁傑登太行山，反顧見白雲孤飛，謂左右曰：「吾親舍在其下。」瞻悵久之，雲移乃得去。』）蓋思家之情，固無間於古今也。

依照吾國之傳統，家書大致區爲四類：

一、幼輩稟長輩之書，謂之『家稟』。

二、平輩致平輩之書，謂之『家書』。

三、長輩諭幼輩之書，謂之『家訓』。

四、臨終遺留親人之書，謂之『遺書』。

四者名稱雖異，而籠統稱之，概謂之『家書』，或曰『家信』。

至家書之寫作，無論其爲文言語體，均須遵守以下三大原則：

一、**就寫作之態度言**：稟長輩之書須恭敬，戒輕佻，多用問候語爲宜。致平輩之書須誠懇，雖有勖勉或規勸，亦須詞微義婉，反覆開導，以免引起反感，而收到反效果。諭幼輩之書須和悅，多作積極的鼓勵與指導，少作消極的指斥或譴責。

二、**就寫作之方法言**：無論家稟、家書、家訓、遺書，應略去浮文客套，刻意雕琢，尤應戒絕。通篇須以質樸、眞摯、自然出之，縱然瑣碎，亦不妨事，並可藉此以保持家書之特有風格。蓋家書原非華國之鴻文，而家務事亦多瑣碎故也。此外，爲保持感情之純眞，可將文言白話混合行文。例如初以文言作書，至必要時，或力所難逮處，可雜以少許白話，絕無傷大雅。惟所當注意者，時下流行之俚語或口頭語，如『成績很菜』，『使我亂沒面子』，『拚命K書』，『此人好鮮』，『小氣巴拉』，『神經兮兮』，『可憐巴巴』，『雞婆』，『雞母皮』等。新潮派詞句如：『天空非常希臘』。『聳一個拉丁式的肩』。『我向她鞠一個躬，非常意大利式的』。『雲很芭蕾，女學生們很卻卻』。『我的憂鬱有一點傷風』。『隨地吐痰，也吐出一道虹來』。『美麗的火災』。『我將把靈魂嫁給舊金山』等。西化句法如：『我打算本星期天回家，假如可能的話』。『我現在決定離開你了，儘管我曾經愛過你』。『請你吃慢一點好不好，雖然你的嘴巴很大』。『幽靈般的心絃，彈出新的煙士皮里純（按煙士皮里純爲英文 inspiration 之音譯）』等。此類詞句，皆有欠莊重，萬萬不可入文。

三、**就所寫之字體言**：對尊長寫信，字體宜端正，儘量用正楷，行書亦可斟酌使用，但切忌過於潦草。對平輩幼輩行文，可以全用行書。又書寫工具，以毛筆爲最恭敬，鋼筆次之，原子筆又次之，但絕不可使用簽字筆及鉛筆，以免失禮。

(一)家稟

(1)子稟母

母親大人膝下：有關國慶之電諭拜悉。今日國慶雖是陰雨天，閱兵典禮至爲壯觀，民衆情緒亦極爲高昂，回國僑胞已達二萬人之衆。典禮後，兒即來慈湖，祭告
父靈。此間風雨中有寧靜，深思默念久之，深信上蒼必將保祐國家萬年長春。敬祝
大人福體康泰

兒經國跪稟 雙十節於慈湖

【說明】

此爲民國六十七年十月十日蔣經國總統稟告其慈母蔣太夫人之電文，本當列入『電報』類，始合體例。茲以其性質內容與家書無異，特予選錄。電文措詞以簡潔爲尙，故『啓事敬辭』與『開頭應酬語』、『結尾應酬語』均予省略。

※ ※ ※ ※

(2)女稟父

父親大人膝前：拜別
尊顏，瞬將旬日，孺慕之心，無時或釋。女於前月廿五日安抵臺北，暫住姨母家，翌日即到校辦理入學及住校手續。開學後，又忙於購買教科用書，致稽稟候，罪戾實深，務祈
曲諒。班上同學，雖來自海內外各地，然均能親愛精誠，相互切磋，思家之情，得以稍紓。女此次參與

聯考，倖蒙錄取，其中甘苦，何敢遽忘。今後自當恪遵
慈訓，埋頭苦讀，冀能在學術上奠定深厚基礎，以便將來服務社會，造福人羣，抑所以報答
親恩於萬一也。校中生活情形，容後續稟。秋風多厲，伏望　起居珍重，努力加餐。專肅。恭叩
福　安

女 慧君叩稟　十月一日

※　※　※　※

(3)孫稟祖父母

祖父母大人尊前：敬稟者，遠隔
慈雲，曷勝戀戀，頃奉
手諭，循讀再三，敬諗
玉體雙安，
起居佳勝，欣喜莫名。韶華如箭，轉瞬又屆炎夏時節，學校即將舉行學期考試，試畢當即束裝返里，大約在本月廿八日午後抵家，屆時又可恭聆
慈訓矣。恐勞
懸念，特先稟告。肅此。叩請
頤　安

孫 偉仁謹稟　六月三日

湘煜姊囑筆叩安。弟妹統此，不另。

※　※　※　※

⑷姪女稟伯母

伯母大人慈鑒：久睽
懿範，馳慕良殷。頃聞下月五日爲韻嫻堂姊于歸吉辰，遙想
華堂啓瑞，冠蓋如雲，珠璧聯輝，喜氣洋溢，忻忭奚如。姪女以俗務羈身，不克趨前道賀，中心歉疚，莫可言宣。附上奇士美化妝品一匣，聊表賀忱，敬乞
哂納。專肅奉賀
大喜。並祝
百　福

姪女祜美拜上　三月廿四日

※　※　※　※

⑸姪稟叔父

叔父大人尊鑒：前在香江曾肅寸稟，諒邀
慈鑒。姪已於昨日晚間抵達大阪，下榻上谷旅館，今晨卽往松下株式會社接洽業務，一切尙稱順利，大

約五月杪始能返國。數月以來，家中多蒙照拂，恩深東海，不知將何以圖報也。茲匯上美金二百元，以供侑酒，伏乞哂收爲禱。肅此奉稟。敬請

金　安

姪漢傑叩啓　三月卅日

※　※　※　※

(二)家　書

(1)姊　寄　妹

芬妹：

昨天接到來信，知道一切。你本學期又得到嘉新水泥公司的獎學金，全家人都很高興，希望你能繼續保持這分榮譽，一直到畢業。

聽說你們學校附近又增加許多飲食攤，你一向嘴饞，　媽和我都在躭心你會吃壞肚子。你一個人在外頭求學，生活起居，都必須靠自己照顧，身體如有不適，那就麻煩了。據我所知，攤子的衞生設備很差，是細菌繁殖的溫牀，你還是少去光顧爲妙。姊曾經有過慘痛的敎訓，以致現在患了輕微的肝病，我不要你重蹈我的覆轍。

天氣轉涼了，早晚要多添些衣服，以免感冒，而煩勞

爸媽掛念。課餘有便，盼常來信。

爸媽和弟妹都很好，勿念。臨筆匆匆，不盡所懷。順祝

近　好

姊湘靈手書　十一月廿九日

再者：媽非常盼望你能在元旦假期回家一趟。如無特別事故，務請如期抵家，並順便給　媽買一件上好的旗袍料子，好讓她老人家驚喜一次。又及。

【說　明】

傳統莊重之書信，例用文言，鮮有以語體下筆者。然時移世異，人多忙碌，今人作書欲如曩時之精選美辭，雕琢曼藻，已非時力所許。故現代書信亦步公文之後塵而日趨簡化，例如昔日通行之『三擡』、『雙擡』、『單擡』，所以表示尊敬者，已隨時代之進步而悉遭淘汰，惟餘『平擡』、『挪擡』二種而已。不寧惟是，值此知識爆發、分科日細之時代，欲使人人具有雕龍繡虎之才，精通文字音韻之學，不特理想過高，抑且無此必要。緣是白話書信乃逐漸流行於今日，此乃時代之趨勢，非任何人所得而挽回者，聽其兩存，並行不悖可也。惟吾人所當注意者，即以語體文寫信，仍須注重格式，不宜作大幅度之變更。若變更過多，漫無規格，甚或稱呼錯誤，反卑爲尊，未有不僨事者，其庸有當乎。須知凡百學術，均應循軌漸進，徐圖變革，切忌盲目躁急，否定傳統，不獨書信爲然也。

今世報章雜誌雖盛行語體文，而公私函牘以至法令規章則仍以淺近文言爲尚。本書所有論述舉例均用文言者，蓋從衆之義耳。惟念青年學子於語體書信，或自我作古，或中西混用，甚且有茫然不知如何下筆者，故前書特以語體行文，藉示一例。

※ ※ ※ ※

⑵ 弟致兄

大哥賜鑒：久未聆 教，渴念良殷，惟日以 起居安吉，
雙親康寧為祝。弟於本月初蒙王總經理厚愛，擢任本公司公共關係室主任，兩週以來，業務蒸蒸日上，
堪慰 遠念。近日天氣驟冷，甚難忍受，望稟知 母親，速將弟之棉袍等件付郵寄交，至為盼禱。專此
上陳，敬頌
近祺。並請
父母親大人均安

弟彥倫謹啟 十一月十六日

大嫂、弟妹、諸姪統此，不另。

※ ※ ※ ※

⑶ 兄致弟

龍弟如面：不通音問，已數星期矣。遙想
旅祉增綏，諸事如恆，至以為頌。兄自前次通函之後，即盼吾 弟早日歸來，乃遷延至今，竟成虛願。
堂上望切倚閭，尤為懸系。韶光飛逝，轉眼即屆歲闌，無論如何冗忙，亦須 抽身返家，上慰
親心，是所至囑。匆匆草此。即詢

近佳

兄仲偉手啓　十二月廿日

※　※　※　※

(4) **妻寄夫**

元龍夫子偉鑒：別後懷思，常繞魂夢，而一日三秋之感，黯然銷魂矣。頃展 華翰，如覩
光儀，藉悉
旅祺安吉，諸事順遂，歡忭之情，莫可名狀，惟有續禱上蒼，長相默佑耳。家中自
君姑(或母親)以下，均稱康健，芳亦勤修婦職，輯睦鄉鄰，希勿 掛念。惟是
夫子羈旅他鄉，風塵僕僕，蟾圓天上，不知幾回。
堂上慈幃，時切倚閭之望，庭前弱息，輒思膝下之依。伏祈 早定歸期，以敍天倫之樂，則慈孝兩全也。
千里神馳，無任企盼，千萬珍重，珍重千萬。耑此。敬請
旅　安

妻令芳斂衽　三月十六日

※　※　※　※

(5) **夫寄妻**

小蘋妹妝次：自抵沙國，倏已兼旬，雖棲遲異域，遠隔重洋，而 卿之笑貌聲音，猶復時時呈現於腦海，

縈繞於耳畔，安得身如海燕，飛上妝臺，一覩玉人之面，以償苦憶之情。又思母親老邁，兒女嬌癡，家事無論鉅細，全賴卿一人獨立維持，興念及此，感慰交併。此間業務繁冗，終日辛勤，幸頑軀尚健，差可應付。獨夜闌誦卿臨別贈我『異域風光毋戀久，故園月亮好歸程』之句，輒爲之惻惻耳。所幸今番來此，爲時僅三月，一俟年終事畢，當卽星馳就道，決不稍留也。先此布意。順候

妝　安

夫少泉頓首　十月十五日

※　※　※　※

(三)家　訓

按家訓共舉五例，除第一例爲編者所擬外，其餘均係古人所作。

(1)父　諭　子

雄兒知悉：昨閱來書，知汝已以第一志願考入臺大法律系，老懷甚慰。就我所知，系中名師雲集，夙著聲譽，汝當珍惜寸陰，刻苦力學，以便將來保障民權，弘揚法治，爲一人人所尊敬之律師。平居在家則當孝順祖母，侍奉母親，戚族親長，務須尊重，淫朋賭友，切勿相交。早眠早起，門戶最要小心，勿怠勿惰，火燭更當謹愼。餘如飲食寒暖，亦宜留意。切記余言，勿違是囑。

父字　四月十二日

※　※　※　※

⑵戒兄子嚴敦書

馬　援

吾欲汝曹聞人過失，如聞父母之名，耳可得聞，口不可得言也。好議論人長短，妄是非正法㈠，此吾所大惡也，寧死不願聞子孫有此行也。汝曹知吾惡之甚矣，所以復言者，施衿結褵㈡，申父母之戒，欲使汝曹不忘之耳。

龍伯高㈢敦厚周慎，口無擇言，謙約節儉，廉公有威，吾愛之重之，願汝曹效之。杜季良㈣豪俠好義，憂人之憂，樂人之樂，清濁無所失。父喪致客，數郡畢至，吾愛之重之，不願汝曹效也。效伯高不得，猶爲謹勑之士，所謂刻鵠不成尚類鶩者也。效季良不得，陷爲天下輕薄子，所謂畫虎不成反類狗者也。

訖今季良尚未可知，郡將下車㈤輒切齒，州郡以爲言，吾常爲寒心，是以不願子孫效也。

【作　者】

馬援字文淵，東漢茂陵人。光武時累官拜伏波將軍，征交阯，立奇功，封新息侯，後討武陵五溪蠻，卒於軍，時年八十餘。見後漢書本傳。

【說　明】

本篇選自後漢書馬援傳，爲戒子姪書之濫觴，其後踵武者甚多，遂自成一體。

【注　釋】

㈠正法　謂當時之政治法制也。

㈡施衿結褵　古禮：女子嫁時，母親爲之施衿佩也結褵覆首之巾，並致訓詞。

㈢龍伯高　名述，東漢人。

㈣杜季良　名保，東漢人。

㈤下車　官吏初到任曰下車。

※　　※　　※　　※

⑶戒子書

諸葛亮

夫君子之行，靜以修身，儉以養德，非澹泊無以明志，非寧靜無以致遠。夫學欲靜也，才欲學也，非學無以廣才，非靜無以成學。慆慢則不能研精，險躁㈠則不能理性。年與時馳，意與日去，遂成枯落，多不接世，悲守窮廬，將復何及。

【作　者】

諸葛亮字孔明，東漢陽都人。少孤，避難荆州，躬耕隴畝。徐庶薦於劉備，備三顧茅廬，始得見，遂出爲佐輔。後備據蜀自立，以亮爲丞相。及卒，受遺詔輔後主。建興中，封武鄉侯，領益州牧，數出師伐魏，以疾卒於軍。有諸葛忠武集。

【注　釋】

㈠險躁　邪惡而性急也。

※　※　※　※

附戒外甥書

諸葛亮

夫志當存高遠，慕先賢，絕情欲，棄凝滯，使庶幾㊀之志，揭然有所存，惻然有所感。忍屈伸，去細碎，廣咨問，除嫌吝，雖有淹留，何損於美趣，何患於不濟。若志不彊㊁毅，意不慷慨，徒碌碌滯於俗，默默束於情，永竄伏於凡庸，不免於下流矣。

【說　明】

曾國藩嘗謂古人中最精於尺牘者，當推諸葛亮與王羲之，惜其文多亡佚，舉此兩篇，亦可作鼎臠之嘗焉。

【注　釋】

㊀庶幾　猶言賢者，本論語『回也其庶乎』語。
㊁彊毅　即強毅。

※　※　※　※

(4)戒子書

羊祜

吾少受先君之教，能言之年，便召以典文，年九歲，便誨以詩書，然尚猶無鄉人之稱，無清異之名。今之職位，謬恩之加耳，非吾力所能致也。吾不如先君遠矣，汝等復不如吾。諮度弘偉，恐汝兄弟未之能也，奇異獨達，祭汝等將無分也。恭為德首，愼為行基，願汝等言則忠信，行則篤敬，無口許人以財，無傳不經之談，無聽毀譽之語。聞人之過，耳可得受，口不能宣，思而後動。若言行無信，身受大謗，自入刑論，豈復惜汝，恥及祖考。思及父言，纂及父教，各諷誦之。

【作　者】

羊祜字叔子，晉南城人。博學能屬文，善談論，世以淸德聞。武帝時，官至尙書左僕射，後都督荆州諸軍事，甚得江漢間人心。旣卒，追贈太傅，有文集行世。

※　※　※　※

⑸家　訓

朱用純

黎明卽起，灑掃庭除，要內外整潔，旣昏便息，關鎖門戶，必親自檢點。一粥一飯，當思來處不易，半絲半縷，恆念物力維艱。宜未雨而綢繆㈠，毋臨渴而掘井。自奉必須儉約，宴客切勿留連。器具質而潔，瓦缶勝金玉，飲食約而精，園蔬愈珍饈。勿營華屋，勿謀良田。三姑六婆，實淫盜之媒，婢美妾嬌，非閨房之福。童僕勿用俊美，妻妾切忌豔妝。祖宗雖遠，祭祀不可不誠，子孫雖愚，經書不可不讀。居身務期儉約，教子要有義方㈡。莫貪意外之財，莫飲過量之酒。與肩挑貿易，毋佔便宜，見窮苦親鄰，須加溫恤。刻薄成家，理無久享，倫常乖舛㈢，立見消亡。兄弟叔姪，須分多潤寡，長幼內外㈣，宜法肅辭嚴。聽婦言，乖骨肉，豈是丈夫，重貲財，薄父母，不成人子。嫁女擇佳壻，毋索重聘，娶媳求淑女，勿計厚奩。見富貴而生諂容者，最可恥，遇貧窮而作驕態者，賤莫甚。居家戒爭訟，訟則終凶，處世戒多言，言多必失。勿恃勢力而凌逼孤寡，毋貪口腹而恣殺牲禽。乖僻自是，悔誤必多，頹惰自甘，家道難成。狎暱惡少，久必受其累，屈志老成㈤，急則可相依。輕聽發言，安知非人之譖愬㈥，當忍耐三思，因事相爭，焉知非我之不是，須平心再想。施惠無念，受恩莫忘。凡事當留餘地，得意不宜再往。人有喜慶，不可生妒忌心，人有禍患，不可生喜幸心。善欲人見，不是眞善，惡恐人知，便是大惡。見色而起淫心，報在妻女，匿怨而用暗箭，禍延子孫。家門和順，雖饔飧不繼㈦，亦有餘歡，國課早完㈧，即囊橐無餘，自得至樂。讀書志在聖賢，非徒科第，爲官心存君國，豈計身家。守分安命，順時聽天，爲人若此，庶乎近焉。

【作　者】

朱用純字致一，明江蘇崑山人。父集璜，死於兵，慕晉王裒攀柏哭父之孝行，自號柏廬。入清不仕，康熙間卒，門人私謚孝定。所作朱子家訓又稱治家格言傳誦海內。

【注　釋】

㈠未雨綢繆　喻預先籌措。詩經豳風鴟鴞：『迨天之未陰雨，徹彼桑土，綢繆牖戶。』言鴟鴞趁天未有降陰雨之前，用嘴爪剝取桑根之嫩皮，以之纏結窗牖通氣之孔隙也。

㈡義方　義者事之宜，義方謂義之矩度。左傳隱公三年：『石碏諫曰：「臣聞愛子教之以義方，弗納於邪。」』

㈢乖舛　乖戾舛錯也。

㈣內外　謂男女也。古時男主外，女主內，故以外內別男女。

㈤屈志老成　謂謙從練達成人也。屈志，降志屈身，對人謙恭。老成，老諳世故，年長有德之人。

㈥安知非人之譖愬　謂安知其非浸潤之譖、膚受之愬乎。譖，毀謗。愬，誣訴。

㈦饔飧不繼　謂早餐晚飯不能繼續。

㈧國課早完　謂國家之賦稅應及早完納也。

※　※　※　※

㈣遺　書

按遺書共舉五例，均爲古人所作。

(1)臨終遺弟謨書

薛濬

吾以不造，幼丁艱酷，窮遊約處，屢絕簞瓢。晚生早孤，不聞詩禮，賴奉先人貽厥之訓，獲稟母氏聖善之規。負笈裹糧，不憚艱遠，從師就業，欲罷不能。砥行厲心，困而彌篤，服膺教義，爰至長成，自釋耒登朝㈠，於茲二十三年矣。雖官非聞達，而祿喜逮親，庶保期頤，得終色養。何圖精誠無感，禍酷薦臻。兄弟俱被奪情，苫廬靡申哀訴，是用扣心泣血，隕氣摧魂者也。繼而瘡巨釁深㈡，不勝荼毒，啓手啓足，幸及同歸，使夫死而有知，得從先人於地下矣，豈非至願哉。但念爾伶俜孤宦，遠在邊服㈢，顧此悢悢，如何可言。適已有書，冀得與汝面訣，忍死待汝，已歷一旬。汝既未來，便成今古，緬然永別，爲恨何言。勉之哉，勉之哉。

【作　者】

薛濬字道頤，隋汾陰人。少孤，養母以孝聞。開皇初擢尚書虞部侍郎。帝聞其孝，賜母輿服几杖，四時珍味，當時榮之。及母卒，毀瘠過甚，上爲之改容。旋以不勝喪病而卒。

【注釋】

㈠釋耒登朝　謂棄農而仕也。

㈡瘡巨釁深　濬丁母艱，歸葬夏陽，時在隆冬，衰絰徒跣，冒犯霜雪，自京及鄉五百餘里，足凍墜指，瘡血流離。釁，裂縫也。

㈢遠在邊服　時薛謨在揚州爲晉王府兵曹參軍。

※　※　※　※

⑵上太夫人書　史可法

不肖男可法遺稟

母親大人：兒在宦途，一十八年，諸苦備嘗，不能有益於朝廷，徒致曠違定省，不忠不孝，何以立於天地之間。今以死殉城，不足贖罪。望　母親委之天數，勿復過悲。兒在九泉，死無所恨。得副將德威完兒後事，望　母親以親孫撫之。四月十九日不肖兒可法泣書。

【作者】

史可法字憲之，一字道鄰，明祥符人，崇禎元年進士。清兵入關，佔據燕京，福王即位南京，可法以兵部尚書拜大學士。旋爲馬士英等所排斥，出而督師揚州，順治二年四月廿五日城陷被執，罵賊而死。揚民謳思，葬其袍笏衣冠於梅花嶺。史公無子，遺言以副將史德威爲嗣。

※　※　※　※

(3)與妻訣別書

林覺民

意映卿卿如晤：

吾今以此書與汝永別矣。吾爲此書時，尙爲世中一人，汝看此書時，吾已成爲陰間一鬼。吾作此書，淚珠和筆墨齊下，不能竟書而欲擱筆，又恐汝不察吾衷，謂吾忍舍汝而死，謂吾不知汝之不欲吾死也，故遂忍悲爲汝言之。

吾至愛汝，卽此愛汝一念，使吾勇於就死也。吾自遇汝以來，常願天下有情人都成眷屬。然徧地腥羶，滿街狼犬，稱心快意，幾家能彀，司馬靑衫㈠，吾不能學太上之忘情也。語云：『仁者老吾老以及人之老，幼吾幼以及人之幼。』吾充吾愛汝之心，助天下人愛其所愛，所以敢先汝而死，不顧汝也。汝體吾此心，於啼泣之餘，亦以天下人爲念，當亦樂犧牲吾身與汝自身之福利，爲天下人謀永福也，汝其勿悲。

汝憶否四五年前某夕，吾嘗語曰：『與其使我先死也，無寧汝先吾而死。』汝初聞言而怒，後經吾婉解，雖不謂吾言爲是，而亦無辭相答。吾之意蓋謂以汝之弱，必不能禁失吾之悲，吾先死，留苦與汝，吾心不忍，故寧請汝先死，吾擔悲也。嗟夫，誰知吾卒先汝而死乎。

吾眞眞不忍忘汝也。回憶後街之屋，入門穿廊，過前後廳，又三四折有小廳，廳旁一屋爲吾與汝雙棲之所。初婚三四個月，適冬之望日前後，窗外疏梅篩月影，依稀掩映，吾與汝攜手低低切切，何事不語，何情不訴。及今思之，空餘淚痕。又回憶六七年前，吾之逃家復歸也，汝泣告我：『望今後有遠行，必以告妾，妾願隨君行。』吾亦既許汝矣。前十餘日回家，即欲乘便以此行之事語汝，及與汝對，又不能啓口，且以汝之有身也，更恐不勝悲，故惟日日呼酒買醉。嗟夫，當時余心之悲，蓋不能以寸管形容之。

吾誠願與汝相守以死，第以今日事勢觀之，天災可以死，盜賊可以死，瓜分之日可以死，奸官汚吏虐民可以死，吾輩處今日之中國，無時無地不可以死。到那時使吾眼睜睜看汝死，或使汝眼睜睜看我死，吾能之乎，抑汝能之乎。即可不死，而離散不相見，徒使兩地眼成穿而骨化石。試問古來幾曾見破鏡重圓㈡，則較死尤苦也，將奈之何。今日吾與汝幸雙健，天下人不當死而死，與不當離而離者，不可數計，鍾情如我輩者，能忍之乎。此吾所以敢率性就死，不顧汝也。吾今死無餘憾，國事成不成，自有同志者在。依新已五歲，轉眼成人，汝其善撫之，使之肖我。汝腹中之物，吾疑其女也，女必像汝，吾心甚慰。或又是男，則亦教其以父志爲志，則我死後，尚有二意洞在也，甚幸甚幸。吾家日後當甚貧，貧無所苦，清靜過日而已。吾今與汝無言矣，吾居九泉之下，遙聞汝哭聲，當哭相和也。吾平日不信有鬼，今則又望其眞有。今人又言心電感應有道，吾亦望其言是實，則吾之死，吾靈尚依依傍汝也，汝不必以無侶悲。

吾平生未嘗以吾所志語汝，是吾不是處。然語之又恐汝日日爲吾擔憂。吾犧牲百死而不辭，而使汝擔憂，的的非吾所思。吾愛汝至，所以爲汝體者惟恐未盡。汝幸而偶我，又何不幸而生今日之中國，吾幸而得汝，又何不幸而生今日之中國，卒不忍獨善其身。嗟夫，紙短情長，所未盡者，尚有萬千，汝可以模擬得之。而今不能見汝矣，汝不能舍我，其時時於夢中得我乎。一慟。

家中諸母皆通文，有不解處，望請其指教，當盡吾意為幸。

辛未㈢三月念六夜四鼓意洞手書

【作　者】

林覺民字意洞，號抖飛，清福建閩縣人。幼年體弱性慧，目灼灼如流星。年十四入高等學堂，醉心平等自由之說。十九歲以父命成婚，伉儷情深。翌年東渡日本入慶應大學文科，陰結志士，倡言革命。民國紀元前一年贊助黃興謀起義。黃興嘗曰：『意洞來，天贊我也，運籌帷幄，不可一日無君。』其倚重若此。三月二十九日圍攻兩廣總督署，被逮，當時報載獲一斷髮西裝之美少年，蓋即覺民也。就義之日，面不改色，俯仰自若，時年二十五耳。遺體葬黃花岡。此書係赴義前之絕筆，作於香港。

【注　釋】

㈠司馬青衫　白居易琵琶行：『座中泣下誰最多，江州司馬青衫溼。』因白氏作此詩時正作江州司馬。

㈡破鏡重圓　喻夫妻散而後合。古今詩話載：陳時徐德言尚樂昌公主。陳政衰，德言謂妻曰：『國破必入權豪家。』乃破鏡各分其半，約他日以正月望日賣於都市。及陳亡，妻為楊素所得。德言至京，有蒼頭賣半鏡者，德言出半鏡合之。題曰：『鏡與人俱去，鏡歸人不歸。無復嫦娥影，空留明月輝。』樂昌得詩，悲泣不食，素知之，乃召德言至，還其妻。

㊂辛未　係辛亥之筆誤，姑存其眞，足見寫信時心緒。

※　※　※　※

⑷赴義前別父書

方聲洞

父親大人膝下：跪稟者，此爲兒最後親筆之稟，此稟果到家，則兒已不在人世者久矣。兒死不足惜，第此次之事，未曾稟告大人，實爲大罪，故臨死特將其就死之原因，爲大人陳之。

竊自滿洲人入關以來，淩辱我漢人無所不至。迄於今日，外患逼迫，瓜分之禍，已在目前。滿洲政府猶不顧實心改良政治，以圖強盛，僅以預備立憲之空名，炫惑內外之觀聽，必欲斷送漢人土地於外人，然後始大快於其心。是以滿政府一日不去，中國一日不免於危亡，故欲保全國土，必自驅滿始，此固人人所共知也。兒蓄此志已久，祇以時機未至，故隱忍未發。邇者海內外諸同志共謀起義，以撲滅滿政府，以救祖國，祖國之存亡，在此一舉。事敗則中國不免於亡，四萬萬人皆死，不特兒一人。如事成，則四萬萬人皆生，兒雖死亦樂也。祇以大人愛兒者，故臨死不敢不爲稟告，但望大人以國事爲心，勿傷兒之死，則幸甚矣。

夫男兒在世，不能建功立業，以強祖國，使同胞享幸福，雖奮鬥而死，亦大樂也。且爲祖國而死，亦義所應爾也。兒刻已念有六歲矣，對於家庭，本有應盡之責任，祇以國家不能保，則身家亦不能保，卽爲身家計，亦不能不於死中求生也。兒今日竭力驅滿，盡國家之責任者，亦卽所謂保身家也。他日革命成功，我家之人，皆爲中華新國民，而子孫萬世，亦可以長保無虞，則兒雖死，亦瞑目地下矣。惟從此以往，一切家事，均不能爲大人分憂，甚爲抱憾，幸有壽兒及諸孫在，則兒或可稍安於地下也。惟祈大人得信後，切不可過於傷心，以礙福體，則兒罪更大矣，幸諒之。茲附上致穎媳信一通，俟其到漢時面交，並祈得書時，卽遣人赴日本接其歸國，因彼一人在東，無人照料，種種不妥也。如能早歸，以盡子媳之職，或能輕兒不孝之罪。臨死不盡所言，惟祈大人善保玉體，以慰兒於地下。旭孫將成，乞善導其愛國精神，以爲將來報仇也。臨書不勝企禱之至。敬請

萬福金安

兒聲洞赴義前一日稟於廣州

【作　者】

方聲洞，黃花岡七十二烈士之一。

※　※　※　※

(5)與妻書

吳　樾

人之生死亦大矣哉，蓋生有必勝於死，然後可以生，死必有勝於生，然後可以死。可以生則生，可以死則死，此之謂知命，此之謂英雄，昧昧者何能焉。生不知其所以生，死不知其所以死，以爲生有生人之樂，而死則無之，故欲生惡死之情，自往來於胸中而不去，則此輩之生若秋蟬，死如朝菌者，可無足怪矣。若夫號稱知命之英雄，向人則曰：『我不流血誰流血。』此卽我不死誰死之代名詞耳。及至可

以流血之日，而彼則曰：『我留此身，將有所待。』待之又久，而此身或病死，或他故而死，吾知其將死之際，未有不心灰意冷，勃發天良，直悔前言之不踐，與其今日死，不如昔日之不生也，然悔之何及，徒益悲傷耳。此吾之所爲有鑒於此，而不敢不從速自圖焉。亦以內顧藐躬，素非強壯，且多愁善病，焉能久活人間。與其悔之他時，不如圖之此日，抑或者蒼天有報，償我名譽於千秋，則我身之可以腐滅者，自歸於腐滅，而不可以腐滅者，自不腐滅耳。夫可以腐滅者體質，而不可以腐滅者精靈，體質爲小我，精靈爲大我，吾非昧昧者比，能不權其大小輕重以從事乎。而況奴隸以生，何如不奴隸而死。以吾一身而爲我漢族倡不奴隸之首，其功不亦偉耶。此吾爲一己計，固不得不出此，即爲吾漢族計，亦不得不出此。

吾決矣，子將何如。古人有言曰：『人固有一死，死有重於泰山，有輕於鴻毛。』㈠子即不爲漢族計，亦獨不爲己計乎。子自思身材之短小，體氣之柔弱，精神之欠乏，飲食之簡少，且衞生之不講，心境之不寬，勞苦之不耐，疾病之時至，非較吾尤甚乎。吾竊不遜，若子能壽年一百，吾即能壽年一百一十，吾今自思，不過得壽四五十，子當可作比例觀。且子多壽有何所用，雖如彭祖㈡，亦不過飲食衣服較多於人，而況子非其比，勢不得不爲一己計。則當捐現在有限之歲月，而求將來之無限尊榮。且也，以個人性命之犧牲，而爲鐵血強權之首倡，此爲一己之計，即所以爲漢族計也，非一舉而數得乎。子其三復思之，如以吾言爲然，則請爲子畫善死之策，如以爲否，則請留此書，於臨死之日，再一閱之，以證吾之見地如何。某白。

【作　者】

吳樾，清桐城人，素主種族革命。光緒間派載澤等五大臣出洋考察憲政，樾慮立憲成，清祚或不可拔，乃於載澤等登車時，擲彈擊之，不中，自斃。

【注　釋】

㈠人固有一死三句　漢司馬遷語，見漢書司馬遷傳。

㈡彭祖　上古顓頊玄孫，姓籛，名鏗，善導引行氣，堯時封於大彭，至殷末已七百六十七歲而不衰。見神仙傳。

※　※　※　※

（二）通候類

人生存在社會上，固不能遺落世事，離羣索居，而必須交際應酬，互相存問，藉以聯絡感情，增進交誼。語云，世事不如意者十常八九，若平時與人不相往來，一旦有難，始求助於人，其效果如何，可以不問而知。故勤於通候，廣結善緣，乃為人處世所不可忽略之重要課題。昔人謂『千里送鵝毛，禮輕情意重』，移以語此，尤為恰當。至吳梅村所云『不好詣人貪客過，慣遲作答愛書來』，乃名士作風，不可為法。

一般通候信札，因無重要事情作骨幹，極易流於空泛或俗套，故看似容易，實則甚難。如何化腐朽為神奇，變無情為有情，則端視作者之用心耳。吾人以為一篇上好之通候信，在態度方面，既不可過分卑屈，亦不可傲氣凌人，應注意切合對方身分，站穩自己立場，凡交淺言深，或交深言淺，均非所宜。

在用辭方面，當婉轉周密，切實得體，最好能有深情摯意洋溢於字裏行間，使受之者色然心喜，回味無窮。

(1)候業師(一)

夫子大人函丈：憶別
絳帳，歲華頻更，雲山遠隔，立雪無從，回首
春風，彌深神往。敬維
道履綏和，
崇祺休暢，爲無量頌。生於民國六十五年自母校畢業後，即應彰化縣花壇國民中學之聘，濫竽國文教席(二)，敝校遠離鬧市，景色宜人，黌舍寬敞，學風淳良，實爲讀書教學之理想環境。惟當年在校之時，因年事尚輕，不知奮勉，蹉跎歲月，一旦登上講壇，頗有力不從心之憾，然後知古人所謂『書到用時方恨少』、『教然後知困』云云(三)，誠體會有得之言也。雖然，生尚能秉承
訓誨，努力進修，庶幾無辱於
師門，無負於學子。講餘有便，仍乞
教語時頒，俾益庸愚，無任盼禱之至。肅此。敬請
崇安

受業張同塵拜上　九月十八日

師母大人前祈代叱名請　安

【說　明】

『夫子大人』爲男學生對五十歲以上男教師之稱呼，若以『大人』二字稍嫌陳腐，可改爲『某公吾師』。例如業師爲屈萬里（字翼鵬）先生，可稱『翼公吾師』，不知其字號，則逕稱『萬公吾師』。

又無論男學生或女學生對五十歲以下之男教師與各級年齡之女教師，均可稱『某某吾師』。例如男性業師爲劉師培（字光漢），可稱『光漢吾師』或『師培吾師』。（若業師爲單名則將『吾』字去掉）女性業師爲揚宗珍（筆名孟瑤），可稱『孟瑤吾師』或『宗珍吾師』。

【注　釋】

㈠濫竽　喻能力不足，不能稱職也。韓非子內儲說：『齊宣王使人吹竽必三百人，南郭處士請爲王吹竽，宣王悅之，廩食以數百人，宣王死，湣王立，好一一聽之，處士逃。』

㈡教然後知困　語見禮記學記。

※　※　※　※

(2)候業師㈠

文月吾師壇席：睽違門牆，屈指經年，每憶芝顏，輒深嚮往，恭維

潭祉安泰，
教壇吉祥，式符所頌。回首四年芸窗㊀，多蒙
循循善誘，
殷殷啓導，然後於古典文學之欣賞，現代小說散文之創作，乃能略有所窺。公餘之暇，信手塗鴉，今積稿已有二十篇矣。茲付郵寄上，敬請
揮其椽筆㊁，曲加
斧正，曷勝企幸。耑肅奉懇。祗頌
教　祺

生裴夢蓮敬叩　五月六日
小女安琪侍叩。

【注　釋】

㊀芸窗　讀書之處。芸香可避蠹，古人藏書多用之，故稱讀書之處曰芸窗。

㊁椽筆　猶言大手筆。晉書王珣傳：『珣夢人以大筆如椽（以短木附於梁上以承屋瓦者）與之，既覺，語人曰：「此當有大手筆事。」俄而帝崩，哀册謚議，皆珣所草。』

※　※　※　※

(3) 候友人

文強吾兄左右：久暌
英采，恆切馳思，未能一見爲悵。近聞
貴公司聲譽鵲起㈠，遠播西海，前途未可限量，引企
吉暉，曷勝抃躍。弟畢業後，嘗一度廁身杏壇，謬充教席。嗣參加高等文官考試，幸蒙錄取，奉分發基隆港務局服務。承乏以來㈡，倏經十載，勞人草草，無善可陳。每誦黃山谷『桃李春風一杯酒，江湖夜雨十年燈』之句㈢，輒爲之棖觸百端㈣，不能自已。以視
足下鵬程聿展，扶搖直上㈤，其相去爲何如耶。如因風便，敬乞 惠我數行，以慰蓬衷。專候。並祝
潭第安吉

弟杜鵬聲頓首 四月一日

【注釋】

㈠鵲起 謂遠引之速也。太平御覽引莊子：『鵲上高城之垝，而巢於高榆之顛，城壞巢折，陵風而起。故君子之居世也，得時則蟻行，失時則鵲起。』今統稱乘時而起曰鵲起，爲興盛之意。

㈡承乏 在位或任職之謙辭。左傳成公二年：『韓厥曰：「敢告不敏，攝官承乏。」』謂官員適缺乏，以己攝代而承之。

㈢桃李春風二句 見黃庭堅寄黃幾復詩。

㈣棖觸 感觸也。李商隱戲題樞言草閣詩：『君時臥棖觸，勸客白玉盃。』

㈤扶搖 旋風也。莊子逍遙遊篇：『鵬之徙於南冥也，水擊三千里，摶扶搖而上者九萬里，去以六月息者也。』今謂事業發達或仕途得意曰扶搖直上。

※　※　※　※

⑷候同學

玲玉學姊慧鑒：不覩

芳儀，瞬息數載，每誦屋梁落月之詩，輒增一日三秋之感。正切停雲㈠，而

朵雲忽降㈡，欣悉

榮膺金融事業人員特種考試榜首，引領南天，彌殷燕賀，將來造福社會，光耀

門楣，當可預卜。妹歸國半年，即奉 父母之命，與國立東京大學文學院副教授岡崎龜太郎博士結婚，自是洗盡鉛華，主持中饋㈢。尤其自小犬武雄降生後，益形忙碌，終日與奶瓶尿布爲伍，略無進修時間，幾何其不成爲面目可憎、言語乏味之黃臉婦耶㈣。昔所學者，早已拋諸腦後矣。言念及此，又不禁爽然自失。吾

姊學業事業，兩有成就，頗令我東洋婦女羨慕不已。依敝國舊例，女子結婚之後，即須步入廚房，不得與男子一爭長短，世上不平之事，寧有踰於此者，未諳

尊意以爲然否。因風寄意，不盡所懷。專泐覆候。順頌

夏　祺

妹 桑野美雪（くわのみゆき）謹上　六月廿一日於東京

【注　釋】

㈠停雲　思慕之意。陶潛停雲詩序：『停雲，思親友也。』

㈡朵雲　唐書韋陟傳：『陟封郇公，常以五采箋爲書記，使侍妾主之。其裁答授意而已，皆有楷法，陟惟署名，自謂所書陟字，若五朵雲，時人慕之，號郇公五雲體。』今因謂書札曰朵雲。

㈢主中饋　婦人在家，主飲食之事，曰主中饋。周易家人卦：『无攸遂，在中饋，貞吉。』孔穎達疏：『婦人之道，巽順爲常，无所必遂，其所職主，在於家中饋食供祭而已。』俗稱婦職爲主持中饋，男子未娶曰中饋猶虛，均本此。

㈣面目可憎二句　宋黃庭堅云：『三日不讀書，便覺面目可憎，言語乏味。』

※　※　※　※

(5)候同事

鶴亭仁兄足下：分袂半載，如隔三秋，辰維

公私迪吉，

動定綏和，定符所頌。弟離職回里之後，本擬出國深造，奈因二親年邁，必須弟在家侍奉，以致事與願違，昔日之雄圖壯志，業已消磨殆盡，今後惟有再覓一職，以維家計，而遺餘生，如是而已。

兄臺近況若何，鴻鱗有便，還希

德音時頒，不我遐棄，無任欣幸之至。耑此奉候。即頌

勛　綏

弟江平謹啓　十一月卅日

※　※　※　※

(6)候女友

玉嬙小姐雅鑒：既
惠錦箋，復
頒玉屑㈠，有詞皆豔，無字不香，靈筆慧心，足冠儕輩。而一種纏綿淒楚之情，時流露於行間字裏，令
人不忍卒讀，如
卿者可以怨矣。嘯秋風塵潦倒，湖海飄零，浮生碌碌㈡，知己茫茫，無江淹賦別之才㈢，有杜牧傷春之
恨㈣，一誦此詩，百感交集，孰能作太上之忘情耶㈤。春風多便，仍乞時
播佳音，慰我長想，勿使消息渺如黃鶴也。順錄近作楊花落一首，並希
吟正。專此。祗頌
文祺

嘯秋敬上 二月十六日午夜

附楊花落

何處飄零覓斷魂。荒砧月笛水邊村。
無端悵望懷宣武㈥。底事蕭條出玉門㈦。
眉黛銷殘應有恨。瑤琴捶碎已無恩㈧。
長亭記得垂垂別㈨。一段柔情似夢痕。

【注釋】

㈠玉屑　指詩。宋魏慶之編詩人玉屑二十卷，宋人詩話略具於此。

㈡浮生　人生世上，虛浮無定，故曰浮生。李白春夜宴從弟桃李園序：『浮生若夢，爲歡幾何，古人秉燭夜遊，良有以也。』

㈢江淹賦別　梁江淹作別賦，鋪陳別離之苦，分述顯貴，任俠、從軍、出使、遊宦、夫婦、方外、情侶各類之人，無不以別離爲難堪之事。詳見文選。

㈣杜牧傷春　唐詩紀事：『杜牧佐宣城幕，遊湖州，刺史張水嬉，令牧閒行閱奇麗，得垂髫者十餘歲。後十四年牧刺湖州，其人已嫁生子矣。乃悵而爲詩曰：「自是尋春去較遲，不須惆悵怨芳時，狂風落盡深紅色，綠葉成陰子滿枝。」』蓋綠葉成陰以喻年華已逝，子滿枝以喻兒女成行也。

㈤太上忘情　言聖人寂然不動情，若遺忘者。太上，謂人之最上者，指聖人。晉書王衍傳：『衍嘗喪幼子，山簡弔之，衍悲不自勝。簡曰：「孩抱中物，何至於此。」衍曰：「聖人忘情，最下不及於情，情之所鍾，正在我輩。」』

㈥宣武　即宣武侯，晉桓溫之謚號，世稱桓宣武。世說言語篇：『桓公北征，經金城，見前爲琅邪時種柳，皆已十圍，慨然曰：「樹猶如此，人何以堪。」攀枝執條，泫然流淚。』

㈦玉門　關塞名，在今甘肅敦煌縣西南，陽關之西北，爲古代通往西域要塞之一。王之渙出塞詩：『羌笛何須怨楊柳，春風不度玉門關。』

㈧瑤琴摔碎　春秋楚人伯牙，師事成連，善鼓琴，與鍾子期善。伯牙鼓琴，志在泰山，子期聽之，曰：『善哉乎鼓琴，巍巍乎若泰山。』既而志在流水，子期又曰：『善哉乎鼓琴，湯湯乎若流水。』子期死，伯牙破琴絕絃，終身不復鼓琴，以爲世無復有知音者。事見呂氏春秋本味篇。

㈨長亭　送別之地。白帖：『十里一長亭，五里一短亭。』

※　※　※　※

(7)候男友

吾摯愛之明哥鑒：一病經旬，恍如隔世。妹於心傷淚盡之餘，披肝瀝血，而成此書。天涯海角，棲託何鄉，冷月昏燈，相思無路。哥不知妹之生死，妹不審哥之存亡，水闊魚沈，教從何處通款曲耶㈠。此書之能入哥目與否，杳不可必，然妹固不能自已也。浮雲一別，忽忽半年矣，哥此去殊出意外，臨行並無一言相慰，雖恨我良深，抑何其速耶。妹不能禁哥之不恨我，哥果恨我，妹且樂甚，蓋恨我愈甚，卽愛我愈深。妹無狀，不能永得哥之愛，亦不敢再冀哥之愛，妹前此之罪戾，或轉因哥之恨我，冥冥中爲之消滅，故妹深望哥之能恨我也。自今以往，妹其無意於人世矣，當剪此三千煩惱之絲，皈依佛門，木魚貝葉㈡，伴我餘生，於願已足。哥才氣過人，青雲直上㈢，當可預卜。臨書惝怳㈣，不知所云。專此布臆。伏維

珍重

蜀鵑再拜　三月十九日

【注　釋】

㈠款曲　猶言酬應。後漢書光武帝紀：『文叔少時謹信，與人不款曲，惟直柔耳。』

㈡木魚貝葉　木魚，佛家法器，爲團圓之魚鱗形，誦經禮佛時叩之。貝葉，卽佛經，以印度人多用貝多羅樹之葉書寫經

文故也。

㈢青雲直上　出人頭地之喻。史記范睢傳：『須賈頓首言死罪曰：「賈不意君能自致於青雲之上。」』

㈣惝怳　失意不悅貌。文選潘岳寡婦賦：『怛驚悟兮無聞，超惝怳兮慟懷。』

※　※　※　※

(三) 謀職類

在此人浮於事之社會中，欲謀一職業，固非易易，欲謀一稱心如意之職業，尤難上加難。加以吾國民性保守，數千年之傳統觀念深印腦海，牢不可破。欲其師法毛遂（戰國趙惠文王九年，秦侵趙，平原君奉使求救合縱於楚，約門下食客文武具備者二十人偕，而獨缺一人，毛遂乃自贊請從，完成使命。見史記平原君傳。）自衒自賣，實難以啓齒。其實若毛遂其人者，在今日之美日以至西歐各國，比比皆是，甚且蔚爲風尚。蓋工商社會，人人忙碌，訪賢求能之事，已不復可見。而青年初入社會，才華未露，經驗尤缺，欲人三顧，寧非奢求。故處今之世，惟有突破傳統，面對現實，儘量的表現自己，適當的推銷自己，始能大展鴻圖，一舒偉抱。若乃閉門固守，一味矜持，或憤世嫉俗，自命清高，則其侘傺不偶，憔悴終身，可不卜而知也。

寫謀職信札，應謹守不卑不亢之原則。蓋過於謙卑，則自貶身價，予人以碌碌無能之不良觀感，固非所宜。過於高傲，則又狂妄恣肆，予人以輕佻浮夸之惡劣印象，亦非其道。吾前所謂『儘量的表現自己，適當的推銷自己』，即不卑不亢之意也。今略舉一二，以供參考。

(1)謀敎職㈠

惠公校長賜鑒：士林碩望，久切心儀，學府騰聲，時殷清慕。春風廣被，樹桃李以千行，化雨均沾，奠
邦基於百載。是以中臺子弟㈠，無不競列
門牆，冀荷
裁成，而南北俊彥，亦以躋身
貴校，共宣木鐸爲榮。葵藿之傾㈡，蓋非一日矣。茲有懇者，晚今夏即將畢業國立臺灣大學中國文學系，在校期間，尙知恪遵師訓，刻苦勵學，且已修完教育學分，課餘之暇，或擔任家庭教師，或參與臺大醫院社會服務工作，教學經驗雖不如人，而自信教學熱忱則有過之。敢乞
賜予機會，俾能實現多年來服務桑梓㈢、作育英才之願望。隨函附呈簡歷表一份，請
察閱。如蒙
俯允，曷勝心感。耑肅奉懇，祇頌
鐸　祺。佇候
德　音

晚葛彤芳 圖章 拜上　三月二日

【說　明】

假設校長姓名爲王惠民，又是男性，則如此函所稱『惠公校長』。若校長爲女性，其姓名爲邵夢蘭，則稱『邵校長』或『夢蘭校長』。以下所有稱呼皆準此，不另說明。

【注　釋】

㈠中臺　謂臺中地區。按臺灣地區可稱三臺，臺北基隆地區爲北臺，臺中彰化地區爲中臺，臺南高雄地區爲南臺。

㈡葵藿之傾　葵藿向日而傾，因以喻嚮往之殷。文選曹植求通親親表：『若葵藿之傾葉，太陽雖不爲之迴光，然終向之者，誠也，臣願自比葵藿。』

㈢桑梓　詩經小雅小弁：『維桑與梓，必恭敬止。』屈萬里釋義引王建立曰：『桑以養生，梓以送死，此桑梓必恭之義也。』後人因以桑梓爲鄉里之稱。

※　※　※　※

(2)謀敎職㈠

新竹商業學校公鑒：敬啓者，頃閱中央日報，藉悉貴校徵聘英語敎師，因不揣冒昧，願效毛遂之自薦。鄙人今夏甫自臺灣大學外國語文學系畢業，四年之中，尚知兢兢業業，不敢自逸。中間曾利用寒暑假之便，協助舍親所經營之裕臺貿易公司處理商業書牘，於商用英文，亦略知一二，並非門外。如蒙畀以英文敎師之職，自信必不致貽笑方家也。茲隨函附上簡歷、證件、自傳及拙譯各一份，敬希卓裁示復爲荷。

陶瑾 圖章 敬啓 八月二日

【說　明】

謀職信札乃有求於人，故字體須工整，簽名之下，須加蓋私章，以示鄭重其事。蓋予人之第一印象，最爲重要，若草率從事，必失敗無疑。至於普通信札，則尺度較寬，蓋章一項，可以省略。

※　※　※　※

(3)謀教職㈢

恭甫吾師壇席：久未肅函，叩問
起居，疏懶之咎，固弗敢辭。茲值新年伊始，敬維
道隨時長，福與歲增，爲頌無量。生去年自臺大夜間部歷史系卒業後，即株守家園㈠，半籌莫展㈡，諺云，畢業即失業，誠非虛言。家父母愛我至深，不忍相責，然於心實不能無歉焉。方今一般社會人士，率以有色眼光看夜間大學，甚者且存偏見，以爲夜大學生多在混文憑，求資格，於學術研究，略無興趣云云。或冷嘲，或熱諷，輕蔑醜詆，無所不用其極，完全否定夜間大學之功能與價值。天下不平之事，孰有甚於此者。以鄙見所及，夜大學生混文憑、求資格者固有，而殫精力學者亦頗不乏人，其在工商文教各界學用配合、嶄露頭角者㈢，尤不可勝數，此乃有目共睹之事實，豈容一筆抹殺。然而世人之成見如此，短期內恐尙無法消除也。消除之道，端賴當事者之努力自愛耳。生之所以甘心雌伏㈣，遲遲未作奮飛之計者，即有感於彼輩之偏見，傷我自尊。雖然，賦閒在家，仰給父母，權宜一時則可，以爲長久之計，則將貽笑鄰里，終非善策。素諗吾

師與省立基隆女中王校長既同學，又同鄉，交誼甚篤，用特函懇
賜書推薦，如蒙
玉成，俾得貢其所學，裨益後生，則感激無涯矣。肅此拜懇。敬請
誨　安

受業周凱湘謹叩　二月十五日

師母前祈代叱名請　安

【注　釋】

㈠株守　猶困守也。王禕詩：『乃知兔株守，殊勝虎穴探。』按韓非子五蠹篇云：『宋人有耕田者，田中有株，兔走觸株，折頸而死，因釋其耒而守株，冀復得兔。兔不可復得，而身為宋國笑。』即為王詩所本。

㈡半籌莫展　亦作一籌莫展，猶言束手無策。宋史蔡幼學傳：『多士盈庭，而一籌不吐。』

㈢嶄露頭角　猶言出人頭地。韓愈柳子厚墓誌銘：『雖少年，已自成人，能取進士第，嶄然見頭角。』

㈣雌伏　喻退藏無所作為也。後漢書趙典傳：『兄子溫，初為京兆郡丞，歎曰：「大丈夫當雄飛，安能雌伏。」遂棄官去。』

※　※　※　※

(4)謀商職

東原經理吾兄台鑒：不通音訊，又歷多時，遙想

鵬圖大展，駿業日隆，定符所祝。弟於去秋奉調金門，戍守前方，醉臥沙場，別饒佳趣。下月初旬服役期滿，卽將解甲還鄉。惟念時下人浮於事，欲覓枝棲㈠，殊非易易，瞻望來日，汗不覺發背而沾衣也。素仰吾

兄交遊廣闊，遐邇景崇，無論人緣信譽，均非儕輩所能企及。倘蒙

不棄，力加吹植㈡，俾得餬口之地，免作浮浪之人㈢。至薪津多寡，職位高卑，概非所計。專此奉託，

靜候

佳音。並頌

籌祺

弟 趙世綱拜啓 五月四日於古寧頭

【注釋】

㈠枝棲　莊子逍遙遊篇：『鷦鷯巢於深林，不過一枝，偃鼠飲河，不過滿腹。』李義府詠烏詩：『上林無限樹，不借一枝棲。』今謂謀職曰覓一枝棲，本此。

㈡吹植　謂吹噓枯槁，培植生機。

㈢浮浪之人　謂飄泊不定、無所事事之人。詳見隋書食貨志。梅堯臣聞進士販茶詩：『浮浪書生亦貪利，史笥經箱爲盜囊。』

※　※　※　※

(5)謀職員

經理先生尊右：閱本日中國時報分類廣告，藉悉
貴公司急徵女會計一名，曷勝欣喜。鄙人畢業於臺北市私立金甌商職，曾有五年工作經驗，自信適合是
項職務，用敢貿然應徵，如幸蒙
錄用，對於待遇一節，可按
貴公司之規定給付，鄙人並無特別要求。茲將履歷表、畢業證書影印本及自傳等隨函寄呈
察閱，並希
賜覆爲禱。專此。敬請
籌　安

王白雪謹上 六月十九日

※　※　※　※

(6)謀公職

延陵世伯崇鑒：久隔
芝儀，無緣拜謁，瞻望
德門㊀，輒深嚮慕。伏維

政躬康泰，
道履休嘉，爲頌爲祝。茲有懇者，姪曾於民國六十五年參加高等考試，謬蒙錄取，獲銀行行員任用資格，然至今已逾兩年，始終未得銓敍任用，長此以往，其將何以仰事俯蓄㈡，中心惶惶，誠非楮墨所能形容。
素知
世伯與金融界當軸諸公交誼甚篤㈢，用特恃　愛上瀆，敬乞
鼎力吹拂，俾得枝棲，以蘇涸鮒㈣，則感恩戴德，固不止小姪一人已也。耑肅奉懇。恭請
鈞　安

世姪　華鎭邦謹肅　六月十日

【注釋】

㈠德門　有德之家也。

㈡仰事俯蓄　事父母、蓄妻子也。孟子梁惠王篇：『是故明君制民之產，必使仰足以事父母，俯足以畜妻子。』按畜蓄通叚字。

㈢當軸　謂掌權之人。漢書田千秋傳贊：『當軸處中，括囊不言。』

㈣涸鮒　喻潦倒之人。莊子外物篇：『莊周家貧，往貸粟於監河侯，監河侯曰：「諾，我將得邑金，將貸子三百金。」莊周忿然作色曰：周昨來，有中道而呼者，顧視車轍中有鮒魚焉，曰：君豈有斗升之水而活我哉。周曰：諾，我且南遊吳越之王，激西江之水而迎子可乎。鮒魚曰：吾得斗升之水然活耳，君乃言此，曾不如早索我枯魚之肆。」』

※　※　※　※

(四)薦聘類

薦聘類包括『推薦』與『延聘』兩項，雖均屬人事問題，而立場各有不同。

推薦是爲人謀事，如向學校校長推薦教師，或向公司行號推薦職員等。寫此類信札須態度誠懇，言辭委婉，使受信人能欣然接受，對於被介紹人特有之才能或技藝，須加以適度之讚揚，以便對方作爲取捨之參考。在結構上，前段對受信人表示仰慕或問候之意。中段敍述被介紹人之學歷經歷，才能品行，及與推薦人之關係等。後段則表示謝意，並用盼望語氣請受信人給予答覆。

延聘是爲事請人，如延聘教師、延攬專門人才及一般職員等。直接致書受聘人時，對關係疏遠者措辭須客氣，對關係親近者態度要誠摯，並說明對受信人才能之器重，希望對方能慨然應允。代人延聘之信札，須轉達延聘者之誠意，並稱揚其賢明，可以共事，使受信人不致有所瞻顧。至於託人延聘人才，則須扼要說明擔任某種工作人員所必備之資格、學識、能力，或其他條件，懸格以求，以便對方隨時代爲物色。

寫薦聘函須措辭得體，不卑不亢，尤須婉轉周至，異於一般純係應付人情之八行書，始能使受信人讀後爲之動容，不忍拂其心意。

(1)薦教員(一)

浩公校長吾兄大鑒：久違
雅教，馳念良深，近維
校譽日隆，公私順吉，為頌。敬懇者，舍親王蘊蕙君，為臺灣大學夜間部中國文學系高材生，今夏即將
畢業。伊雖就讀夜間部㊀，而成績極佳，每學期均名列前茅㊁，甚得系中師長之讚譽。課餘又勤於創作，
無論新舊文學，均所擅場㊂，其作品經常發表於校內外刊物中，十分膾炙人口㊃，獲致甚高評價，以與
日間部學生較，實不多讓。倘蒙
延攬為國文科教員，必能為
貴校爭榮譽，為學子所敬愛也。弟素不濫為推舉，以知之甚深，故恃　愛陳言。茲將伊之簡歷表、成績
單、自傳及近作三篇奉呈
詧核，如愜
尊意，即希
示覆。專函拜懇。順請
教　安

弟徐興華敬啓 二月廿八日

【注　釋】

㊀伊　猶彼也。太倉州志：『吳語，指人曰伊。』今語體文亦用伊代女性之第三人稱。

㈡前茅　左傳宣公十二年：『前茅慮無。』杜預注引或曰：『時楚以茅爲旌識。』蓋軍行時旌識在前，故曰前茅。」世謂考試得前列者曰名列前茅，本此。

㈢擅場　猶言專長，擅長。按文選張衡東都賦：『秦政利嘴長距，終得擅場。』李善注：『言秦以天下爲大場，喻七雄爲鬥雞，利喙長距者終擅一長也。』則爲壓倒全場之義，與今稱獨嫺其技者稍異。

㈣膾炙　細切肉爲膾，燒肉爲炙。孟子盡心篇：『公孫丑問曰：「膾炙與羊棗孰美。」孟子曰：「膾炙哉。」』膾炙爲人所同嗜，故謂詩文之流行一時而爲衆人所稱美者，曰膾炙人口。

※　※　※　※

(2)薦教員㈠

懷珍校長有道：睽違

雅教，半載於茲，比維

校務順遂，

潭祉吉祥，爲頌。茲有 世姪女 黃嵐霞小姐，自臺灣師範大學地理系畢業後，即奉派苗栗縣三灣國中任教，五年以來，深得學生之愛戴，同事之讚揚，實爲一不可多得之優良教師。惟是校地處鄉僻，交通梗阻，又無宿舍以供憩息，對年輕女子而言，誠多不便。又渠㈠雖已過花信之年㈡，而猶小姑獨處㈢，長此以往，亦恐躭誤終身大事。爰特專函推薦，務懇

推屋烏之愛㈣，勉分一席而成全之，則感同身受矣。可否之處，至祈

卓裁惠覆爲幸。順頌

敎祺

弟李公遠拜啓　七月十二日

【注釋】

㈠渠　猶彼也，他也，伊也。見說文通訓定聲。

㈡花信之年　女子二十四歲之雅稱，蓋一年有二十四番花信風故也。

㈢小姑獨處　古樂府清溪小姑曲：『開門白水，側近橋梁，小姑所居，獨處無郎。』按小姑爲東漢廣陵人，蔣子文之第三妹，後稱女子之未嫁者曰小姑獨處。李商隱無題詩：『神女生涯原是夢，小姑居處本無郎。』

㈣屋烏　推情、推愛之意。尚書大傳大戰：『愛人者，兼其屋上之烏。』杜甫贈射洪李四丈詩：『丈人屋上烏，人好烏亦好。』即本大傳意。

※　※　※　※

(3)薦公職

慕伊縣長吾兄勛鑒：正懷
芝宇㈠，喜見佳訊，敬譒
閣下以高票當選桃園縣縣長，引瞻
喬雲，莫名藻頌。傳云：『積善之家，必有餘慶。』㈡其此之謂乎。以吾
兄大材槃槃㈢，出宰一邑，自必遊刃有餘㈣，可爲預卜。邇來交接伊始，百端待理，賢勞可知。伏思

貴署佐治人員，值此新舊交替之際，進退必多。茲有學棣文彥國君，畢業東吳大學政治系，並於六十三年高考獲雋㊄，爲人沈毅果決，毫無習氣，堪稱名實相副之青年才俊。渠甫於上月服役期滿，現伏處鄉曲，正謀發展。倘蒙

推情延攬，定能收指臂之效㊅，決不致食祿誤公也。

尊意如何，統祈

裁奪示知爲禱㊆。特此函介。順祝

儷　安

弟袁　瓏頓首　元月廿五日

【注　釋】

㊀芝宇　對他人之美稱，已見前注。

㊁積善之家二句　語見周易坤卦。意謂積善之家必能澤及子孫也。

㊂桀桀　大貌。續晉陽秋：『時人語曰：「大才桀桀謝道安，江東獨步王文度，盛德日新郗嘉賓。」』

㊃遊刃有餘　善爲其事之喻。莊子養生主篇：『庖丁爲文惠君解牛，與文惠君曰：「臣之刀十九年矣，所解數千牛矣，而刀刃若新發於硎。彼節者有閒，而刀刃者無厚，以無厚入有閒，恢恢乎其於遊刃必有餘地矣。」』

㊄獲雋　雋，同俊，才出衆也。今美稱他人考試及格曰獲雋。

㊅指臂　喻輔佐。漢書賈誼傳：『令海內之勢，如身之使臂，臂之使指，莫不制從。』

㊆裁奪　謂斟酌事理而定其去取或可否也。

※　※　※　※

(4)薦女祕書

季倫總經理吾兄惠鑒：連月公私事務甚忙，以致久疏音訊，甚念甚念。近聞
貴公司有意丕展雄圖，擴張業務，所需幹部，勢必增多，不知已延攬齊備否。茲有舍親羊安隄小姐，係
河北省宛平縣人，現年二十三歲，畢業於國立臺灣大學商學系，文筆通暢，字跡娟秀，兼通英日兩國語
文，交際應對，尤所擅長，誠爲一不可多得之祕書人才。倘荷
延用，以爲佐理，於
貴公司業務之推展必大有裨益也。苟非知之甚深，弟決不敢輕於推介，務請
放心。至其言行思想，則由弟負完全責任。耑此布達，鵠候
佳音。並請
潭　安

弟明紹箕再拜　十一月三日

※　※　※　※

(5)聘祕書

元闓吾兄文几：前月在北，得於陳公處暢聆

偉論，無任欽遲。弟猥以非才，此次角逐苗栗縣縣長，謬承地方父老兄弟之厚愛，倖獲當選，肩負重任，惶恐莫名，亟思高賢，賜予臂助。但以業務繁瑣，未敢逕函屈 駕，故曾託陳公代達鄙忱，幸蒙不棄，慨然允諾，欣慰之至。茲者敝處諸務蝟集，公私文件，需辦甚殷。比想 尊處移交手續，諒已蕆事㈠，務望

台旌早日蒞止㈡，一清留牘。引跂風前，曷深盼禱。專此。順祝

撰 安

弟 鍾家瑋拜啓 元月十日

【注 釋】

㈠蕆事 猶言事已完畢。

㈡台旌 猶言文旆、大駕，對他人之敬稱。

※ ※ ※ ※

⑹託聘技術人員

孝章吾兄左右：握別半年，懷思靡已，遙維

潭祉休暢，

大業崇隆，至為虔祝。茲有託者，敝廠現急需一名技術人員，因思臺北為人才薈萃之區，較易羅致，用

特函請吾兄代為延訪，凡公私立大學院校機械系或電機系畢業，服完兵役，具有三年以上實際工作經驗者，方為合格。月薪貳萬元，並免費供應單人宿舍。有瀆清神，容後面謝。特此奉託，佇待

還雲。順頌

暑祺

弟閔荷生謹啓　六月卅日

※　※　※　※

（五）請約類

請約類包括『請託』與『邀約』兩項。在社會羣體中，個人必須與他人來往，而文明社會之人類，除語言之接觸外，輒利用文字（即書牘）溝通彼此之感情，了解彼此之需要，請約類書札即是解決此種需要之媒介。

仰面求人乃人世間最難堪之事，前述『謀職』與後列『借索』乃此中之尤者，『薦聘』次之，『請託』又次之。無論其為謀職，為借索，為薦聘，為請託，多少總須耗費他人之精神，故下筆須力求委婉，用詞尤須懇摯，始能博得對方之同情。如在信中雜以抱歉或感謝語氣，尤能收到意想不到之效果。

邀約一類之書信，如邀人遊山玩水，乃悠閒之事，詞句貴乎典雅，行文溶入情感則尤佳。至於其他期約，篇幅不妨短勁，可以開門見山，無須曲折鋪敍，但求順理成章，交代清楚卽可。

⑴託人照拂子女㊀

曼華學姊慧鑒：日昨竹君來舍，道及

台候勝常，

潭府迪吉，慰如遠頌。妹已於今秋轉入花蓮女子中學任教，本學期每週授課十八節，並兼一班導師，依然碌碌終日，無善可陳。茲有託者，小女淑瑾此次參與大學聯考，不幸名落孫山㊀，嗣轉考三專，僥倖錄取實踐家政專科學校兒童保育科，雖不理想，亦聊勝於無也。後日卽將北上註册，惟念此女嬌生慣養，從未遠離家門，人情世故，茫無所知，今一旦游學外鄉，爲父母者未免舐犢情深㊁，特令伊到北後，先行趨謁

台階，敬祈就近照拂，視如子姪，隨時教誨，嚴加督責。長勞

清神，容後圖報。耑此奉託。祗頌

秋祺

妹許松國拜啓 九月廿一日

【注釋】

㊀名落孫山　過庭錄：『孫山宋吳人，滑稽才子也，赴舉時，鄉人託以子偕往。榜發，鄉人子失意，山綴榜末先歸，鄉人問其子得失，山曰：「解名盡處是孫山，賢郎更在孫山外。」』後遂謂應試不第曰名落孫山。

㊁舐犢　後漢書楊彪傳：『彪子修爲曹操所殺，操見彪問曰：「公何瘦之甚。」對曰：「愧無日磾先見之明，猶懷老牛

舐犢之愛。」操爲之改容。』蓋以老牛之愛其犢，喻父母之愛其子也。

※ ※ ※ ※

⑵託人照拂子女㈠

蔚林姻兄台鑒：未修箋候，已數閱月矣，遙想

興居佳勝，

潭第安康，爲頌。弟蟄伏鄉間，爲人作嫁㈠，僕僕終年㈡，乏善足紀，公餘之暇，惟與朋輩數人，時相過從，清談消遣而已。茲有懇者，小犬茂堂今夏畢業潮州高中，投考大學，慘遭滑鐵盧之敗㈢，又以體重過輕，免服兵役，株守家園，終非了局，故令其束裝北上，開創前程。惟年輕識淺，浮世人情，尚未歷練，深恐其誤入歧途，貽羞先人，特命到達後，趨謁

崇階，務乞

不吝教誨，時加鞭策，俾免隕越爲感。帶呈土產數種，略表微忱，並希

哂收。專此懇託。祗請

儷　安

弟彭弁東謹啓　九月五日

【注　釋】

㈠爲人作嫁　言徒爲他人辛勞也。秦韜玉貧女詩：『苦恨年年壓金線，爲他人作嫁衣裳。』

㈡僕僕　煩勞貌。孟子萬章篇：『子思以為鼎肉使己僕僕爾亟拜也，非養君子之道也。』趙岐注：『僕僕，煩猥貌。』

㈢滑鐵盧　英名Waterloo，為比利時之一小村，西元一八一五年，英將威靈頓合英德荷之師敗法帝拿破崙於此。

※　※　※　※

(3)請人講演

德潤教授有道：儒林雅望，時切心儀，黌宇騰聲㈠，夙殷清慕，雖傾葵有志，而識荆無緣，仰企

高門，無任悵惘。本月廿日為敝社成立十周年紀念，擬請

先生作兩小時有關復興中華文化之專題演講，倘蒙

不吝玉趾，賜以教言，俾後生得親　謦欬，則一席　麈論㈡，勝讀十年，豈惟社員之幸，實亦横舍之榮㈢。謹肅寸箋，佇候

還翰。敬頌

道綏

國立政治大學文學研究社敬啓　四月十二日

【注釋】

㈠黌宇　學府之別稱。後漢書儒林傳：『順帝感翟酺之言，乃更修黌宇。』

㈡麈論　對他人言論之美稱。晉書王衍傳：『衍既有盛才美貌，明悟若神，妙善玄言，惟談老莊為事，每捉玉柄麈尾，與手同色。』按六朝名士清談時，輒取麈之尾為拂子，所以指授聽衆也。

㊂橫舍　學府之別稱。後漢書朱浮傳：『先建太學，造立橫舍。』

※　※　※　※

⑷請為子作媒

偉倫吾兄大鑒：不親
雅範，彈指經年㈠，值元旦之芳辰，卜
潭第之多吉。弟兩鬢已斑，依然案牘勞形，略無進益，良用慚惶。茲因豚兒兆麒年屆而立㈡，而中饋猶虛㈢，雖多方物色㈣，迄無合適者。竊維時下年輕小姐擇壻，率以三高一厚為條件㈤，風氣已成，寒門莽夫將永無雀屏中選之機會㈥。用特專函拜懇，請在鄉間代為留意，凡身家清白，賦性賢淑者，即可代為撮合㈦。至貌之美醜，教育程度之高低，皆非所計也。豚兒為人木訥㈧，稟性內向，畢業於私立育達商職高級部，現任國泰人壽保險公司職員，附以奉
聞。恭賀
年禧

弟安道頓 二月六日

【注釋】

㈠彈指　佛家語，喻時間之短暫。宣和遺事：『窗外日光彈指過，席前花影座間移。』

㈡而立　三十歲之代辭。論語爲政篇：『子曰：「吾十有五而志於學，三十而立。」』按立，有所成也，言年三十而學有所成。
㈢中饋猶虛　尚未授室之意。已見前注。
㈣物色　後漢書嚴光傳：『帝思其賢，乃令以物色訪之。』章懷注：『以其形貌求之。』按物色本指狀貌言，引伸爲訪求之意。
㈤三高一厚　據近今社會學家統計，臺灣地區女性知識分子擇偶條件至苛，須具備三高一厚之男士，始稱合格。三高一厚云者，即職業高尚，談吐高雅，個子高大，經濟基礎雄厚是也。
㈥雀屏　唐書竇后傳：『后父毅常曰：「此女有奇相，且識不凡，何可妄與人。」因畫二孔雀屏間，請婚者使射二矢，陰約中目則許之，射者閱數十，皆不合，高祖最後，射中各一目，遂歸於帝。』後因稱人許婚曰雀屏中選。
㈦撮合　謂作媒也，俗稱媒人曰撮合山。元曲中馬致遠陳摶高臥、喬夢符揚州夢、王實甫西廂記俱用此語。
㈧木訥　謂質樸遲鈍，無口才也。論語子路篇：『剛毅木訥，近仁。』

※　※　※　※

⑸請爲女覓壻

韻湘姻姊文席：別後思慕，無時或已，想同之也。近況如何，念念。小女崇貞自東吳大學經濟系畢業後，即進入此間一家大工廠任職，因表現優異，今已升至出納課長，甚得廠主之信任。惟此女事業心甚重，不讓昂藏七尺男子㈠，故雖摽梅已過㈡，猶待字閨中㈢。妹夫婦二人時縈心懷，憂結無已，諺所謂皇帝不急，急殺太監，此情正復似之。又據某婚姻專家統計，謂臺灣地區之適婚者，女性多於男性數倍，情況相當嚴重，而且須待十年以後，始有緩和跡象云云。凡有女初長成之家長，獲悉此一消息，無不爲之憂心忡忡㈣，愚夫婦則其尤甚者也。素諗吾
姊喜作冰人㈤，成功者蓋以百數，敬祈
代爲留意，
惠予作伐㈥，但求品行優良，相貌端莊，有上進心者即可。至門第、籍貫、貧富、學歷等，則非所計也。專此拜懇，佇候
佳音。順頌
時綏

妹嚴樂熙謹啓　十一月廿四日

【注釋】

㈠昂藏　謂氣度非凡也。李白贈潘次御論錢少陽詩：『繡衣柱史何昂藏，鐵冠白筆橫秋霜。』

㈡摽梅　詩經召南有摽有梅篇，注謂摽，落也，言梅落則時已晚，女求男，恐不獲及時而嫁。故後人恆以摽梅喻女子當嫁之時。

㈢待字　禮記曲禮：『男子二十冠而字，女子許嫁笄而字。』字，表字也，表其取名之義，如孔子之子名鯉，字伯魚是也。後世遂謂女子許嫁之年曰字，或曰及笄。未許嫁曰待字，或曰未字。不許嫁曰不字。

㈣忡忡　憂貌。詩經召南草蟲：『未見君子，憂心忡忡。』

㈤冰人　晉書藝術傳：『索紞善占夢，孝廉令狐策夢立冰上，與冰下人語，造紞占之，紞曰：「冰上爲陽，冰下爲陰，陰陽事也。士如歸妻，迨冰未泮，婚姻事也。君在冰上與冰下人語，爲陽語陰，媒介事也。君當爲人作媒，冰泮而婚

成。」策曰：「老夫耄矣，不爲媒也。」會太守田豹因策爲子求鄉人張公徵女，仲春而成婚焉。』世因稱媒人曰冰人。

㈥作伐　詩經豳風伐柯：『伐柯如何，匪斧不克，娶妻如何，匪媒不得。』柯，斧柄也。伐柯，伐樹枝以爲斧柄也。世因謂爲人作媒曰作伐、伐柯、執柯。

※　※　※　※

(6)約友聚敘

伯平吾兄左右：彈指流光，迅如過翼，母校一別，又逾四年，遙想
公私多吉，爲頌。振宇兄已自美學成歸國，將在臺北工專電機科執教，言論風采，不減當年，弟與暢談
離悰，幾忘朝夕，樂何如之。茲訂於本月卅日（星期日）薄治樽酒，爲振宇兄洗塵㈠，屆時在北服務諸
同學，亦相約來會。
足下倘能撥冗光臨㈡，則闊別多年、相隔萬里之老友，得以晤談一室之中，實乃人生一大快事也。掃徑
以待，無任翹企。專此奉邀，餘容面罄。順頌
撰祺

弟 煥章拜啓 六月二十一日

【注釋】

㈠洗塵　通俗編儀節：『凡公私値遠人初至，或設飲，或餽物，謂之洗塵。』俗稱接風。

㈡撥冗　謂撥開冗雜之事，如云撥冗駕臨，某事當撥冗爲之。意與抽暇或抽空相同。

※　※　※　※

（六）慶賀類

慶賀類書信之範圍甚廣，如壽誕、婚嫁、生育、升遷、當選、開張、移居、畢業、得學位等。喜慶之事，通常須親自前往道賀，既以表示一己之誠意，又可分沾對方之喜氣。確實不能抽身，始以書信代替，故在信中必須說明不能趨賀之理由，婉轉表達心中之歉意。

道賀之作，措辭須雅麗扼要，而又能合乎吉利之要求。故引據經典，固非所忌，套用成語，亦無大礙。惟有關個人失意之事，牢騷之語，切不可羼入信中，以免對方正當喜氣充閭之時，殺其風景，不但觸人霉頭，抑且有傷厚道，焚琴煮鶴，固君子所弗爲也。

(1) 賀新年

紹公世伯賜鑒：雲山間阻，恆企

光儀，疏叩　起居，彌深罪戾。韶光荏苒，轉瞬又屆新春，祇維

履端集慶，　泰祉增綏，柏葉椒花，香生瑞室，引睇　德門，曷罄私頌。姪浪跡風塵，庸勞依舊。謹修

蕪牘，聊代趨登。恭賀

年　禧

世姪　葆元拜上　二月三日

※　※　※　※

⑵賀結婚

挹芬學姊吉席：紅蕖浮香，綠衣送喜，忻悉月之十六日爲吾姊與張同塵博士合巹佳辰，卜昌期於五世，諧好合於百年，引瞻　吉宇，曷旣禱忱。祗以雲天遙隔，趨賀無從，至爲歉悵。附陳奩敬，聊表寸心，卽乞　莞納是幸。耑此恭賀

大喜。並候

儷　祉

妹何麗卿敬啓　七月十四日

※　※　※　※

⑶賀生日

孟揚吾兄左右：久闊

芝標，時深葭溯。頃聞月之廿四日恭逢

老伯

老伯母大人八旬雙慶，敬維　弧帨交輝，椿萱並茂，爾昌爾熾，載歌天保之章，多福多壽，且效華封之祝。珠履爭趨於德宇，芝蘭競繞乎瑤階。引領風前，良殷抃手。無奈萍蹤遠託，不克摳衣晉觴，寸衷歉疚，尺素難宣。謹附菲儀，至祈轉呈

莞納，是所忭荷。專此布悃，恭叩
松齡。並候
侍　福

弟馬幼威頓首　十月廿日

※　※　※　※

⑷賀升遷

靜公部長吾兄勛鑒：遠隔
鴻儀，喧傳鵲報，敬悉
喬木高遷，　榮膺新命，舉國上下，無不抃手載躍，豈惟儕輩之榮，抑亦邦家之幸。我
公才華卓懋，識度淹通，黃花珍晚節之香，志行作羣倫之表。行見　匡襄時局，宏濟艱難，剝復啓機，
實自此始。翹企
喬暉，曷勝忭頌。專函奉賀。祗祝
勛　安

弟文少白拜啓　九月二十八日

※　※　※　※

（七）唁慰類

唁，弔生也。段玉裁說文解字注：『弔生爲唁，別於弔死爲弔也。』所謂弔死唁生，卽是對亡故者加以憑弔，對其在世親人表示關懷之意。慰，安也，對生病失意之親友以溫語相慰藉也。佛家有生老病死爲人類四大痛苦之論（見大乘義章），世俗亦有人生不如意事十常八九之說，人生在世，苦樂相去懸絕，於此可見。

當親友遭遇不幸時，最需要他人之扶持慰藉，苟能及時行之，當能減輕其精神上與肉體上之痛苦，此種雪中送炭之舉，持較慶賀一類之錦上添花，更有意義，更能加深彼此之感情。此則吾人立身處世所不可忽略者也。

寫此類信件，開頭寒暄語可儘量省略，筆調上應充滿悼念或同情，不可加重哀傷之情緒，免致對方觸緒生悲，而失去唁慰之本意。此外，切忌對失意人述得意事，遣詞造句尤忌誇飾與生僻，導致雙方感情之隔閡。

⑴唁喪父

伯純學長禮鑒：花城揖別，兩易蟾圓，正馳系間，奉到　訃書，驚悉
老伯大人遽捐館舍，老人星隕，曷勝愴悼。素諗
學長純孝天成，猝遭大故，自必哀痛逾恆。惟念毀不滅性，古有明言，況窀穸未安，不獨責重承家，尤當勉襄大事。還望

節哀順變，以禮制情，是所至禱。文婷因業務纏身，道途修阻，不克躬叩　靈階，至感歉仄。附呈楮敬
一函，藉申哀悃，敬請　詧收代薦。肅此奉唁
孝履，諸希
葆衞。

毛文婷謹啓　八月六日

【說　明】

㈠平輩男女通信，非有親屬或特殊關係，不宜率以兄、弟、姊、妹相稱，儘量以其他稱呼代替，俾免滋生誤會。結尾署名，可用全名，如較密切，可只稱名。信中自稱亦宜用名，稱對方則稱『學長』、『閣下』、『先生』、『女士』。

㈡以上及以下所擬諸信中之術語、典故，多已見前，不另詮釋。

※　※　※　※

⑵唁喪母

琦芬學長苫次：頃奉　素簡，驚悉
伯母大人於本月三日棄養，萱樹凋零，莫名震悼，仰念　遺型，愴然雪涕。
學長孝思純篤，悲痛之情，必有萬難自已者。惟念
伯母大人徽音素著，令德孔彰，一笑歸眞，百年無憾。禮云：『守身爲大』，似不宜以過情之毀，上拂
親心。尚祈　勉抑哀思，以當大事。正雄因社務鞅掌，未能躬親叩奠，悵歉良深。敬呈輓幛，乞薦

靈幃。祇候
素履，諸維
珍重。

彭正雄敬啓 九月十五日

※ ※ ※ ※

(3)唁喪夫

筠姊禮鑒：浮雲一別，歲琯頻更，積思千重，終難相忘。昨由郵便，遞到 訃音，驚聞
小舫先生偶嬰末疾，遽爾溘逝，英年玉折，悼惋良深。吾
姊伉儷情篤，頓失所天，離鸞之痛，自難言喻。惟此後上奉 君姑，下撫弱息，仔肩綦重，豈容推卸。
尚望 勉收悲淚，隨時 攝衛，臨風切禱，莫罄軫懷。妹遠阻一方，未能親臨弔祭，曷勝悵歉。附呈奠
敬，藉表微私。耑此奉慰。並請
禮 安

妹啓蓉謹上 十月廿四日

※ ※ ※ ※

(4)唁喪妻

惠中經理吾兄禮席：遠違芳訊，正切葭思， 訃告頒來，驚聞噩耗。悽含破鏡，恨抱斷絃，吾

兄鶺鴒情深，遽罹悼亡之痛，自必悲慟逾常，難效蒙莊之曠達也。尚祈　制情順變，勉爲排遣，是所至禱。雲山遙隔，趨奠無從，良用悵仄，謹具楮敬，即乞　代薦爲感。專此馳唁。諸希

珍衛

弟岳雲再拜 九月十九日

※　※　※　※

(5)慰病人

珍華學姊惠鑒：音塵罕接，夢寐爲勞。頃翠華姊來，始悉吾姊以肝炎進住榮民總醫院開刀治療，病況如何，至深惦念。吾姊長年勞累，性復憂鬱，清癯體質，寧能堪此。尚望　屏除雜慮，靜心調養，吉人天相，必可早占勿藥，漸次復原。妹以道遠，未能趨省，殊深歉疚。懸懷如結，不盡欲言。匆函致慰。虔祝

痊安

妹黃霞敬上 九月卅日

※　※　※　※

(八)借索類

『借』與『索』爲相反字，立場迥然不同。『借』係指向人借貸金錢或借用物品，而『索』乃指索還財物。雖然，其有求於人則一。故寫此類書信，應特別重視措詞之妥貼，用字之適切，使對方能欣然接

受，而不忍峻拒。在『借』方面，詞語須婉轉，以表示誠意，尤其在向人借款時，務須說明正當用途，並約定歸還日期，以見信於對方。俚語云：『有借有還，再借不難。』借款之道，蓋莫外乎是。至於在『索』方面，首須注意不能以債權人自居，出語直率無禮，而傷害對方之自尊。應將自己不得已之苦衷，委婉陳述，使對方油然而生內疚，罄其所有以償之，因而達到『索』之目的。

(1)借款治母病

履公姻伯大人尊鑒：久違
鈞誨，瞻戀殊深，敬維
潭第康寧，福躬安吉，允洽所頌。敬懇者，家母體素羸弱，日前又突嬰胃疾，病勢危篤，呻吟牀蓐，因急送臺大醫院，醫囑須住院開刀診治，全部費用約十萬元。而家中本無積蓄，貴重物品雖典質一空，仍不足所需，用是闔宅徬徨，束手無策。敢懇
姻伯大人始終垂愛，慨借五萬元，俾得早日痊可，優游晚景。一年之後，當連同子金一併奉還。禱盼之私，難宣尺楮。專肅。敬請
崇　安

姻姪女 雁翎拜上 十月十七日

※　※　※　※

(2)借款經商

繩遠襄理吾兄左右：南北程暌，恆懷
英采，雖音書往復，勞結未紓。比維
鼎祉多康，式符鄙祝。茲有懇者，弟以長年寄人籬下，終非善策，近與友人合夥創辦新臺化學工廠於新
莊，生產多種女性化妝用品，經各界仕女試用，無不稱譽備至，益增弟等之信心。惟締造伊始，需款孔
急，素荷
知己存注，敢乞
惠借十萬元，以資周轉。至利息若干，歸還期限，則悉聽
卓裁。如蒙
鼎諾，更望　速頒，感沕　雲情，曷有紀極，臨穎不勝惶切。專此奉懇，祇頌
籌祺，鵠候
回音。

弟牛思原敬啓　七月六日

※　※　※　※

⑶索舊欠

世洪仁兄大鑒：久未通訊，思念良殷，近維
動定增祥爲頌。前歲商挪之款，早已屆期，未荷　歸還，諒係貴人善忘之故。多年老友，區區之數，原

不應催促，無奈近日頻頻虧損，極感拮据，東移西補，時呈左支右絀之狀。用特專函布懇，敬乞如數籌擲，無任感荷。不情之請，知我者當能諒之。臨書翹盼。順候

台綏

弟尹慕伊再拜 八月九日

※　※　※　※

（九）允辭類

生活在此繁複之社會中，人與人間之承諾或推辭，均屬於一種技巧。運用得當，則可廣結善緣，玲瓏八面。運用不當，則將招人之怨，詈聲四起。欲藉書信表現此一技巧，尤須格外愼重。雖云運用之妙，存乎一心，若能時時加以自我訓練，多閱讀有關書籍，取人之長，補己之短，迨火候一到，出而應世，必能無往不利，而享左右逢源之樂。昔人所謂『世事洞明皆學問，人情練達卽文章』，誠爲體會有得之言。

通常寫允諾之信，較易落筆，蓋此乃順水人情，旣不必盤馬彎弓，更不必忸怩作態，可開門見山，使對方一目了然。惟在表達時，切不可失之浮誇，或在字裏行間流露出施捨者之驕態，因而引起對方之反感。故下筆時，必須周全顧及，以免產生『言者無心，讀者有意』之尷尬情況。

至辭卻之信，則極難落筆，旣是拒絕，必然拂逆對方之心意，其內心不快，自無待言，蓋『得之則

喜，失之則憂』，固夫人情之常也。爲免發生誤會，或使對方不快之情減至最低程度，在措詞方面須懇摯委婉，在語氣間不妨含蓄，隱隱道出，務使對方體諒自己之力絀，而非故意刁難。語云：『誠於中，形於外』，只要態度誠懇，立場站穩，問心無愧，則無論對方如何責難，均可以度外置之也。

(1)允代謀敎職

元鈞仁弟如握：三月廿三日
來書誦悉，所　囑向李校長推薦，冀得一席，庶不致作浮浪之人，殊堪同情。茲繕就介紹書一通，隨函附發，望即持函逕謁李校長，以免書疏往返，遷延時日。接洽結果如何，並希見告，以慰遠念。匆復。

即詢
近　佳

孫德潤手啓 三月廿七日

※　※　※　※

(2)允就祕書

南公縣長勛鑒：昨奉
手諭，飭司箋記，自維庸疏，識見淺陋，恐不足仰贊
高深，上襄　明德。旣承　不遺，采及菲才，誼當勉竭駑鈍，以報　知遇。此間移交手續，已告蕆事，

日內擬卽束裝就道，趨詣
崇階，面聆
教益。先此肅復。敬頌
勛　綏

職古應芬拜上 九月二十五日

※　※　※　※

(3) 允借款

東寧吾兄台鑒：十載知交，心心相印，塵勞羈絆，良覿多疏。東瀛歸後，曾詣
潭居，未挹
清芬，曷勝悵惋。旋辱
枉駕，有疏擁篲，惶歉奚如。昨誦
琅函，敬譒
動定嘉豫，頗慰寸衷。緩急　囑籌，誼不容辭，惟是年來石油危機，波及全球，對外貿易，獨力難支，
經濟問題，甚形艱困。承
示之數，一時措集殊難，勉爲爬羅，僅能得半，先行緘上，至祈
詧收，自愧綆短，統希

鑒宥。耑此奉覆。敬候

秋　祺

弟葉孤芳謹啓 九月六日

※　※　※　※

(4)辭不能薦

照娥小姐慧鑒：風雨如晦，忽奉
玉音，藉悉今夏畢業臺灣大學商學系，曷勝忭頌。愚比年以來，除上班外，輒深居簡出，極少應酬，人
際關係，疏略已久。承
委本應效勞，奈愚與陳董事長本無深交，又未嘗銜杯酒之歡，率爾推介，不免唐突，躊躇再四，仍希另
請高明，從速進行。雖然，以
君品學兩優，華實並茂，不患無機緣湊合，尚容徐圖之。有負　雅命，良用歉然。知承
綺注，特函奉覆，至祈
惠予曲諒是幸。順候

夏　祺

華必強手啓 八月十六日

※　※　※　※

⑸復無法延攬

邦佐委員有道：四月十九日

華翰敬悉，承

介唐維中先生來縣工作，至深感篆。經交主管單位辦理，茲據簽報，以目前尚無懸缺，不需進用新人，已予存記，俟爾後有適當機會，必優先安置等語。唐先生事未能遵

囑辦理，殊感歉然，諒

知我者必能　恕我也。專復。祇頌

道　綏

弟　凌劍青敬啓　四月廿三日

※　※　※　※

（十）稱　謝　類

『投桃報李』爲吾國社會傳統之習俗，他人有恩於我，若無一語以稱謝，則有悖人情，日久將見棄於社會，他日重遭困厄，必無人肯一伸援手矣。書信是以文字代替語言之交際工具，稱謝之書信，遂成爲社會上應用範圍最廣泛之一類。

在稱謝書信中，大略可分爲答謝、道謝、謝贈等三項，三者性質大體相似，可涵蓋人、事、物，皆

因受信人有德於己而引起。答謝與道謝是感謝對方在事情上之協助，或感謝對方對自己之關懷，如謝友人賀母壽、賀升遷、唁喪母、謝推薦等。謝贈則用於感謝對方餽贈之情意。撰寫此類書信，須以極誠懇之態度，將感恩圖報之心意充分表露於楮墨間，使對方隱然有當之無愧、不虛此舉之感。

(1)謝人探病

公明吾兄
嘉陵大嫂同鑒：此次猥以微疾，住院治療，辱承
關愛，移　玉存問，　寵錫多珍，隆情摯誼，至深銘篆。茲賤軀就痊，已於日昨出院上班，恐勞
廑系，特此奉
聞，並申謝悃。祗候
儷　安

弟江海澄敬啓　十二月五日

※　※　※　※

(2)謝賀當選

彥文女士惠鑒：稚偉猥以非材，謬膺衆寄，迺承
寵賀，感愧交縈。惟獎飾之彌殷，懍負荷之綦重。今後自當勉竭駑駘，爲民服務，以報各方之厚愛，選
民之支持。尙祈

箴言時頒，俾資遵循，實所企幸。專函申謝。並頌

近　綏

※　※　※　※

弟趙　剛拜啓　十二月十六日

(3) 謝賀升遷

含章處長吾兄大鑒：頃奉

華翰，備蒙獎飾，隆情稠疊，拜　嘉之餘，感愧交幷。茂倫識淺才疏，汲深綆短，謬當大任，惶悚莫名。

尚祈時　惠教言，以匡不逮，不勝感禱之至。專此復謝。並頌

時　綏

弟王茂倫謹啓　十一月十五日

順請老伯大人安康，恕不另箋。

※　※　※　※

(4) 謝推薦

康平吾兄英鑒：弟遭逢不幸，命途多乖，壯志空懷，修名莫立，常謂渺渺此身，抑復何樂，長棄溝渠，

固其宜也。乃蒙

足下蔭廣喬松，不遺小草，齒牙噓植，樂道津津。使三匝之烏，棲枝有託，涸轍之鮒，得慶甦生，其為
感泐，實越等倫。公餘多暇，當躬趨
德宇，拜謝
宏施。肅先修牘，謹達微忱。臨穎神往，不盡欲言。祇祝
儷　安

弟杜　宇再拜　三月十日

※　※　※　※

(5)謝借款

鳳儀姊雅鑒：一昨馳書告急，方以不情瑣瀆，深自汗顏。接奉
還雲，渥蒙如數通融，且殷殷慰藉，足見
風誼獨高，古道彌隆，自顧何人，獲此
厚愛，五中銘泐，感沁心脾。一俟源頭稍活，必儘先珠還，決不失誤。臨楮馳誠，先鳴感悃。敬候
儷　祉

妹穎君謹啓　十月廿五日

※　※　※　※

(6)謝餽蘋果

師母大人尊鑒：久違
慈顏，時深孺慕。此次因公赴花，以事羈欶未躬候，正感不安，乃蒙
澤惠下逮，賜貺蘋果，拜領之餘，曷勝感篆。天候祁寒，伏望
珍攝玉體，是所禱幸。肅函奉謝。祇叩
崇　安

學生黃　霞拜上　一月三日

※　※　※　※

（十一）以詩代書

(1)節婦吟㈠　張籍

君知妾有夫。贈妾雙明珠。感君纏綿意。繫在紅羅襦。妾家高樓連苑起。良人執戟明光裏㈡。
知君用心如日月。事夫誓擬同生死。還君明珠雙淚垂。恨不相逢未嫁時。

【注釋】

㈠節婦吟　唐汝詢唐詩解：『容齋三筆云：張籍在他鎮幕府，李師道以書幣辟之，籍卻而不納，而作節婦吟詩以寄之。繫珠於襦，心許之矣。以良人貴顯而不可背，是以卻之。然還珠之際，涕泣流連，悔恨無及，彼婦之節，不幾岌岌乎。夫女以珠誘而動心，士以幣徵而折節，司業（籍歷官至國子司業）之識，淺矣哉。』王文濡云：『此張籍卻李師道聘，託言節婦

吟，通首用比體，而本意已明，妙絕。』

㈡明光　漢有明光殿，在未央宮西，以金玉珠璣爲簾箔，晝夜光明。見三秦記。此借以爲皇宮之稱。

※　※　※　※

(2)近試上張水部㈠

朱慶餘

洞房昨夜停紅燭。待曉堂前拜舅姑㈡。
妝罷低聲問夫壻。畫眉深淺入時無㈢。

【說明】

以上二首爲比興體之香奩詩。前首乃作者婉辭李師道之徵辟，因對方盛情可感，不忍峻拒，以普通信札出之，其難下筆，故代之以詩。且以節婦自況，謂已早已出仕，不能再應他聘，亦猶烈女不事二夫也。末二句『還君明珠雙淚垂，恨不相逢未嫁時』，膾炙人口，千古傳誦。

後首乃作者在進士考期將近時，將舊作送呈張籍，請加品評，蓋以張氏在京任水部郎中，詩名籍甚，且有可能作同考官也。作者自比新娘，將張氏比作新郎，主考官比作公婆，其詩篇得失比作畫眉深淺，請問張氏，能否獲得主考官之喜愛。風流蘊藉，令人解頤。自是張氏爲之揄揚，遂令登第。

【注釋】

㈠近試上張水部　一作閨意。全唐詩話：『慶餘遇水部郎中張籍，知音，索慶餘新舊篇二十六章，置之懷袖而推贊之，時人以籍重名，皆繕錄諷詠，遂登科。慶餘作閨意一篇以獻，籍酬之曰：「越女新妝出鏡心，自知明豔更沈吟，齊紈未足時人貴，一曲綾歌敵萬金。」由是朱之詩名流於海內矣。』

㈡舅姑　妻稱夫之父曰舅，夫之母曰姑。見爾雅釋親。

㈢畫眉　以黛飾眉也。漢張敞為京兆尹，無威儀，嘗因為婦畫眉，而被有司所奏，武帝問之，敞曰：『臣聞閨房之私，有甚於畫眉者。』帝愛其能，不忍備責。見漢書本傳。

※　※　※　※

⑶下第後上永崇高侍郎　　高蟾

天上碧桃和露種。日邊紅杏倚雲栽。

芙蓉生在秋江上。不向東風怨未開。

【說　明】

此為比興體之詠物詩。常人應試落第，多歸咎考官，獨高蟾此詩，將新科進士比作碧桃、紅杏，沐受朝廷栽培之恩澤，欣欣向榮。自己則比作秋江芙蓉，雖未蒙東風吹拂，卻心平氣和，毫無怨尤，深得詩人溫柔敦厚之旨。

※　※　※　※

⑷古樂府　　仲燭亭

託買吳綾束。何須問短長。

妾身君慣抱。尺寸細思量。

【說明】

此亦比興體之香奩詩。袁枚隨園詩話載：仲燭亭在杭州，袁枚屢爲薦館，最後將薦往蕪湖，札問需脩金若干，仲不答，但寄古樂府云云。此詩將男女比作朋友，家境比作身腰，須多少薪津始能維持家計，比作須多少吳綾始能裁製新裝，袁枚自然十分清楚，仲氏難以啓齒，而請袁枚仔細思量，代爲作主。託喻閨情，何等風趣。

※　※　※　※

（十二）以詞代書

金縷曲二首　顧貞觀

寄吳漢槎寧古塔㈠，以詞代書，時丙辰冬寓京師千佛寺冰雪中作。

季子㈡平安否。便歸來，生平萬事，那堪回首。行路悠悠誰慰藉㈢，母老家貧子幼。記不起從前杯酒。魑魅㈣搏人應見慣，總輸他覆雨翻雲手㈤。冰與雪，周旋久。淚痕莫滴牛衣透㈥。數天涯，依然骨肉㈦，幾家能彀。比似紅顏多命薄，更不如今還有㈧。祇絕塞苦寒難受。廿載包胥承一諾㈨，盼烏頭馬角終相救㈩。置此札，君懷袖⑪。

我亦飄零久。十年來，深恩負盡，死生師友。宿昔齊名非忝竊，試看杜陵消瘦㈠，曾不減夜郎僝僽㈡。薄命長辭知己別㈢，問人生到此凄涼否。千萬恨，爲兄剖㈣。兄生辛未吾丁丑㈤，共些時冰霜摧折，早衰蒲柳㈥。詞賦從今須少作，留取心魂相守。但願得河清人壽㈦。歸日急翻行戍稿，把空名料理傳身後㈧。言不盡，觀頓首。

【說　明】

此二詞爲清顧貞觀最著名之作，自云『以詞代書』，故兼有抒情文、應用文性質。其友吳兆騫以事戍吉林之寧古塔，居塞外十餘年，貞觀救之不得，賦金縷曲以寄，納蘭性德見之泣下，遂爲營救，兆騫得生還，風義著稱於世。第一首就吳兆騫身上著筆，前片傷其周旋於冰雪，後片致意慰藉，謂雖在天涯，依然骨肉，自不須作牛衣之泣。末歸到包胥一諾，望性德救援。第二首由作者說起，前片自陳衷曲，言行者居者，一樣淒涼。後片自憐早衰，相期珍重，他日歸來，猶有文名堪以傳後也。陳廷焯白雨齋詞話謂：『此詞只如家常說話，而痛快淋漓，宛轉反覆，兩人心迹，一一如見，雖非正聲，亦千秋絕調也。』又謂：『二詞純以性情結撰而成，悲之深，慰之至，丁寧告戒，無一字不從肺腑流出，可以泣鬼神矣。』

【注　釋】

㈠寄吳漢槎寧古塔　吳漢槎名兆騫，清江蘇吳江人，順治舉人。少有儁才，名動一時。以科場事發，覆試，戰慄不能終卷，乃遣戍寧古塔。（今吉林寧安縣治）顧貞觀與交最篤，作此二詞寄之。納蘭性德讀之感泣，爲言於其父大學士明珠，兆騫始得放歸。

㈡季子　指漢槎。春秋吳王壽夢少子季札，有賢名，封於延陵，因號延陵季子。漢槎姓吳，故借以爲稱。

㈢行路悠悠誰慰藉　悠悠，謂路長時久。慰藉，猶慰勞也。後漢書隗囂傳：『所以慰藉之良厚。』李賢注：『慰，安也。藉，薦也。言安慰而薦藉之。』

㈣魑魅　亦作螭魅，山中怪物爲人害者。左傳文公十八年：『投諸四裔，以禦魑魅。』杜預注：『山林異氣所生爲人害者。』杜甫天末懷李白詩：『魑魅喜人過。』時白流夜郎，乃魑魅之地。此亦指寧古塔言。

㈤輸他覆雨翻雲手　輸，負也，如俗云輸贏，即勝負之義。杜甫貧交行：『翻手作雲覆手雨。』言一翻覆手間，雲雨已判，喩人情之反覆無常也。此處意謂魑魅搏人，尚不及人情反覆、世態炎涼之可畏也。

㈥淚痕莫滴牛衣透　漢書王章傳：『初，章爲諸生，疾病，無被，臥牛衣中與妻訣，涕泣。其妻怒呵之曰：「仲卿，今不自激昂，乃反涕泣，何鄙也。」及爲京兆，欲上封事，妻又止之曰：「人當知足，獨不念牛衣中涕泣時耶。」』顏師古注：『牛衣，編草使煖，以被牛體，蓋蓑衣之類。』此莫滴牛衣，亦勸勿悲哭之意。

㈦數天涯依然骨肉　天涯，猶言天邊，喩遙遠也。骨肉，喩至親，如父母妻子。此言漢槎遠在戍地，猶能骨肉團聚也。

按漢槎寄顧舍人書曾述其妻與一男兩女同在戍所。

㈧比似紅顏多命薄更不如今還有　言才士坎坷，正似美人薄命，古往今來，如此者多矣。況更不如君之今日者，仍大有人在。此亦強爲寬解之辭。

㈨廿載包胥承一諾　春秋時楚大夫申包胥與伍員子胥爲友。員出奔，謂包胥曰：『我必覆楚。』包胥曰：『我必復之。』後員以吳師入郢，包胥乞師於秦，卒復楚。此云承一諾，蓋作者請納蘭性德援救漢槎，已諾之也。顧氏寄此詞，在康熙十五年，時漢槎遣戍已十八年，『廿載』蓋舉成數也。

㈩盼烏頭馬角終相救　風俗通：『燕太子丹質於秦，求歸，秦王曰：「待烏頭白，馬生角，當放子歸。」』此處意謂無論如何困難，如何不可能，終須設法相救。

⑪置此札君懷袖　札，書札。古詩十九首：『客從遠方來，遺我一書札，上言長相思，下言久離別。置書懷袖中，三歲字不滅。』

㈡杜陵　謂杜甫。甫居杜陵，自稱杜陵布衣。此處作者借以自比。

㈢夜郎僝僽　夜郎，指李白。白以唐永王璘事，流放夜郎（今貴州桐梓縣），此處借比漢槎遣戍寧古塔。僝僽，憂苦之意。

㈣薄命長辭知己別　薄命長辭，作者自謂其妻逝去。（集中有悼亡詞）知己別，謂漢槎遣戍寧古塔。

㈤剖　剖白。

㈥兄生辛未吾丁丑　漢槎生於明崇禎四年辛未（西元一六三一年），作者生於崇禎十年丁丑（西元一六三七年），少於漢槎六歲。

㈦早衰蒲柳　蒲柳，卽水楊。世以其零落最早，故每用以喻人之早衰。晉書顧悅之傳：『悅之與簡文同年，而髮早白，帝問其故，對曰：「松柏之姿，經霜猶茂，蒲柳常質，望秋先零。」』

㈧河清人壽　河指黃河。黃河水常混濁，清甚僅見，故古以黃河清爲祥瑞太平之徵。文選李康運命論：『黃河清而聖人生。』李善注：『黃河千年一清，清則聖人生於時也。』左傳襄公八年：『俟河之清，人壽幾何。』言河清無日，人壽易盡也。此處但願河清人壽，卽希望時世清平、人亦健存之意。

㈨把空名料理傳身後　意謂生前榮華富貴無分，惟有藉著作而傳虛名於身後。晉書文苑傳：『張翰任心自適，不求當世，或謂曰：「獨不爲身後聲名計耶。」答曰：「使我有身後名，不如卽時一杯酒。」』

附　歷代名人短簡

(1)自齊遺文種書　　范蠡

吾聞天有四時，春生冬伐，人有盛衰，泰終必否，知進退存亡而不失其正，惟賢人乎。蠡雖不才，明知進退。高鳥已散，良弓將藏，狡兔已盡，良犬就烹。夫越王爲人，長頸鳥喙，鷹視狼步，可與共患難，而不可共處樂，可與履危，不可與安。子若不去，將害于子明矣。

【作　者】

范蠡，字少伯，楚三戶人，與文種同事句踐。句踐滅吳稱霸後，蠡卽辭去，適齊，變姓名爲鴟夷子皮，治產致數千萬。齊人聞其賢，以爲相。尋又辭去，止於陶，自號陶朱公。

【說　明】

范蠡既辭句踐，浮海出齊，遺文種書，勸其及時引退，種遂稱疾不朝。或讒種且作亂，句踐乃賜種劍自殺。按種字伯禽，楚鄒人，事越爲大夫。越之報吳，種謀居多。卒爲句踐所忌，賜死。

※　※　※　※

⑵答夫秦嘉書㈠

徐淑

知屈珪璋㈠，應奉藏使㈡，策名王府㈢，觀國之光㈣，雖失高素皓然之業，亦是仲尼執鞭之操也㈤。自初承問，心願東還，迫疾未宜，抱歎而已。日月已盡，行有伴侶，想嚴裝已辦㈥，發邁在近㈦，『誰謂宋遠，企予望之。』㈧室邇人遐，我勞如何。深谷逶迤，而君是涉，高山巖巖，而君是越，斯亦難矣。長路悠悠，而君是踐，冰霜慘烈，而君是履，身非形影，何得動而輒俱，體非比目，何得同而不離。於是詠萱草之喻㈨，以消兩家之思，割今者之恨，以待將來之歡。

今適樂土，優游京邑㈩，觀王都之壯麗，察天下之珍妙，得無目玩意移，往而不能出耶。

【說　明】

東漢隴西秦嘉，字士會，桓帝時爲上郡掾，與妻徐淑情好頗篤，淑以疾還家，不獲面別。嘉思之切，遣車往迎，並遺之以書曰：『不能養志，當給郡使，隨俗順時，黽勉當去，知所苦故爾，未有瘳損，想念悒悒，勞心無已。當涉遠路，趨走風塵，非志所慕，慘慘少樂。又計往還，將彌時節，念發同怨，意有遲遲，欲暫相見，有所屬託，今遣車往，想必自刀。』淑得書，以疾未愈，不能往，報以此書。全文分三段：首段慰其奉使，中段言不能往而憶念之意，末段戒以無惑於紛華。

【注　釋】

㈠珪璋　玉器之貴重者。此喻秦嘉人品之高。

㊁藏使　庫藏之使。嘉爲上郡掾，輸賦於國庫，故以稱之。

㊂策名　策，簡策也。古之仕者，於所臣之人，書己名於策，以明繫屬之也。見孔穎達左傳僖公二十三年疏。

㊃觀國之光　周易觀卦：『觀國之光，利用賓于王。』言居近得位，明習國之禮儀也。

㊄執鞭　謂馭車也。論語述而篇：『子曰：「富而可求也，雖執鞭之士，吾亦爲之。如不可求，從吾所好。」』

㊅嚴裝　行裝整齊也。

㊆邁　遠行。言即將出發遠行也。

㊇誰謂宋遠二句　詩經衞風河廣：『誰謂河廣，一葦杭之。誰謂宋遠，跂予望之。』鄭玄箋：『宋桓公夫人，衞文公之妹，生襄公而出。襄公即位，夫人思宋，義不可往，故作是詩以自止。』

㊈萱草　又名忘憂草，相傳食之可以忘憂，故名。文選嵇康養生論：『合歡蠲忿，萱草忘憂，愚智所共知也。』

㊉優游京邑　優游，閒暇自得貌。上郡地在今陝西省，鄰近京都洛陽，故云優游京邑。

※　※　※　※

(3)答夫秦嘉書㈠

徐淑

旣惠令音，兼賜諸物，厚顧慇懃，出於非望。鏡有文彩之麗，釵有殊異之觀，芳香旣珍，素琴益好，惠異物於鄙陋，割所珍以相賜，非豐恩之厚，孰肯若斯。覽鏡執釵，情想髣髴，操琴詠詩，思心成結。敕以芳香馥身㊀，喻以明鏡鑑形，此言過矣，未獲我心也。昔詩人有飛蓬之感㊁，班婕妤有誰榮之歎㊂，素琴之作，當須君歸，明鏡之鑑，當待君還，未奉光儀，則寶釵不列也，未侍帷帳，則芳香不發也。

【說　明】

秦嘉既得徐淑前書，報之曰：『車還空返，甚失所望，兼敍遠別，恨恨之情，顧有悵然。間得此鏡，既明且好，形觀文彩，世所希有，意甚愛之，故以相與，并寶釵一雙，好香四種，素琴一張，常所自彈也。明鏡可以鑑形，寶釵可以耀首，芳香可以馥身，素琴可以娛耳。』淑得書，又以此答。情深辭婉，具見用情之篤。

全文分二段：前段言得書及物，無限懷思。後段言人隔兩地，無心修飾，益以見情之重。

【注　釋】

㈠敕　諭告也。

㈡飛蓬　詩經衛風伯兮：『自伯之東，首如飛蓬，豈無膏沐，誰適為容。』詩意謂夫正行役，妻無心修飾也。

㈢班婕妤　漢成帝宮人。賢才通辯，雅擅詩賦，帝甚寵之，後趙飛燕得寵，被譖，退處長信宮，作賦自傷，賦中有『君不御兮誰為榮』之句。見漢書外戚傳。

※　※　※　※

(4)與曹公論盛孝章書

孔　融

歲月不居，時節如流，五十之年，忽焉已至，公為始滿，融又過二。海內知識，零落殆盡，惟會稽盛孝章尚存。其人困於孫氏，妻孥湮沒，單子獨立，孤危愁苦㈠，若使憂能傷人，此子不得復永年矣。

春秋傳曰：『諸侯有相滅亡者，桓公不能救，則桓公恥之。』㈡今孝章實丈夫之雄也，天下譚士依以揚聲，而身不免於幽執，命不期於旦夕。是吾祖不當復論損益之友㈢，而朱穆所以絕交也㈣。公誠能馳一介之使，加咫尺之書，則孝章可致，友道可弘矣。

今之少年，喜謗前輩，或能譏平孝章。孝章要爲有天下大名，九牧之人所共稱歎㈤。燕君市駿馬之骨㈥，非欲以騁道里，乃當以招絕足也。惟公匡復漢室，宗社將絕，又能正之，正之之術，實須得賢。珠玉無脛而自至者㈦，以人好之也，況賢者之有足乎。昭王築臺以尊郭隗㈧，隗雖小才，而逢大遇，竟能發明主之至心㈨，故樂毅自魏往，劇辛自趙往，鄒衍自齊往。向使郭隗倒懸而王不解，臨溺而王不拯，則士亦將高翔遠引，莫有北首燕路者矣。

凡所稱引，自公所知，而復有云者，欲公崇篤斯義也。因表不悉。

【作　者】

孔融字文舉，孔子之後也。漢獻帝時爲北海相，尋遷少府。時天下方亂，融志在靖難，然才疏意廣，迄無成功，後爲曹操所忌，被害。爲建安七子之一。

【說　明】

文選李善注引虞預會稽典錄曰：『盛憲，字孝章，器量雅偉。舉孝廉，補尚書郎，遷吳郡太守，以疾去官。孫策平定吳會，誅其英豪。憲素有高名，策深忌之。初憲與少府孔融善，融憂其不免禍，乃與曹公書，由是徵爲騎都尉。詔命未至，果爲權所害。子匡奔魏，位至征東司馬。』按此書作於漢獻帝建安九年。

【注　釋】

㈠孤危愁苦　時孝章方避難許昭家，故作此語。

㈡春秋傳至桓公恥之　春秋公羊傳僖公元年：『邢亡，孰亡之，蓋狄滅之也。曷爲不言狄滅之，爲桓公諱也。曷爲爲桓公諱，上無天子，下無方伯，天下諸侯有相滅亡者，桓公不能救，則桓公恥之。』引此謂拯救孝章爲操所義不容辭者。

㈢吾祖不當復論損益之友　吾祖，指孔子。孔子論益者三友，損者三友。見論語季氏篇。

㈣朱穆絕交　朱穆，字公叔，東漢南陽宛人，感世澆薄，莫尚敦篤，作絕交論以矯之。

㈤九牧　猶云九州，九州皆有牧伯，故云。

㈥燕君市駿馬之骨　戰國策燕策：『郭隗謂燕昭王曰：「臣聞古之人君有市千里馬者，三年而不得，於是遣使齎千金往，未至而馬已死，使者乃以五百金買其骨以歸。其君大怒，將誅之。使者對曰：死馬尚市之，況生者乎，天下必知君之好也，馬將至矣。期年而千里馬至者三焉。王欲招賢，請從隗始。」』是市馬之事，乃郭隗謂燕昭王語。

㈦珠玉無脛而自至　韓詩外傳：『蓋胥謂晉平公曰：「珠出於海，玉出於山，無足而至者，好之也。士有足而不至者，君不好也。」』

㈧昭王築臺以尊郭隗　史記燕世家：『燕昭王於破燕之後卽位，卑身厚幣，以招賢者。謂郭隗曰：「齊因孤之國亂，而襲破燕，孤極知燕小力少，不足以報。然誠得賢士以共國，以雪先王之恥，孤之願也。先生視可者得身事之。」郭隗曰：「王必欲致士，先從隗始。況賢於隗者，豈遠千里哉。」於是昭王爲隗改築宮而師事之，樂毅自魏往，鄒衍自齊往，劇辛自趙往，士爭趨燕。』

㈨至心　謂誠懇極至之心也。晉書王嘉傳：『人候之者，至心則見之，不至心則隱形不見。』

※　※　※　※

(5)與朝歌令吳質書　曹丕

五月十八日丕白：季重無恙。塗路雖局㈠，官守有限，願言之懷，良不可任。足下所治僻左，書問致簡，益用增勞。

每念昔日南皮之游㈡，誠不可忘。既妙思六經，逍遙百氏。彈棊間設，終以六博㈢。高談娛心，哀箏順耳。馳騖北場，旅食南館。浮甘瓜於清泉，沈朱李於寒水。白日既匿，繼以朗月，同乘並載，以游後園。輿輪徐動，參從無聲，清風夜起，悲笳微吟。樂往哀來，愴然傷懷。余顧而言，斯樂難常。足下之徒，咸以爲然。今果分別，各在一方。元瑜長逝，化爲異物。每一念至，何時可言。

方今蕤賓紀時㈣，景風扇物，天氣和暖，衆果具繁。時駕而遊，北遵河曲，從者鳴笳以啓路，文學託乘於後車，節同時異，物是人非，我勞如何。今遣騎到鄴㈥，故使枉道相過，行矣自愛。丕白。

【作　者】

曹丕，字子桓，曹操之子。漢獻帝建安二十五年，廢帝自立，是爲魏文帝，在位七年卒。丕好文學，禮重文人，有魏文帝集行世。

【說　明】

吳質，字季重，漢末濟陰人，以文才爲曹丕兄弟所善，官至振威將軍，封列侯。朝歌故城在今河南淇縣東北。

【注釋】

㈠局　近也。見爾雅。

㈡南皮　即今河北南皮縣。

㈢六博　古博戲名。詳見李賢後漢書梁冀傳注。

㈣蕤賓　五月之別稱。禮記月令：『仲夏之月，其音徵，律中蕤賓。』相傳黃帝命伶倫截竹爲筒，以筒之長短，分別聲音之清濁高下，樂器之音，即依以爲準則。分陰陽各六，陽爲律，陰爲呂，合稱十二律。

㈤後車　副車也。詩經小雅緜蠻：『命彼後車，謂之載之。』

㈥鄴　漢縣名，在今河南臨漳縣。

※　※　※　※

(6)答盧諶書　劉琨

損書及詩，備辛酸之苦言，暢經通之遠旨㈠，執玩反覆，不能釋手，慨然以悲，歡然以喜。昔在少壯，未嘗檢括㈡，遠慕老莊之齊物，近嘉阮生之放曠㈢，怪厚薄何從而生，哀樂何緣而至。自頃輈張㈣，困於逆亂，國破家亡㈤，親友凋殘。塊然獨坐，則哀憤兩集，負杖行吟，則百憂俱至。時復相與舉觴對膝，破涕爲笑，排終身之積慘，求數刻之暫歡，譬繇疾疢彌年，而欲一丸銷之，其可得乎。

夫才生於世，世實須才，和氏之璧，焉得獨曜於郢握㈥，夜光之珠㈦，何得專玩於隨掌，天下之寶，固當與天下共之。但分析之日，不能不悵恨耳。然後知聃周之爲虛誕，嗣宗之爲妄作也。昔騄驥倚輈於吳坂㊇，長鳴於良樂㊈，知與不知也。百里奚愚於虞而智於秦㊉，遇與不遇也。今君遇之矣，勖之而已。不復屬意於文，二十餘年矣，久廢則無次，想必欲其一反⑪，故稱指送一篇，適足以彰來詩之益美耳。

【作　者】

劉琨，字越石，晉中山魏昌人，少與祖逖俱以雄豪名。愍帝時拜司空，都督幷冀幽三州軍事，元帝稱制江左，轉侍中太尉，與段匹磾共討石勒，竟爲匹磾所害。有劉中山集。

【說　明】

盧諶，字子諒，晉范陽涿人，好老莊，善屬文，永嘉亂後，從劉琨投遼西段匹磾，以爲幽州別駕，牋詩與琨，琨乃答以此書。

【注　釋】

㊀經通　守經而又通變也。
㊁檢括　省察約束之意。
㊂阮生放曠　晉阮籍字嗣宗，尉氏人，賦性曠達，不拘禮敎，爲竹林七賢之一。
㊃輈張　驚懼貌。
㊄國破家亡　永嘉五年，劉曜大舉入寇，陷洛陽，是國破也。太原太守高喬以郡降劉聰，琨父母並遇害，是家亡也。

㈥和氏璧至郢握　春秋時，楚人卞和得璞玉於楚山中，以獻厲王，王以爲誑，刖其左足。武王卽位，復獻之，又以爲誑，刖其右足。及文王立，乃抱璞泣於荆山之下，王使人問之，曰：『臣非悲刖，寶玉而題之以石，貞士而名之爲誑，所以悲也。』王乃使人理其璞，果得玉焉，遂命之曰和氏之璧。事見韓非子和氏篇。郢，楚都，故城卽今湖北郢縣。郢握，郢人之手也。

㈦夜光珠　卽隋珠。春秋時，隋侯見大蛇傷斷，以藥傅之，後蛇於江中銜大珠以報之，因曰隋侯之珠。事見淮南子覽冥訓高誘注。

㈧騄驥倚輈於吳坂　騄驥，駿馬名。輈，轅也。吳坂在今山西安邑縣東南，相傳爲伯樂遇騏驥駕鹽車之地。

㈨良樂　王良伯樂也，並春秋時之善御馬者。按王良無遇驥之事，蓋因伯樂而連言之。

㈩百里奚　春秋虞人，初事虞公爲大夫，虞亡，入秦，佐穆公成霸業。事詳史記秦本紀。

⑪反　指答書及和詩。

※　※　※　※

(7)答謝中書書

陶宏景

山川之美，古來共談，高峯入雲，清流見底。兩岸石壁，五色交輝，青林翠竹㈠，四時俱備。曉霧將歇，猿鳥亂鳴，夕日欲頹，沈鱗競躍。實是欲界之仙都㈡，自康樂以來㈢，未復有能與其奇者。

【作　者】

陶宏景，字通明，南朝秣稜人。幼好學，未弱冠，齊高帝引爲諸王侍讀。後隱居句容句曲山，研習陰陽、五行、風角、星算、山川、地理、醫術、本草等學，又嘗造渾天象。梁武帝即位，每有吉凶征討大事，無不諮請，時人謂之山中宰相。年八十五無病而卒，或傳其仙去。諡貞白先生。著有文集及帝王年曆古今刀劍錄等多種。

【說　明】

謝中書，即謝朏。朏字敬沖，南朝陽夏人，歷仕齊梁，累官至尚書令。

【注　釋】

㈠青林　指松。

㈡欲界　佛家語，三界之一。佛分世界爲三：一曰欲界，此諸天人皆有情欲。二曰色界，此諸天人但有形色，情欲俱無。三曰無色界，此諸天人色相皆空，得無上樂。見俱舍論世間品。

㈢康樂　即謝靈運。靈運南朝宋陽夏人，性好山水，常以遨遊自娛，創作極富，爲山水詩派之始祖。

※　※　※　※

⑻追答劉秣陵沼書　劉峻

劉侯既重有斯難㈠，値余有天倫之戚，竟未之致也。尋而此君長逝，化爲異物，緒言餘論，蘊而莫傳，或有自其家得而示余者，余悲其音徽未沬，而其人已亡，青簡尚新，而宿草將列㈡，泫然不知涕之無從也。雖隙駟不留㈢，尺波電謝㈣，而秋菊春蘭，英華靡絕，故存其梗概，更酬其旨。若使墨翟之言無爽㈤，宣室之談有徵㈥，冀東平之樹㈦，望咸陽而西靡，蓋山之泉㈧，聞絃歌而赴節。但懸劍空壟㈨，有恨如何。

【作者】

劉峻，字孝標，梁平原人。好學安貧，耕讀不輟，聞人有異書，雖遠必往借，崔慰祖謂之『書淫』。天監初，典校祕書，安成王秀引爲戶曹參軍，使撰類苑，未成，以疾去。隱居東陽紫巖山，吳會人多從之學。及卒，門人諡曰玄靖先生。嘗注世說新語，所引甚富。

【說明】

劉峻嘗以不得志著辨命論，秣陵令劉沼致書難之，往反非一。其後沼作書未發而卒，有人於沼家得書以示峻，峻乃作書追答之。全文淒楚纏綿，具見悼痛之深。

【注釋】

㈠難　詰難也。

㈡宿草將列　禮記檀弓：『朋友之墓，有宿草而不哭焉。』孔穎達疏：『宿草，陳根也，草經一年則根存也。朋友相爲哭一期，草根陳乃不哭也。』列，成行也。

㈢隙駟　喻光陰消逝之速。

㈣尺波電謝　極言時光消逝之速，如電光之一閃而過也。文選陸機長歌行樂府：『寸陰無停晷，尺波豈徒旋。』按『豈徒旋』郭茂倩樂府詩集作『徒自旋』。

㈤墨翟之言　墨翟嘗引周大夫杜伯無罪被宣王所殺，後宣王田於圃，杜伯執弓矢射死宣王事，而論之曰：『凡殺不辜者，其得不祥。以若書之說觀之，則鬼神之有，豈可疑哉。』詳見墨子明鬼篇及史記封禪書索隱。

㈥宣室之談　漢文帝受釐宣室，嘗以鬼神之事問賈誼。事見漢書賈誼傳。

㈦東平樹　聖賢冢墓記：『東平思王冢在東平無鹽（故城在今山東東平縣東），王在國思京師，後葬其冢，冢上松柏西靡。』

㈧蓋山泉　宣城記：『臨城縣南四十里蓋山，高百許丈，有舒姑泉。昔有舒氏女，與其父析薪此泉，遽坐牽挽不動，乃還告家，比還，惟見清泉湛然。女母曰：「吾女本好音樂。」乃絃歌，泉涌迴流，有朱鯉一雙。今作樂嬉戲，泉故涌出也。』

㈨懸劍　春秋吳公子季札嘗聘於魯，觀周樂，過徐，徐君好其劍，而口不言，季札心知之，以爲使上國未卽獻。及還至徐，徐君已死，乃解劍懸徐君墓樹而去。事見史記吳世家。

※　※　※　※

⑼送橘啓

劉峻

南中橙甘，青鳥所食，始霜之旦，采之風味照座，劈之香霧噀人㈠。皮薄而味珍，脈不黏膚，食不留滓，甘踰萍實，冷亞冰壺。可以薰神㈡，可以芼鮮㈢，可以漬蜜。氈鄉之果㈣，寧有此邪。

【說明】

劉峻送橘與人，附以小啓。書中說橘之美，朗潤雋永，讀之使人垂涎。

【注釋】

㈠噀　噴也。

(二)薰　和悅之意。

(三)芼鮮　芼，菜也。鳥獸魚鼈新殺曰鮮。芼鮮，謂用菜雜肉爲羹也。

(四)氈鄉　氈裘之鄉，蓋指夷狄也。峻送橋於北地，故云。

※　※　※　※

(10)與宋元思書

吳　均

風煙俱淨。天山共色。從流飄蕩。任意東西。自富陽至桐廬(一)。一百許里。奇山異水。天下獨絕。水皆縹碧(二)。千丈見底。游魚細石。直視無礙。急湍甚箭(三)。猛浪若奔。夾岸高山。皆生寒樹。負勢競上。互相軒邈(四)。爭高直指。千百成峯。泉水激石。泠泠作響(五)。好鳥相鳴。嚶嚶成韻(六)。蟬則千轉不窮。猿則百叫無絕。鳶飛戾天者。望峯息心(七)。經綸世務者。窺谷忘反(八)。橫柯上蔽。在晝猶昏。疏條交映。有時見日。

【作　者】

吳均，字叔庠，梁吳興人，好學，有俊才，文體清拔有古氣，時稱吳均體。累官至奉朝請，有吳朝請集。

【說　明】

吳均嘗遊富陽至桐廬間，途中景物幽奇，欣賞之餘，作書告宋元思。全文描寫奇山異水，生動流麗，使人讀之，恍如置身畫圖中。宋元思字玉山，劉峻有與宋玉山元思書，蓋即其人。

【注　釋】

㈠富陽桐廬　富陽，即今浙江富陽縣。桐廬，即今浙江桐廬縣。

㈡縹碧　色之蒼青者。文選左思吳都賦：『紫貝流黃，縹碧素玉』

㈢急湍甚箭　言急流之速，甚於箭也。孔稚珪褚先生伯玉碑：『飛浪突雲，奔湍急箭。』

㈣軒邈　軒，高也。邈，遠也。

㈤泠泠　泉流聲。文選陸機招隱詩：『山溜何泠泠，飛泉漱鳴玉。』

㈥嚶嚶　鳥聲之和也。詩經小雅伐木：『伐木丁丁，鳥鳴嚶嚶，出自幽谷，遷於喬木。』鄭玄箋：『兩鳥聲也。』

㈦鳶飛戾天者望峯息心　鳶，鴟屬，俗稱鷂鷹。戾，至也。詩經大雅旱麓：『鳶飛戾天，魚躍于淵。』按詩經原意謂君子修其樂易之德，上及飛鳥，下逮淵魚，無不歡忻悅豫。作者引此，用意略有出入，蓋謂意圖上進者，見此山峯，則息其勃勃之雄心，而轉思歸隱也。

㈧經綸世務者窺谷忘反　經綸，以治絲之事，喻規畫政治也。禮記中庸：『惟天下至誠，爲能經綸天下之大經。』朱子注：『經者，理其緒而分之，綸者，比其類而合之也。』按此亦謂意圖經邦軌物霖雨蒼生者，見此幽谷則忘返，而思長與煙霞爲侶也。

※　　※　　※　　※

⑾山中與裴迪秀才書

王　維

近臘月下㈠，景氣和暢㈡，故山殊可㈢。過足下，方溫經，猥不敢相煩，輒便往山中，憩感配寺㈣，與山僧飯訖而去。

北涉玄灞㈤，清月映郭。夜登華子崗㈥，輞水淪漣㈦，與月上下。寒山遠火，明滅林外。深巷寒犬，吠聲如豹。村墟夜舂，復與疏鐘相間。此時獨坐，僮僕靜默，多思曩昔攜手賦詩，步仄逕㈧，臨清流也。

當待春中，草木蔓發，春山可望，輕鯈出水㈨，白鷗矯翼㈩，露溼青皋(十一)，麥隴朝雊(十二)。斯之不遠，儻能從我遊乎。非子天機清妙者(十三)，豈能以此不急之務相邀，然是中有深趣矣，無忽。

因馱黃檗人往，不一。山中人王維白。

【作　者】

王維，字摩詰，唐太原祁人。開元九年進士，官至尚書右丞。性高澹，工詩，書畫各極其妙，後世稱其詩中有畫，畫中有詩，有王右丞集。

【說　明】

舊唐書文苑傳云：『維得宋之問藍田別墅在輞口（在今陝西藍田縣），輞水周于舍下，別漲竹洲花塢，與道友裴迪浮舟往來，彈琴賦詩，嘯詠終日。』此篇則維招迪淸遊書簡，寫山居之淸趣，尋人外之歡娛。陶淵明詩云：『聞多素心人，樂與數晨夕』，此維所以佇望於良友也。迪關中人，與維居終南，相唱和，嘗爲尚書省郎。

【注釋】

㈠近臘月下　臘月，舊曆十二月。近臘月下，謂近十二月之時也。

㈡景氣　景，日光也。氣，氣候。景氣，猶言風日、風光。

㈢故山殊可　故山，指輞川，王維別墅所在也。可，猶宜也。

㈣感配寺　當爲感化寺之誤。王維有遊感化寺詩，文苑英華作化感寺，寺在終南山。

㈤玄灞　灞，灞水，亦作霸水，源出陝西藍田縣東。玄，黑色，謂水色黑也。

㈥華子岡　王維輞川集序云：『余別業在輞川山谷，其遊止有孟城坳華子岡……等。』

㈦輞水淪漣　輞水，即輞川，在藍田縣南約十二公里。風吹水成文曰淪漣。

㈧仄逕　仄，同側，狹隘。逕，同徑，小路。

㈨鯈　白魚也。

㈩矯　高舉。

⑪皋　水澤邊地。

⑫雊　雄雉鳴。

⑬天機　莊子大宗師篇：『其嗜欲深者，其天機淺。』成玄英疏：『天然機神。』曹受坤注：『說文：「主發動謂之機。」天機，是發動出於自然之義。』

國文閱卷經驗談

——寫在今年高普考前夕

成惕軒 著

這篇文字係以國文與考試爲內容。不過講國文的部分多；同時國文部分不講那些浩博繁富的文學理論，祇就平日閱卷的經驗所得，提出一些在作文上應該注意的問題，這是我要先加表白的。

提到考試，大家都會公認他是一種選拔人才最公平而合理的方法。中國是一個實行考試最早的國家，遠在唐虞時代，所謂「詢事考言」，所謂「敷奏以言，明試以功」，即已開始具有考試用人的觀念。從西漢文帝親策賢良到現在，已經有了二千一百五十年；即退一步從隋煬帝大業二年正式創立進士科說起，到今天也有一千三百七十九年。儘管過去的考試制度，由於種種關係，或科目趨於固定，或方式涉及煩苛，不免予人以抨擊的藉口，但其本身所表現的精神，是絕對無私的，是完全平等的，截至今日爲止，還沒有發現任何一種選拔人才的方法，比考試制度更公平更合理的。孫中山先生首創五權憲法，將考試列爲五權之一，眞可說是思深慮密，爲國家建立了良法善制，永垂無疆之庥。考試院自成立後，即於民國二十年舉行高等考試，並於二十二年舉行普通考試，五十多年來，除高普考試外，爲了適應現實需要，亦曾舉辦許多特種考試，對考試類科逐年均有增加，對考試技術也作了積極和不斷的改進。其中國文一科，爲各種考試普通科目之一，成績和其他科目一樣，採平均計算方法。唯獨司法官特種考試，在若干年前，應司法行政部（今爲法務部）之請，將國文定爲六十分及格，其理由是寫起訴書和判決書，需要清晰通暢的文字；換句話說，就是國文未達六十分標準，其他各科目的成績，縱然平均超過六十分，亦硬性規定不予及格。國文竟這樣地握有否決權，不僅對應考人平添精神上的威脅，也同樣對閱卷者增加精神上的負擔。固然這是政府法令所規定，閱卷者祇有本其職分，謹愼從事，不敢掉以輕心；但對那些因國文數分之差而告落第的人，卻仍不能不表示惋惜之意。

以上講的是考試部分，下面我想就一般國文的通病及對作文應該注意的問題，略貢一得之愚，藉供應考人參考。

從我四十年來的閱卷經驗中，發現一般作文的缺點，大致如下：

㈠文不對題：所謂「下筆千言，離題萬里」，東拼西湊，不知所云。甚至有極少數的人，臨場茫然，根本不針對題目，祇默寫一遍　國父遺囑，草草交卷，令人看了啼笑皆非。

㈡誤解詞意：如將「教然後知困」解釋爲「上教室就要睡覺」，並加以發揮。又如將「士大夫要放下虛矯的身段」，「矯」誤作「驕」，且專從「驕」字大發議論。

㈢似是而非：理路不清，模稜兩可。說他對，細按之根本不對；說他完全不對，卻又似乎有一點點對。一知半解，似通非通，這種文字是叫人看了最易生厭的。

㈣詞多意少：反反復復，了無新意，說一遍又說一遍，空話廢話和不必要的話太多。將一份試卷從頭到尾，密密麻麻的整個寫滿，正如古人所說：「博士買驢，書券三紙，不見驢字」。

㈤造句不通：如「古代及現代之先賢先聖」，「唐朝唐太宗時」，「昔者古之聖君」，「住在大都市中，往往容易染著奢侈的態度」，「文字是建立國體的大綱」，「再從根本的根基向外延申」，「取決於人民之民心向背」，「學問是學無止境的」，「誠良有以也」……，五花八門，千奇百怪，不一而足。

㈥杜撰故事：過去有所謂「唐代康熙字典」的笑話，現在竟發現了比這還出奇的笑話。如「漢朝史可法作資治通鑑」，「清朝張飛作正氣歌」，「司馬遷寫台灣通史」，「諸葛和孔明二人」……，對中國朝代先後和歷史上的著名人物，其觀念之紊亂，印象之迷糊，除閱者拍案驚奇和掩卷太息外，你看還能說什麼！

㈦亂改成語：如「稻高一尺，茅高一丈」，「覆巢之下無完蛋」，最怪異的是將「國家興亡，匹夫有責」竟寫成了「國家興亡，皮膚有責」。至於引用古書，如「詩經上說凡事豫則立」，「孟子曰民爲邦本」……，其訛誤失實，信口開河，那更是司空見慣了。

㈧別字滿紙：如「即」寫成「既」，「乃」寫成「仍」，「裨益」寫成「俾益」，「健全」寫成「建全」，「強盛」寫成「強勝」，「名言」寫成「銘言」，「捍衛」寫成「悍衛」，「濫竽」寫成「濫竿」，「辭采」寫成「辭菜」，或以形誤，或以音訛，層見迭出，不勝枚舉。

㈨文白夾雜：從前有人講文章體制，認爲駢散可以兼行，但這屬於文言文範圍，不宜應用到文白夾雜這一問題上去。年來有許多試卷，都是文白兼用，時而文言，時而白話，不新不舊，不古不今，令人看了殊有頗不自在的感覺。

在這裡要特別一提的，我不獨不反對白話文，還認爲有些文章須用白話來寫，但我也愛好文言作品，最好文言與白話分途並進，各適其用，各盡其功。我之所謂文言，絕非專指那些殷盤周誥，宋豔班香，祇是希望能寫梁啟超式的文言，有情感，有內容，不蔓不支，易讀易懂而已。

前面祇從缺點中舉例，自然不應以偏概全，將其中的佳卷通通抹煞。但我們若再追問何以有此缺點，便又牽涉到學制、師資和社會風尙等等問題，那已超越本文範圍，祇好暫置不論了。

這裡，我且談談學文的入手工夫和臨文時應該對那些地方加以注意。我認爲學文的入手工夫，第一是要多讀書。杜甫曾說：「讀書破萬卷，下筆如有神」，這是指的廣義的書。書讀得越多越好，不僅僅是古書，就是現代的人文科學、社會科學乃至自然科學的書，能多涉獵些，對寫作方面都是多多少少有著幫助的。第二是要多讀古人的好文章，這就屬於狹義的文學了。揚子雲說：「讀千賦則善賦矣」，因爲能多讀古人的範作，可以明瞭他那起承轉合的結構，可以體會他那抑揚高下的音節，可以了解他對長篇大論和小題短幅的經營，刻意揣摩，並加背誦，等到自己寫作的時候，自能得心應手，運用自如。古人說「熟能生巧」，又說：「聲入心通」，就是這個道理。第三是要有良師益友的指導和切磋，這裡面天包括著許多問題，如方法的研究、作品的修改等等，同時還要策勵自己，勤於寫作。

其次談到臨文時應該注意的地方，說來說去，總不外乎㈠相題㈡立意㈢布局㈣修辭那幾個項目。書經上說：「辭尚體要」，所謂「體要」，就是要立言得體，譬如寫一篇敘述性的遊記，自然不能用議論文的體裁；同樣，寫一篇有關財政或經濟的文章，你又何必侈談文學和哲學。所以相題的工作，非常重要。認清題目之後，便應環繞著題目把自己的意思表達出來。蘇東坡說：「文章以立意爲宗」，決沒有意思貧乏或見解平凡，單靠詞藻的舖陳，能把文章寫好的。但光有好的意思，而不知道全盤的布置，合理的安排，上下顛倒，前後壅隔，譬如蓋房子儘管材料結實，設備豪華，但廚房與書房併在一起，或有了樓而沒有樓梯，那又如何算得是一棟良好的建築物。故布局在寫作上也是很重要的一環，不可忽視。至於修辭，就是一篇文章內的造句，要做到字字妥帖，絕無瑕疵，將題中應有之義，表現得具體而正確。劉彥和在文心雕龍裡說：「因字而生句，積句而成章，積章乃成篇。篇之彪炳，章無疵也。章之明靡，句無玷也。句之清英，字不妄也」。古人有「用字如鑄鼎」之說，我以爲這是練習作文的基本工夫，平時應多多致力於此。

關於造句鍊字的重要，我且舉出一個故事來說明。據宋人筆記所載（如夢溪筆談、捫蝨新話等）：汴京東華門外，有奔馬踐死一犬，由五人各紀其事：㈠「馬逸，有黃犬遇蹄而斃」（穆修）。㈡「有犬死奔馬之下」（張景）。㈢「逸馬殺犬於道」（歐陽修）。㈣「適有奔馬踐死一犬」（沈存中）。㈤「馬逸，有犬死於其下」（或人）。同樣一件事，計用五種方式描述，我曾仔細加以比較，覺得還是歐陽修的句子最好。爲什麼？因爲他用的字最少，少到祇有六個字，卻把這件瑣屑的事，寫得清清楚楚，令人一目了然，眞做到了「增之一分則太長、減之一分則太短」的地步。

要之，文字是人類傳達意念的工具，它的功用也就在能表達你的意思和別人能看懂你所表達的意思。孔子說：「辭達而已矣」，辭達二字，看起來很簡單，其實眞能做到辭達的境地，便很了不起，也就可以說是極盡爲文之能事了。

我願更進一步的引些古人作品，來說明一篇好的文章，必須分別具有：

甲、無不析之理

六朝人中有關名理方面的論著，像嵇康聲無哀系論、范縝神滅論等，眞是研精究極，妙契玄微。其餘歷代許多作家論學論政之作，莫不祛疑解惑鞭辟入裡，使眞理愈辨而愈明。即使爲翻案文章，像柳宗元的桐葉封弟辨，王安石的讀孟嘗君傳，也都能振振有辭，自圓其說。

乙、無不明之事

如周禮考工記裡所述古代工匠情形，太史公史記所寫各種人物列傳以及韓愈雜著中的畫記等，將許多人的職掌、性格、形態、神情，都表現在行間字裡，歷歷如繪，栩栩如生，如用章實齋「傳人適如其人、述事適如其事」那兩句話來贊美他，實可當之無愧。

丙、無不達之情

世謂讀武侯出師表而不感動者，其人必不忠；讀李密陳情表而不感動者，其人必不孝。他的道理，即在作者能以眞摯的情感，發爲懇切的篇章，每一句話乃至每一個字，都從肺腑中流出，使百世下讀之，如聞其聲，如見其人，因而發生共鳴的作用。現在，我又要把話題轉到考試方面，希望每位應考人，都能在作文時注意下列各點：

㈠戒抄襲：

黃山谷說：「文章絕忌隨人後。」「隨人後」尚且不可，何況抄襲。清代科場，曾發生過不少「槍手代作」的舞弊案件，貽譏士林，懸爲厲禁。今天如臨場抄襲他人作品，一字不遺，試問與乞靈「槍手」何異！若干年前，也曾偶有這類情事，結果自然是前程自誤，名落孫山。這是一種行險僥倖的心理，投機取巧的行爲，應爲吾人所深戒。

㈡忌貪多：

歐陽永叔曾經說過：「文貴於達而已，繁與省各有當也。」顧亭林在論文章繁簡中，也說明了爲文不當以篇幅長短定其優劣。像蘇子瞻的上神宗皇帝書，王介甫的上仁宗皇帝言事書，均洋洋萬言；而司馬子長的孔子世家贊，韓退之在雜說中對龍和馬的描寫，卻都只寥寥百字，兩者各有所長，俱不失爲上乘之作。但這是就一般文章來講的，若在風簷角勝之時，縱屬倚馬奇才，亦當注意精心結撰，毋使篇幅過冗，漫無剪裁，致增「瑕瑜雜陳」、「泥沙俱下」之累。前清對應試文章的字數，曾有嚴格規定。順治初年，定爲四百五十字；康熙年間，改爲五百五十字，後又增爲六百字。這種死板板的規定，自然未必合理，但爲了防止應試者的遠離題旨，大放厥詞，也實有其不得已的原因在。今天一切情況不同，當然無法採用前清那樣限制作文字數的規定，但一篇論時政或論業務的文章，能寫到一千二百字或一千五百字，也就相當的夠了。

㈢善運用：

試場和戰場一樣，運用之妙，存乎一心。我想臨文之時，諸位不妨自揣：①凡文思敏捷，下筆如流者，可以多多利用「併意」的辦法。所謂「併意」，就是於許多可以發揮的意思中，擷取其中重點加以發揮，而將次要和不要的意思悉予摒除，也就是一般所說的「割愛」。「割愛」很難，一定要懂得執簡馭繁的道理，當機立斷。古人每在行文首段以「擇其犖犖大者言之」或在結尾以「其他各端不具論」等語句，藉資點明，亦是執簡馭繁之一法。②若思路艱澀、筆性遲鈍者，則宜著重反正虛實的運用。換言之，就是針對和環繞著題中主旨，由反面側面說到正面，或由正面推及反面側面。「烘托陪襯」，盡是法門；「取譬引喻」，初無拘限。像韓退之所作的「爭臣論」，以「或問」與「或曰」方式，展開議論，一層轉進一層，源頭既濬，活水方來，自不患其篇幅之不廣了。

㈣愼稱引：

凡引用古書或成語，對書名及作者姓氏，記憶不清，最好用「古人說」或「古人有言」等字樣來代替，千萬不要嚮壁虛造，自作聰明，在上面亂加「子曰」「詩云」，致使張冠字戴，以訛傳訛，成爲一時的笑柄。

㈤具草稿：

爲文先起草稿，實具若干好處：如清稿時，可將草稿中的錯字加以改正，又草稿未臻妥洽的地方，亦可於清稿時作文字上的修飾潤色。現行各種考試所定國文科目，大抵爲論文及公文各一考試時間有的長達三小時，短的也有兩小時。如以三小時計：用一點四十分鐘起論文稿，二十分鐘起公文稿，留下一點鐘作爲謄寫之用，時間綽綽有餘，不會感到窘迫。過去曾親赴試場巡視，看到有些應考人進場纔過一小時，甚至不到一小時，便即匆匆交卷而去。我很覺奇怪，難道他們眞有曹子建。禰正平的本領，能夠七步成章、文不加點嗎？爲什麼不利用這些寶貴時間，多多的構思，好好的寫作，把國文作得更理想一點。

㈥練書法：

一般應考人，對書法多不注意。依試卷字跡所顯示，約可分爲下列五型：①塗鴉型。黑沉沉的一大堆，壓在紙上，幾乎每行都有塗改，殊欠雅觀。②奔馬型。縱橫馳騁，有如天馬行空，不可羈勒。或大或小，或高或低，任意所之，了無規格。③横蟹型。明明試卷上印有方格，他偏要破格横行，突出格外，不受拘束。④浮蟻型。與横蟹型恰恰相反，他寫的字祇占方格的二分之一乃至三分之一，筆劃又特別的細，很不容易看清楚。⑤畫蛇型。此取畫蛇添足之義，除家具寫作傢俱外，對一些習用的字隨便加上一筆，如脅字寫成賫，豫字寫成豫，皆字寫成揩，根本沒有這個字。總而言之，連篇累牘，潦草不堪，大筆一揮，敷衍了事。當然其中並非絕無書法秀美的人，祇是少得直如片羽吉光，鳳毛麟角。這裡所要求的書法，絕不是要做到銀鈎鐵畫，踵美鍾王，祇是希望將試卷寫得乾乾淨淨，整整齊齊，看了令人相當爽目。台灣目前祇有國立師範大學，特重書法課程，其他各院校，未聞注意及此。宋賢程明道，作字時甚敬，人問其故，答以「即此是學」。所謂「即此是學」，也就是代表著一種「敬事」的精神。今天雖是科技萬能時代，但一般行政人員，字如果寫得清秀一點，就個人的修養來說，可以培養藝術氣氛；就公務的處理來說（部分的），可以提高工作效率，那又有什麼不好呢？由於書法過分被忽視，不覺「慨乎言之」，並盼望有關方面能予以及時改進。

這篇文字，實在寫得太瑣碎，太拉雜，但就眞實性來講，卻是我的經驗之談。如果準備應考的人因閱此文而能得到一點點效果，那我就感到收穫已多，歡喜無量了。

錄自《成惕軒先生紀念集》

第三章　最新公文

目　次

第三章　最新公文

第一節　公文之意義

公文，謂處理公務之文書也，古稱官書。《周禮・天官》宰夫：「掌百府之徵令，辨其八職。……六曰史，掌官書以贊治。」又稱文書。《漢書・刑法志》：「文書盈於几閣，典者不能徧睹。」亦稱文牘。《宋史・梅執禮傳》：「句稽財貨，文牘山委。」其類別包括上古之典（法規）、謨（計畫書）、訓（教誡）、誥（布告及公文）、誓（出征時告，軍民書），以及歷代之詔、諭、奏、章、疏、表、檄、移……等，名目繁多，難可詳悉。

公文既為處理公務之文書，依此意義，公文必須具備下列二要件：

一、必須為有關公務之文書　文書本有私文書與公文書之別，文書若僅由私人撰述，既非處理公務之作，亦與公務無關，例如私人之信函、著作，僅得謂之私文書。故公文必其文書與公務有關，此為公文應具備之第一要件。

二、文書之處理者至少須有一方為機關　機關與機關間因處理公務而往返之文書，其文書之處理者，雙方均為機關，故

謂之公文。其機關因處理公務而與人民往返之文書，其文書之發出者或收受者，至少有一方為機關，故亦得稱為公文。此為公文應具備之第二要件。

所謂機關，應包括官署，及非官署性質之機關。（例如民意機關、國營事業機關等。）所謂人民，應包括箇人，及人民之團體。（例如各種職業團體、文化團體、及其他社會團體。）凡官署相互間、官署與團體間往返之文書，自均稱為公文。至於團體相互間團體與人民間往返之文書，是否亦得稱為公文，則須視團體之性質及其在法律上所處之地位，以及其他法令有無特別規定以為斷。

第二節　公文程式之意義

公文程式者，謂公文所應具有之一定程序與格式。就公文之程序言，例如：發表人事任免用「令」，對總統有所呈請用「呈」，各機關處理公務用「函」，以及公文除應分行者外，並得以副本抄送有關機關，均屬於公文之程序範圍。就公文之格式言，例如：機關公文應由機關長官署名蓋章，應蓋用機關印信，並記明年月日時及發文字號，公文得分段敘述冠以數字，以及公文文字應加具標點符號，均屬於公文之格式範圍。綜合公文之程序與格式而言，是為公文程式。

惟《公文程式條例》所規定之公文程式，側重機關對於本機關以外行文之程式，至於各機關內部之公文程式，則屬各機關內部之公文處理問題，其程序及格式，多不畫一，故未嚴格

加以規定。因此本書選錄公文，多就現行《公文程式條例》所規定之種類，舉例示範，以供隅反。至於各機關內部通用之公文，如簽、報告之類，亦略舉一二，俾便初學。

第三節　公文程式之演變

公文之名稱程式，隨時代而演變，其名稱見於蕭統《文選》、姚鼐《古文亂類纂》、李兆洛《駢體文鈔》、曾國藩《經史百家雜鈔》之詔令、奏議、書牘諸類者，不下數十種。惟在專制時代，公文被視為官書，其程式制度，不為一般民眾所通曉。直至民國成立，建立民主政治，遂於民國元年，由南京臨時政府制定一項《公文程式》，頒布施行，是為我國第一次向人民公布之公文程式。此後屢經修訂，至四十一年七月行政院所擬之「公文程式條例修正草案」，經立法院修正通過，總統明令公布後，乃成為最近之《公文程式條例》。四十年來，遵行不替。惟此種舊式公文，用語或流於浮濫，程式或過於陳舊，影響推行政治革新甚大，行政院祕書處乃又於九十六年三月二十一日修正公布公文程式條例，通行至今。茲將民國以來各次公布之公文程式，列一簡表，明其演變，並錄現行《公文程式條例》於後，以便參考。

民國以來公文程式種類演變表

次數	公布日期			名稱	種類
	年	月	日		
一	一	十一	六	令・布告・狀・咨・公函・呈・批	七
二	三	五	二六	(一)令・咨（大總統公文程式） (二)封寄・交片・咨呈・咨・公函（大總統府政事堂公文程式） (三)呈・詳・飭・咨・咨呈・示・批・稟（官署公文程式）	十五
三	五	七	二九	大總統令・國務院令・各部會令・任命狀・委任狀・訓令・指令・布告・咨・咨呈・呈・公函・批	十三
四	十六	八	十三	令・通告・訓令・指令・任命狀・呈・咨・咨呈・公函・批答	十
五	十七	六	十一	令・訓令・指令・布告・任命狀・呈・公函・狀・批	九
六	十七	十一	十五	令・訓令・指令・布告・任命狀・呈・咨・公函・批	九
七	四一	十一	二一	令・咨・函・公告・通知・呈・申請書	七
八	六二	十一	三	令・呈・咨・函・公告・其他公文	六
九	八二	二	三	咨・其他公文	二
十	九六	三	二一	咨	一

附：公文程式條例

中華民國 17 年 11 月 15 日國民政府制定公布全文 6 條
中華民國 41 年 11 月 21 日總統令修正公布全文 10 條
中華民國 61 年 1 月 25 日總統令修正公布全文 14 條
中華民國 62 年 11 月 3 日總統令修正公布第 2、3 條條文
中華民國 82 年 2 月 3 日總統（82）華總（一）義字第 0449 號令修正公布第 2、3 條條文；並增訂第 12-1 條條文
中華民國 93 年 5 月 19 日總統華總一義字第 09300094171 號令修正公布第 7、13、14 條條文；本條例修正條文第 7 條施行日期，由行政院以命令定之
中華民國 93 年 6 月 14 日行政院院臺秘字第 0930086166 號令發布第 7 條定自 94 年 1 月 1 日施行
中華民國 96 年 3 月 21 日總統華總一義字第 09600034571 號令修正公布第 2 條條文

第 1 條　稱公文者，謂處理公務之文書；其程式，除法律別有規定外，依本條例之規定辦理。

第 2 條　公文程式之類別如下：

一、令：公布法律、任免、獎懲官員，總統、軍事機關、部隊發布命令時用之。

二、呈：對總統有所呈請或報告時用之。

三、咨：總統與立法院、監察院公文往復時用之。

四、函：各機關間公文往復，或人民與機關間之申請與答復時用之。

五、公告：各機關對公眾有所宣布時用之。

六、其他公文。

前項各款之公文，必要時得以電報、電報交換、電傳文件、傳真或其他電子文件行之。

第 3 條　機關公文，視其性質，分別依照左列各款，蓋用印信或簽署：

一、蓋用機關印信，並由機關首長署名、蓋職章或蓋簽字章。

二、不蓋用機關印信，僅由機關首長署名，蓋職章或蓋簽字章。

三、僅蓋用機關印信。

機關公文依法應副署者，由副署人副署之。

機關內部單位處理公務，基於授權對外行文時，由該單位主管署名、蓋職章；其效力與蓋用該機關印信之公文同。

機關公文蓋用印信或簽署及授權辦法，除總統府及五院自行訂定外，由各機關依其實際業務自行擬訂，函請上級機關核定之。

機關公文以電報、電報交換、電傳文件或其他電子文件行之者，得不蓋用印信或簽署。

第 4 條　機關首長出缺由代理人代理首長職務時，其機關公文應由首長署名者，由代理人署名。

機關首長因故不能視事，由代理人代行首長職務時，其機關公文，除署首長姓名註明不能視事事由外，應由代行人附署職銜、姓名於後，並加註代行二字。

機關內部單位基於授權行文，得比照前二項之

規定辦理。

第 5 條　人民之申請函，應署名、蓋章，並註明性別、年齡、職業及住址。

第 6 條　公文應記明國曆年、月、日。機關公文，應記明發文字號。

第 7 條　公文得分段敘述，冠以數字，採由左而右之橫行格式。

第 8 條　公文文字應簡淺明確，並加具標點符號。

第 9 條　公文，除應分行者外，並得以副本抄送有關機關或人民；收受副本者，應視副本之內容為適當之處理。

第 10 條　公文之附屬文件為附件，附件在二種以上時，應冠以數字。

第 11 條　公文在二頁以上時，應於騎縫處加蓋章戳。

第 12 條　應保守秘密之公文，其制作、傳遞、保管，均應以密件處理之。

第 12 -1 條　機關公文以電報交換、電傳文件、傳真或其他電子文件行之者，其制作、傳遞、保管、防偽及保密辦法，由行政院統一訂定之。但各機關另有規定者，從其規定。

第 13 條　機關致送人民之公文，除法規另有規定外，依行政程序法有關送達之規定。

第 14 條　本條例自公布日施行。

本條例修正條文第七條施行日期，由行政院以命令定之。

第四節　現行公文之分類

現行公文分類，依〈公文程式條例〉之規定，有令、呈、咨、函、公告、其化公文等六種。依其行文之系統，可分為上行文、平行文、下行文三類。

一、上行文　為下級機關向所屬上級機關及其他高機關所為意思表示之文書。

二、平行文　為同級機關相互對待所為意思表示之文書，以及人民與機關間之申請與答復時所用之文書。

三、下行文　為上級機關對所屬下級機關所為意思表示之文書。

上列每類公文均包括若干性質不同之文書。茲就現行〈公文程式條例〉規定之六種列舉於後，並說明其用途。

一、上行文

呈　呈有呈送奉上之意，故向上司用文書有所陳述謂之呈。依現行〈公文程式條例〉規定，僅限於對總統有所呈請或報告時用之，其使用範圍較前縮小甚多。

函　函原稱公函，現行條例省去「公」字。下級機關對上級機關有所請求或報告時用貸。按函在公文中使用範圍最廣，舊時上行文之呈，平行文之咨，下行文之令，多歸入其領域。

二、平行文

咨　咨文舊為同級機關往來時所用之文書，現行〈公文程式條例〉規定惟總統與立法院、監察院公文往復時用咨，其餘同級機關皆用函。蓋立法監察兩院，皆由民選委員所組成，其院長之產生，亦由互選而不由任命，總統與兩院公文往復時用咨，深為符合民主精神。按咨有咨詢商洽之意，與令文含有強制性與拘束劣者不同，依其性質可分為咨請、咨會、咨查、咨復、咨送五種。

函　同級機關或不相隸屬機關間行文時，以及民眾與機關間之申請與答覆時用之。

三、下行文

令　令之本義為發號施令，故含有強制性。受令機關奉令後即應遵行，不得延宕。依現行條例所規定之用途，共有四種：
公布法律及行政規章。　發表人事任免、調遷、獎懲、考績。
總統發布命令。　軍事機關、部隊發布命令。

函　上級機關對所屬瓜級機關有所指示、交辦、批復時用之。

四、公　告

原稱布告，為對公眾宣布事實或有所勸誡時所用之文書。其用途有四：一為**曉示**，用於官吏就職及行政上有所興革，向民眾公告。二為**宣告**，用於公布國家或地方所發生重要事件之詳情等。三為示禁，即對於妨害國家或社會之事物，出示禁止。四為徵求，凡應行政需要，徵求人力物力，或徵求人民意見等用之。

五、其他公文

書　函　書函舊稱箋函、便函。凡機關或單位間，於公務未決階段，需要磋商、陳述、徵詢意見、協調、通報，或下級機關首長對上級機關首長有所請示、報告時用之。以信紙書寫，僅加條戳即可，其手續較之公函須用印信者大為簡便。

表格化公文　可用表格處理公務之公文。包括　簡便行文表。　開會通知單。　公務電話紀錄。　其他可用表格處理之公文如「移文單」、「退文單」等。

簽　舊稱簽呈，為幕僚對長官或下級機關首長對上級機關首長處理公務時表達意見，以供了解案情，並作提擇之依據。係人對人，而非機關對機關。

通告　亦有稱通報者。凡機關內某一單位將某一事項通告本機關全體同仁週知時用之。

通知　機關內部各單位間有所洽辦或通知時用之。對外行文如內容簡單時亦可用通知，多係對個人而為。

證明書　簡稱證書。為機關學校社團對某一個人有所證明時用之，如職證明書、畢業證書等。

手諭　為長官對屬員有所訓示或傳知時所用之書面，無一定格式。

報告　為應用甚廣之特殊公文，性質與「簽」同，惟「簽」僅限於公務上使用，而「報告」則多用於私務。凡機關、學校、人民團體，僚屬陳述私人偶發事故，請求上級了解，或請代為解決困難，宜以「報告」為之。學校學生對校方有所申請或陳述時，

亦宜用「報告」。

按「簽」「報告」為上行文，「通告」「通知」為平行文，「手諭」為下行文，其餘則一體適用。

六、電級代電

公文用「電」，旨在急速，「代電」原為「快郵代電」之縮寫，次急者用之。民國二十六、七年抗戰期間，羽書旁午，公文多屬急件，故多採用「電」或「代電」。又不相隸屬之機關，以彼此官階懸殊，稱謂不便，亦多以「電」或「代電」代之，以求簡便。依現行〈公文程式條例〉規定，除公告以外之公文，必要時得以電或代電行之，是電或代電之效能，兼及公文中之呈、咨、函、令等。惟「電」因拍發關係，不便分段繕寫，亦不需標點、擡頭、摘由、結束語等。其起首語通常為「某某機關」「某某職銜」，而於機關名稱之上，冠以機關所在地之地名，並或冠以「特急」、「火急」或「限某時某刻到」等字句，以示電文之緊急性及時間性。結尾則署發電機關名稱或發電者職銜姓名。最後則為日期。卲期每以十二地支代月，而以詩韻韻目代日。至於電文措詞，自應力求簡潔，惟簡潔之中，仍宜明顯而不疏漏。

「代電」既為以前公文中「快郵代電」之縮寫，用於次急之公文。其格式本與「電」同，特不用電拍發，而交郵遞寄。近年來各機關用代電時，幾與函、呈等類公文之格式完全相同。

茲將十二地支代月分表、韻目代日表附錄於後，以備參檢。

地支代月分表

地支	子	丑	寅	卯	辰	巳	午	未	申	酉	戌	亥
月分	一月	二月	三月	四月	五月	六月	七月	八月	九月	十月	十一月	十一月

韻目代日表

日期韻目	一日	二日	三日	四日	五日	六日	七日	八日	九日	十日	十一日	十二日	十三日	十四日	十五日	十六日	十七日	十八日	十九日	二十日	廿一日	廿二日	廿三日	廿四日	廿五日	廿六日	廿七日	廿八日	廿九日	三十日
上平聲	東	冬	江	支	微	魚	虞	齊	佳	灰	真	文	元	寒	刪															
下平聲	先	蕭	肴	豪	歌	麻	陽	庚	青	蒸	尤	侵	覃	鹽	咸															
上聲	董	腫	講	紙	尾	語	麌	薺	蟹	賄	軫	吻	阮	旱	潸	銑	篠	巧	皓	哿	馬	養	梗	迥	有	寑	感	儉	豏	
去聲	送	宋	絳	寘	未	御	遇	霽	泰	卦	隊	震	問	願	翰	諫	霰	嘯	效	號	箇	禡	漾	敬	徑	宥	沁	勘	豔	陷
入聲	屋	沃	覺	質	物	月	曷	黠	屑	藥	陌	錫	職	緝	合	葉	洽													
附註	如係三十一日可用「世」字，亦有用「引」字者。																													

【說　明】

一、一至十五日多用上平聲或下平聲韻目代之。

二、十六至三十日多用上聲韻目代之。

第五節　公文之結構

公文施行，有其原因、依據、目的。因之，本正確之立場，合法之程式，用簡明適當之文字以表達之，使構成一篇完整之公文，是謂公文之結構。關於公文之結構，全篇可分為九部門。除公布令、任免令、公告外，其餘各類，大都如此。茲分別說明如次：

一、機關名稱及文別　此為表示發文主體，使人一望而知為某一機關之來文，及來文之類別。機關名稱應寫全銜。

二、年月日及編字號　任何公文，在發文時皆應記明年月日及編列發文字此於現行〈公文程式條例〉中已有明文規定。實則收文時亦應如此。蓋記時之作用，乃為法律上時效之根據。編號之作用，在便於檢查。在收發文雙方，皆有此必要。故公文往覆時，常將來文年月日及字號寫明，一則使己方便於引據，同時亦使對方便於考查也。

三、受文者　此為行文之對象，應寫在發文者之後。亦應書寫全銜。

四、副本收受者　此欄列於受文者之後，係於公文涉及其他有關機關或人民時，以與正本完全相同之副本行之。副本收受者應於公文中標明。

五、本　文　即公文之主體，其結構視需要分為「主旨」、「說明」、「辦法」三段，或僅採用一段、兩段均可。除「主旨」

外，「說明」及「辦法」之段名亦可變通為「經過」、「原因」或「建議」、「擬辦」等名稱。在本文內，應將行文之原因、內容、目的作簡淺明確之敘述。茲說明其要點如次：

主　旨　為全文精要，以說明行文之目的與期望。此段文字敘述，應力求具體扼要。簡單公文，儘量用此一段完成。能用一段完成者，勿硬性分割為二段、三段。

說　明　當案情必須就事實、來源或理由，作較詳細之敘述，不宜於「主旨」內容納時，用本段條列說明。本段標題，因公文內容改用其他名稱更恰當時，可由各機關自行規定。

辦　法　向受文者提出之具體要求無法在「主旨」內簡述時，用本段列舉。本段標題，可因公文內容改用「建議」「請求」「擬辦」等更適當之名稱。

六、附　件　公文如有附件，則應在本文中或附件欄註明，以促使受文者之注意。附件在二種以上時，應冠以數字在本文之後詳載其件數，以便稽考。又附件亦應蓋印。

七、署　名　本文敘述完畢，無論上行文、平行文、下行文均應由發文機關首長簽署，如「部長〇〇〇」、「局長〇〇〇」，以示負責。另依據〈公文程式條例〉第四條之規定，機關首長出缺由代理人代理首長職務時，其應由首長署名之公文由代理人署名，惟須在職銜上加一「代」字。機關首長如因請假、公出、受訓等事故而不能視事，由代理人代行首長職務時，其機關公文除署首長姓名並註明不能視事原因外，應由代行人

附署職銜、姓名於後，並加註「代行」二字。

八、印　信　機關公文蓋用印信及首長簽署，旨在防止偽造、變造，以資信守。惟如每一公文均如此辦理，則不易判明行政責任，亦無法達到分層負責之目的。若一律不用印信或簽署，則又因公文之性質內容不同而未盡妥適，故現行〈公文程式條例〉改採折衷辦法，規定機關公文可視其性質，靈活使用。（請參閱公文程式條例第三條）

九、副　署　副署為依法應副署之人，在公文之首長署名之後，加以副署，以示與首長共同負責之涉及於行政院所屬有關部會時，除總統主署外，應有行政院院長及有關部會首長之副署，否則此一公文即失去其效力。又不需副署之公文，亦不得任意加以副署。

以上九種，為一般公文中所常見，惟「副本收受者」、「附件」、「副署」三種非每一公文所應具，當視實際需要，權宜使用，不可拘泥。

第六節　公文之副本

公文之副本，係對正本而言，即行文於必要時，將公文正本之「拷貝」（copy）分送有關機關或人民。〈公文程式條例〉第九條規定：「公文除應分行者外，並得以副本抄送有關機關或人民。收受副本者，應視副本之內容為適當之處理。」由本條前半段觀之，可知副本之要素為：

一、副本之性質，仍為公文，故須具有公文應具備之程式。

二、副本之內容，必須與公文正本內容完全相同，否則即失去副本之性質。

三、副本之受文者，為正本受文者以外之有關機關。

由本條後半段觀之，可知副本之作用為：

一、加強各級機關間之聯繫　公文以正本發往某機關，同時以副本分送其他有關機關，則收受副本之有關機關，即可了解正本之全部內容，從而加強機關間彼此之聯繫。

二、增進行政效率　副本之內容既與正本完全相同，則行文時以副本分送其他有關機關，如此不但發文者可簡化手續以節省人力與時間，而收受副本者亦可明瞭正本之內容而作適當之處理。

公文以副本分送有關機關或人民，既是現代行政技術上進步之表現，因此在使用副本時即應注意下列五點，方能運用得當，而增加行文之效果。

一、副本既係對正本而言，自然無正本即無副本，至有正本是否有副本，則視正本之內容性質有無抄送其他有關機關或人民之必要而定。

二、副本之效力雖不及正本，但〈公文程式條例〉既有「收受副本者，應視副本之內容為適當之處理之規定，則收受副本者應視其內容本於職權為適當之處理。

三、〈公文程式條例〉規定，副本之行使係以「除應分行者外……」為範圍，則「公文應分行者」，仍應以「正本」行

文，不能草率抄副本，致誤公務。

四、副本既屬公文，自應具備公文之格式，亦須蓋用印信及條戳或職銜章與註明日期、編字號等，與正本之格式、內容完全相同，僅在其右上角標明「副本」字樣，以示與「正本」有別。

五、公文有副本時，應在「副本收受者」欄內註明分送單位之名稱，以免重複轉送。

六、對上級機關為示尊重，以為行使副本為宜。

要之，在行政技術上，苟能明瞭副本之性質，善為使用，則在行政上所收之效果，自必甚鉅，此亦現行公文制度進步之一端也。

第七節　公文之用語

公文有其獨特之功能，亦有其獨具之體裁與格式，而行文系統又有上行、平行、下行之別，故有一最專門術語，在行文上頗稱便利。惟此類術語，因沿用已久，多成爛調，或官腔十足，或模稜兩可，或推卸責任，既不符民主之精神，尤有悖政治革新之需要。行政院因於民國六十二年六月二十二日令頒《行政機關公文處理手冊》，將不合時代精神之公文用語概予刪削，以期簡明確切，提高行政效率。

茲將現行公文用語表列如左，並以行政院所頒布之法律統一用字表，法律統一用語表、數字用法舉例一覽表附焉。

公文用語表

<table>
<tr><th>類　別</th><th>用　　語</th><th>適　用　範　圍</th><th>備　　考</th></tr>
<tr><td rowspan="3">起首語</td><td>查・關於・謹查</td><td>通用。</td><td>儘量少用。</td></tr>
<tr><td>制（訂）定・修正・廢止</td><td>公布法令用。</td><td rowspan="2"></td></tr>
<tr><td>特任・特派・任命・派・茲派・茲聘・僱</td><td>任用人員用。</td></tr>
<tr><td rowspan="10">稱謂語</td><td>鈞</td><td>有隸屬關係之下級機關對上級機關用，如「鈞部」、「鈞府」。</td><td rowspan="9">直接稱謂時用之。
書寫「鈞」、「大」、「貴」、「鈞長」、「鈞座」時，均應空一格示敬。</td></tr>
<tr><td>大</td><td>無隸屬關係之較低級機關對較高級機關用，如「大部」、「大院」。</td></tr>
<tr><td>貴</td><td>有隸屬關係及無隸屬關係之上級機關對下級機關、或無隸屬關係之平行機關、或上級機關首長對下級機關首長、或機關與社團間用之，如「貴會」、「貴社」。</td></tr>
<tr><td>鈞長・鈞座</td><td>屬員對長官、或有隸屬關係之下級機關首長對上級機關首長用。</td></tr>
<tr><td>台端</td><td>機關或首長對屬員、或機關對人民用。</td></tr>
<tr><td>先生・君・女士</td><td>機關對人民用。</td></tr>
<tr><td>本</td><td>機關學校社團或首長自稱，如「本縣」、「本校」、「本廳長」。</td></tr>
<tr><td>職</td><td>屬員對長官、或下級機關首長對上級機關首長自稱時用之。</td></tr>
<tr><td>本人・名字</td><td>人民對機關自稱時用。</td></tr>
<tr><td>該・職稱</td><td>機關全銜如一再提及可稱「該」，對職員則稱「該」或「職稱」。</td><td>間接稱謂時用之。</td></tr>
<tr><td rowspan="3">引述語</td><td>奉</td><td>接獲上級機關或首長公文，於引敘時用。</td><td rowspan="3">「奉」、「准」、「據」等字儘量少用。</td></tr>
<tr><td>准</td><td>接獲平行機關或首長公文，於引敘時用。</td></tr>
<tr><td>據</td><td>接獲下級機關或首長或屬員或人民公文，於引敘時用。</td></tr>
</table>

	奉悉	接獲上級機關或首長公文，於開始引敘完畢時用。	
	敬悉	接獲平行機關或首長公文，於開始引敘完畢時用。	
	已悉	接獲下級機關或首長公文，於開始引敘完畢時用。	
	（來文年月日字號）復………………函	於復文時用。	
	依照、根據………（文機關發文年月日字號及文）…………辦理	於告知辦理之依據時用。	
	（發文年月日字號及文別）……………………	對上級機關發文後續函時用。	
	諒蒙　鈞察		
	（發文年月日字號及文別）……………………諒達・計達	對平行或下級機關發文後續函時用。	
經辦語	遵經・遵即	對上級機關或首長用。	
	業經・經已・均經・迭經・旋經	通用。	
准駁語	應予照准・准予照辦・准予備查	上級機關對下級機關或首長用。	
	未便照准・礙難照准・應毋庸議・應從緩議・應予不准・應予駁回	同上。	
	如擬・可・照准・准如所請・如擬辦理	機關首長對屬員或其所屬機關首長用。	
	敬表同意・同意照辦	對平行機關表示同意時用。	
	不能同意辦理・歉難同意・無法照辦・礙難同意	對平行機關表示不同意時用。	

<table>
<tr><td>除外語</td><td>除…外・除…暨…外</td><td>通用。</td><td>如有副本，可儘量少用。</td></tr>
<tr><td>請示語</td><td>是否可行・是否有當・可否之</td><td>通用。</td><td></td></tr>
<tr><td rowspan="3">期望及目的語</td><td>請　鑒核・請　核示・請　鑒察・請　鑒核備查・請　核備</td><td>對上級機關或首長用。</td><td rowspan="3"></td></tr>
<tr><td>請　查照・請　察照・請　查照辦理・請　查核辦理・請　查照見復・請　查照辦理見復・請　查照轉告・請查照備案・請　查明見復</td><td>對平行機關用。</td></tr>
<tr><td>希　查照・希　查照轉告・希照辦・希辦理見復・希轉行照辦・希切實辦理</td><td>對下級機關用。</td></tr>
<tr><td rowspan="3">抄送語</td><td>抄陳</td><td>對上級機關或首長用。</td><td rowspan="3">有副本或抄件時用之</td></tr>
<tr><td>抄送</td><td>對平行機關、單位或人員用。</td></tr>
<tr><td>抄發</td><td>對下級機關或人員用。</td></tr>
<tr><td rowspan="2">附送語</td><td>附・附送・檢附・檢送</td><td>對平行及下級機關用。</td><td rowspan="2"></td></tr>
<tr><td>附陳・檢陳</td><td>對上級機關用。</td></tr>
<tr><td rowspan="3">結束語</td><td>謹呈</td><td>對總統簽用。</td><td rowspan="3"></td></tr>
<tr><td>謹陳・敬陳・右陳</td><td>於簽末用。</td></tr>
<tr><td>此致・此上</td><td>於便箋用。</td></tr>
</table>

法律統一用字表

用字舉例	統一用字	曾見用字	說明
公布．分布，頒布	布	佈	
徵兵．徵稅、稽徵	徵	征	
部分．身分	分	份	
帳．帳目．帳戶	帳	賬	
韭菜	韭	韮	
礦．礦物．礦藏	礦	鑛	
釐訂．釐定	釐	厘	
使館．領館．圖書館	館	舘	
穀．穀物	穀	谷	
行蹤．失蹤	蹤	踪	
妨礙．障礙．阻礙	礙	碍	
賸餘	賸	剩	
占．占有．獨占	占	佔	
牴觸	牴	抵	
雇員．雇主．雇工	雇	僱	名詞用「雇」。
僱．僱用．聘僱	僱	雇	動詞用「僱」。
贓物	贓	臟	
黏貼	黏	粘	
計畫	畫	劃	名詞用「畫」。
策劃．規劃．擘劃	劃	畫	動詞用「劃」。
蒐集	蒐	搜	
菸葉．菸酒	菸	煙	
儘先．儘量	儘	盡	
麻類．亞麻	麻	蔴	
電表．水表	表	錶	
擦刮	刮	括	
拆除	拆	撤	
磷．硫化磷	磷	燐	
貫徹	徹	澈	
澈底	澈	徹	
祇	祇	只	副詞。
並	並	并	連接詞。

聲請	聲	申	對法院用「聲請」。
申請	申	聲	對行政機關用「申請」。
關於・對於	於	于	
給與	與	予	給與實物。
給予・授予	予	與	給予名位、榮譽等抽象事物。
紀錄	紀	記	名詞用「紀錄」。
記錄	記	紀	動詞用「記錄」。
事蹟・史蹟・遺蹟	蹟	跡	
蹤跡	跡	蹟	
糧食	糧	粮	

法律統一用語表

統一用語	說明
「設」機關	如：「教育部組織法」第五條：「教育部設文化局……」。
「置」人員	如：「司法院組織法」第九條：「司法院置祕書長一人。特任。……」
「第九十八條」	不寫為：「第九八條」
「第一百條」	不寫為：「第一〇〇條」。
「第一百十八條」	不寫為：「第一百「一」十八條」。
「自公布日施行」	不寫為：「自公「佈」「之」日施行」。
「處」五年以下有期徒刑	自由刑之處分，用「處」，不用「科」。
「科」五千元以下罰金（罰鍰）	罰金、罰鍰之處分，用「科」，不用「處」。且不寫為科五千元以下「之」罰金（罰鍰）」。
準用「〇條」之規定	法律條文中，引用本法其化條文時，不寫「「本法」第〇條」，而逕書「第〇條」。又如：「違反第二十條規定者，科五千元以下罰金」。
「第二項」之未遂犯罰之。	法律條文中，引用本條其他各項規正時，不寫「「本條」第〇項」，而逕書「第〇項」。如刑法第三十七條第四項「依第一項宣告褫奪公權者，自裁判確定時發生效力。」
「制定」與「訂定」	法律之創制，用「制定」。行政命令之制作，用「訂定」。
「製定」・「製作」	書、表、證照、冊、據等，公文書之製成用「製定」或「製作」，即用「製」不用「制」。
「一・二・三・四・五・六・七・八・九・十・百・千」	法律條文中之序數不用大寫，即不寫為：「壹・貳・參・肆・伍・陸・柒・捌・玖・拾・佰・仟」。

數字用法舉例一覽表

阿拉伯數字/中文數字	用語類別	用法舉例
阿拉伯數字	代號(碼)、國民身份證統一編號、編號、發文字號	ISBN988-133-005-1、M234567890、附表(件)1、院臺密字第 0930086517 號、臺 79 內字第 095512 號
	序號	第 4 屆第 6 會期、第 1 階段、第 1 優先、第 2 次、第 3 名、第 4 季、第 5 會議室、第 6 次會議紀錄、第 7 組
	日期、時間	民國 93 年 7 月 8 日、93 年度、21 世紀、公元 2000 年、7 時 50 分、挑戰 2008：國家發展重點計畫、520 就職典禮、72 水災、921 大地震、911 恐怖事件、228 事件、38 婦女節、延後 3 週辦理
	電話、傳真	(02)3356-6500
	郵遞區號、門牌號碼	100 台北市中正區忠孝東路 1 段 2 號 3 樓 304 室
	計量單位	150 公分、35 公斤、30 度、2 萬元、5 角、35 立方公尺、7.36 公頃、土地 1.5 筆
	統計數據(如百分比、金額、人數、比數等)	80%、3.59%、6 億 3,944 萬 2,789 元、639,442,789 人、1：3
中文數字	描述性用語	一律、一致性、再一次、一再強調、一流大學、前一年、一分子、三大面向、四大施政主軸、一次補助、一個多元族群的社會、每一位同仁、一支部隊、一套規範、不二法門、三生有幸、新十大建設、國土三法、組織四法、零歲教育、核四廠、第一線上、第二專長、第三部門、公正第三人、第一夫人、三級制政府、國小三年級

中文數字	專有名詞(如地名、書名、人名、店名、頭銜等)	九九峰、三國演義、李四、五南書局、恩史瓦第三世
	慣用語(如星期、比例、概數、約數)	星期一、週一、正月初五、十分之一、三讀、三軍部隊、約三、四天、二三百架次、幾十萬分之一、七千餘人、二百多人
阿拉伯數字	法規條款項目、編章節款目之統計數據	事務管理規則共分 15 編、415 條條文
	法規內容之引敘或摘述	依兒童福利法第 44 條規定：違反第 2 條第 2 項規定者，處新臺幣 1 千元以上 3 萬元以下罰鍰。」
		兒童出生後 10 日內，接生人如未將出生之相關資料通報戶政及衛生主管機關備查，依兒童福利法第 44 條規定，可處 1 千元以上、3 萬元以下罰鍰。
中文數字	法規制訂、修正及廢止案之法制作業公文書(如令、函、法規草案總說明、條文對照表等)	1.行政院令：修正「事務管理規則」第一百十一條條文。 2.行政院函：修正「事務管理手冊」財產管理第五十點、第五十一點、第五十二點，並自中華民國九十三年二月十六日生效………。 3.「○○法」草案總說明：………爰擬具「○○法」草案，計五十一條。 4.關稅法施行細則部份條文修正草案條文對照表之「說明」欄—修正條文第十六條之說明：一、關稅法第十二條第一項計算關稅完稅價格附加比例已減低為百分之五，本條第一項爰予配合修正。

第八節　撰擬公文之基本認識

關於公文之撰擬，在外表上須具備法定之程式，在內容上尤須有具體見，故撰擬公文時，應對下列基本事項有明徹之認識，然後可免撰稿時茫無頭緒，無從下筆之感。茲分述如次：

一、行文之原因　撰擬公文，即所以處理公務，故必洞悉案情，徹底了解公務之真相，然後下筆撰文，始可言之有物，解決問題，始可動合機宜。故行文原因，實為撰擬公文時首應注意之事項。

二、行文之依據　行文之原因既已明瞭，案情既已洞悉，惟處理辦法，必須視國家政策、法律規定、命令指示而定。故必須法令與處理事件之關係，乃能援引法令，為行文之依據，以加強公文之效力。否則，雖明瞭案情，而

違反法令，或與法令規定不符，則行文失所依據，且不免構成違法失職之行為矣。

三、行文之目的　此為行文主旨所在。蓋撰擬公文時，既已洞悉案情，明瞭行文之原因，又已了解法令，得

行文之依據。則行文之目的究何所在，必須在公文中為明確之意思表示，使受文者能有明確之認識，如此始能使公汶發生效力。否則，受文者無法了解被要求之事項，自不能作適當之處理。

四、行文之立場　公文無論為上行、平行或下行，在撰擬時，必須斟酌本機關或本身所處之地位及所有之職權，就事言事，據理說理，不驕不諂，不亢不卑，不越權代庖，亦不推諉卸責，處處不失自己立場，使公文發出後，對上能獲信任採納，對下能收預期效果，此在撰擬公文時首當認清之處。

第九節　公文之作法

公文為辦理公務之文書，必須講求行文發生之效力，故寫作公有，在態度及文字方面，皆有講求之必要，茲分別說明如後：

一、文字應簡淺明確　公文為辦理公共事務之工具，名為辦文，實為辦事，故文字應簡淺明確，以達意為宗。簡者，文句少而意義足，使撰擬、寫印、閱讀可收省時間、節精力之效。淺者，不用奇字、奧義、僻典。明者，不為隱語、誇張、諷刺。皆使受文者易讀易解。確者，斷制謹嚴，義旨堅定，所述時間、空間、數字，皆精確真實，所用詞句皆含義明晰，不涉含糊。公文能做到「簡淺明確」地步，已臻公文至高之境，已收公文至大之效。蓋非老於文案而具真知灼見者不能，所謂易曉而難為，斯為貴耳。

二、態度宜嚴正和平　寫作公文，旨在辦事，故不可苟且敷衍，亦不可意氣用事。不苟且敷衍，斯嚴正矣，不意氣用事，斯和平矣。過去書吏官僚惡習，撰擬公文，以模稜兩可、敷衍

塞責為祕訣，遇有爭執，以頂撞劫持、節外生枝為能事。文移往復，積案如山，辦文愈多，辦事愈少，是非愈爭而愈昧，本題愈辯而愈遠，是為文士之惡習，亦公文之大忌，非徹底革除不可。故寫作公文，必一本嚴正之態度，和平之心氣，然後可綜覈名實，得合理合法之解決。縱有爭執，亦當對事而不對人，常須設身處地。考慮對方觀點，以免淪於偏見武斷。舉凡輕薄詼諧之口吻，侮辱漫罵之詞句，皆宜絕對避免。

三、語氣宜不失身分立場　凡寫作公文，正如寫作書信，必須認清彼此關係，然後語氣乃不致發生錯誤。公務機關有法定之系統，上行、平行、下行各自有適當之語氣，過於倨傲，或偏於卑屈，均非所宜。大體言之，確守法令立場，就事論事，是為基本原則。上行之文，語氣宜謙遜恭謹，報告應真實可信，建議應具體能行，有所請示，應將可供判斷之資料，乃至可供采擇之辦法，儘量提出，不可毫不負責，一任上級憑空裁決，以為將來委卸責任之張本。平行之文，語宜不亢不卑，時時顧及對方之環境立場。下行之文，以長官之身分，有所指示命令，當然應有果斷之決定，但文字上絕不可流露驕傲之語氣，縱或下級辦理事務有失當之處，亦當平心靜氣，予以指正，不可濫用侮辱漫罵之辭語，致失雙方之身分。現行公文程式規定機關對人民公文用「函」，惟辦稿人員，間有沿襲過去批示用語慣例，失於倨傲，尤不合為人民服務之精神。同時，人民對於機關有所陳請，規定用「申請函」，亦有人誤解「官吏為人民公僕」之意，用語誕慢不經，亦屬極大錯誤。總之「官府人民皆

當互相尊重，使公文書中充滿愉快合作之氣氛，斯為銀好公文之表現，亦即良好政治之象徵。

以上數點，皆為寫作公文之重要方法。至於熟諳法令，遵照程式，皆為寫作公文之要件，自無待言。學者能細加體會，多求經驗，其於公文之寫作，自無扞格不通之患矣。

第十節　公文範例

一、令

（一）公布法律

總統　令

發文日期：中華民國 89 年 2 月 3 日
發文字號：華總一字第 8900029730 號

制定九二一震災重建暫行條例

總　　　統　李登輝
行政院院長　蕭萬長

九二一震災重建暫行條例（略）

總統　令

發文日期：中華民國 89 年 11 月 1 日
發文字號：華總一義字第 8900259400 號

茲廢止衛戍條例，公布之。

總　　　統　陳水扁
行政院院長　張俊雄
國防部部長　伍世文

總統　令

發文日期：中華民國 98 年 1 月 23 日
發文字號：華總一義字第 09800019271 號

茲將「特殊境遇婦女家庭扶助條例」名稱修正為「特殊境遇家庭扶助條例」；並修正第一條、第二條、第四條、第五條、第七條至第十條、第十二條、第十二條之一及第十六條條文，公布之。

總　　統　馬英九
行政院院長　劉兆玄
內政部部長　廖了以

第一條　為扶助特殊境遇家庭解決生活困難，給予緊急照顧，協助其自立自強及改善生活環境，特制定本條例。

第二條　本條例所定特殊境遇家庭扶助，包括緊急生活扶助、子女生活津貼、子女教育補助、傷病醫療補助、兒童托育津貼、法律訴訟補助及創業貸款補助。

第四條　本條例所稱特殊境遇家庭，指申請人其家庭總收入按全家人口平均分配，每人每月未超過政府當年公布最低生活費二點五倍及臺灣地區平均每人每月消費支出一點五倍，且家庭財產未超過中央主管機關公告之一定金額，並具有下列情形之一者：
一、六十五歲以下，其配偶死亡，或失蹤經向警察機關報案協尋未獲達六個月以上。
二、因配偶惡意遺棄或受配偶不堪同居之虐待，經判決離婚確定或已完成協議離婚登記。
三、家庭暴力受害。
四、未婚懷孕婦女，懷胎三個月以上至分娩二個月內。
五、因離婚、喪偶、未婚生子獨自扶養十八歲以下子女或獨自扶養十八歲以下父母無力扶養之孫子女，其無工作能力，或雖有工作能力，因遭遇重大傷病或照顧六歲以下子女致不能工作。
六、配偶處一年以上之徒刑或受拘束人身自由之保安處分一年以上，且在執行中。
七、其他經直轄市、縣市政府評估因三個月內生活發生重大變故導致生活、經濟困難者，且其重大變故非因個人責任、債務、非因自願性失業等事由。

申請子女生活津貼、子女教育補助及兒童托育津貼者，前項特殊境遇家庭，應每年申請認定之。

申請人之孫子女領取本條例所定扶助，以符合第一項第五款獨自扶養十八歲以下父母無力扶養之孫子女為限。

第一項第五款所稱父母無力扶養，係指父母均因死亡、非自願失業且未領失業給付、重大傷病、服刑或失蹤等，致無力扶養子女。

第五條　特殊境遇家庭得依第二條所定家庭扶助項目申請，不以單一項目為限。但得依其他法令規定取得生活扶助、給付或安置者，除得補助生活扶助、給付與本條例之差額外，不予重複扶助。

依本條例接受補助者有下列情形之一時，直轄市、縣（市）主管機關應停止其家庭扶助，並得追回其所領取之補助：
一、提供不實資料。
二、隱匿或拒絕提供直轄市、縣（市）主管機關要求之資料。
三、以詐欺或其他不正當方法取得家庭扶助。

第七條　符合第四條第一項第一款至第三款、第五款或第六款規定，並有十五歲以下子女或孫子女者，得申請子女生活津貼。

子女生活津貼之核發標準，每一名子女或孫子女每月補助當年度最低工資之十分之一，每年申請一次。
初次申請子女生活津貼者，得隨時提出。但有延長補助情形者，應於會計年度開始前兩個月提出。
直轄市、縣（市）主管機關對申請延長補助者，應派員訪視其生活情形；其生活已有明顯改善者，應即停止津貼。
申請子女生活津貼，應檢具戶口名簿影本及其他相關證明文件，向戶籍所在地主管機關提出申請，或由鄉（鎮、市、區）公所、社會福利機構轉介申請。

第八條　符合第四條規定，且其子女或孫子女就讀國內公立或立案之私立高級中等以上學校並符合社會救助法第五條之三第一項第一款規定之範圍，得申請教育補助：
一、就讀高中高職減免學雜費百分之六十。
二、就讀大專院校減免學雜費百分之六十。
前項學雜費減免，應於註冊時檢附相關證明文件，經學校審核確認後逕予減免，私立學校由學校逕予減免後，報請主管教育行政機關補助之。

第九條　符合第四條規定，而有下列情形之一，得申請傷病醫療補助：
一、本人及六歲以上未滿十八歲之子女或孫子女參加全民健保，最近三個月內自行負擔醫療費用超過新臺幣五萬元，無力負擔且未獲其他補助或保險給付者。
二、未滿六歲之子女或孫子女，參加全民健保，無力負擔自行負擔之費用者。
傷病醫療補助之標準如下：
一、本人及六歲以上未滿十八歲之子女或孫子女：自行負擔醫療費用超過新臺幣五萬元之部分，最高補助百分之七十，每人每年最高補助新臺幣十二萬元。
二、未滿六歲之子女或孫子女：凡在健保特約之醫療院所接受門診、急診及住院診治者，依全民健康保險法第三十三條及第三十五條之規定應自行負擔之費用，每人每年最高補助新臺幣十二萬元。
申請傷病醫療補助，應於傷病發生後三個月內，檢具相關證明文件、健保卡正、反面影本、診斷證明書及醫療費用收據正本，向戶籍所在地主管機關提出申請；未滿六歲之子女或孫子女傷病醫療補助申請，應向戶籍所在地之鄉（鎮、市、區）公所申請醫療補助證後，逕赴保險人特約之醫療院所就診，並由醫療院所按月造冊向直轄市、縣（市）主管機關申請。

第十條　符合第四條第一項第一款至第三款、第五款及第六款規定，並有未滿六歲之子女或孫子女者，應優先獲准進入公立托教機構；如子女或孫子女進入私立托教機構時，得申請兒童托育津貼每人每月新臺幣一千五百元。
申請兒童托育津貼，應於事實發生後六個月內，檢具相關證明文件，向戶籍所在地主管機關申請。直轄市、縣（市）主管機關對申請延長補助者，應派員訪視其生活情形；其生活已有明顯改善者，應即停止津貼。但已進入公立托教機構者，得繼續接受托育。

第十二條　符合第四條第一項第一款至第三款、第五款及第六款規定，且年滿二十歲者，得申
請創業貸款補助；其申請資格、程序、補助金額、名額及期限等，由中央目的事業主管機關另以辦法定之。

第十二條之一　符合第四條第一項第三款規定，申請子女生活津貼及兒童托育津貼，以依民事保護令取得未成年子女之權利義務行使或有具體事實證明獨自扶養子女者為限。

第十六條　本條例自公布日施行。
本條例九十八年一月十二日修正條文施行日期，由行政院定之。

第二頁　共二頁

（二）緊急令

總統　令

發文日期：中華民國 88 年 9 月 25 日
發文字號：華總一義字第 8800228440 號

查臺灣地區於民國八十八年九月二十一日遭遇前所未有強烈地震，其中臺中縣、南投縣全縣受創甚深，臺北市、臺北縣、苗栗縣、臺中市、彰化縣、雲林縣及其他縣市亦有重大之災區及災戶，民眾生命、身體及財產蒙受重大損失，影響民生至鉅，災害救助、災民安置及災後重建，刻不容緩。爰行政院會議之決議，依中華民國憲法增修條文第二條第三項規定，發布緊急命令如下：

一、中央政府為籌措災區重建之財源，應縮減暫可緩支之經費，對各級政府預算得為必要之變更，調節收支移緩救急，並在新臺幣八百億元限額內發行公債或借款，由行政院依救災、重建計畫統籌支用，並得由中央各機關逕行執行，必要時得先行支付其一部分款項。

　　前項措施不受預算法及公共債務法之限制，但仍應於事後補辦預算。

二、中央銀行得提撥專款，供銀行辦理災民重建家園所需長期低利、無息緊急融資，其融資作業由中央銀行予以規定，並管理之。

三、各級政府機關為災後安置需要，得借用公有非公用財產，其借用期間由借用機關與管理機關議定，不受國有財產法第四十條及地方財產管理規則關於借用期間之限制。

　　各級政府機關管理之公有公用財產，適於供災後安置需要者，應即變更為非公用財產，並依前項規定辦理。

四、政府為安置受災戶，興建臨時住宅並進行災區重建，得簡化行政程序，不受都市計畫法、區域計畫法、環境影響評估法、水土保持法、建築法、土地法及國有財產法有關規定之限制。

第一頁　共二頁

五、中央政府為執行災區交通及公共工程之搶修及重建工作，凡經過都市計畫區、山坡地、森林、河川及國家公園等範圍，得簡化政政程序，不受各該相關法令及環保法令有關規定之限制。

六、災民因本次災害申請補發證照書件或辦理繼承登記，得免繳納各項規費，並由主管機關簡化作業規定。

七、中央政府為迅速執行救災、安置及重建工作，得徵用水權，並得向民間徵用空地、空室、救災器具及車、船、航空器，不受相關法令之限制。

衛生醫療體系人員為救災所需而進用者，不受公務人員任用法之限制。

八、中央政府為維護災區秩序及迅速辦理救災、安置、重建工作，得調派國軍執行。

九、政府為救災、防疫、安置及重建工作之迅速有效執行，得指定災區之特定區域實施管制，必要時並得強制撤離居民。

十、受災戶之役男，得依規定徵服國民兵役。

十一、因本次災害而有妨害救災、囤積居奇、哄抬物價之行為者，處一年以上七年以下有期徒型，得併科新臺幣五百萬元以下罰金。

以詐欺、侵占、竊盜、恐嚇、搶奪、強盜或其他不正當之方法，取得賑災款項、物品或災民之財物者，按刑法或特別刑法之規定，加重其刑至二分之一。

前二項之未遂犯罰之。

十二、本命令施行期間自發布日起至民國八十九年三月二十四日止。此令。

總　　　統　李登輝
行政院院長　蕭萬長

（三）召集令

總統　令

發文日期：中華民國 89 年 4 月 1 日
發文字號：華總一義字第○○○○

茲依據中華民國憲法增修條文第 1 條之規定，第 3 屆國民大會第 5 次會議定於中華民國 89 年 4 月 8 日集會。

總　　　統　李登輝
行政院院長　蕭萬長

（四）人事令

總統　令

發文日期：中華民國 102 年 2 月 18 日

特任江宜樺為行政院院長。

總　　　統　馬英九

總統　令

發文日期：中華民國 97 年 5 月 20 日

特任詹春柏為總統府秘書長，蘇起為國家安全會議秘書長，葉金川為總統府副秘書長，林滿紅為國史館館長，許惠祐為國家安全局局長。
任命李海東為國家安全會議副秘書長。
此令均自中華民國 97 年 5 月 20 日起生效。

總　　　統　馬英九
行政院院長　劉兆玄

（五）授予勳章令

總統　令

中華民國 104 年 9 月 2 3 日
華總二榮字第 10400092380 號

茲授予財團法人博幼社會福利基金會董事長李家同一等景星勳章。
茲授予中央研究院院士林榮耀二等景星勳章。
茲授予國立臺灣師範大學名譽教授林明瑞二等景星勳章。
茲授予國立臺灣藝術大學前校長黃光男二等景星勳章。
茲授予南投縣信義鄉羅娜國小校長馬彼得三等景星勳章。
茲授予國立臺中啟明學校退休教師王明理三等景星勳章。
茲授予臺北市南海實驗幼兒園前園長張衛族三等景星勳章。

總　　統　馬英九
行政院院長　毛治國

（六）褒揚令

總統　令

發文日期：中華民國 104 年 9 月 2 4 日
發文字號：華總二榮字第 10400108620 號

資深藝文作家羅蘭，本名靳佩芬，姿性貞穎，毓秀苕華。少歲 趨庭承訓，受業名師薰沐，書香傳家，鍾愛律呂，卒業河北省立第一女子師範學校，敏求好古，專務惟勤。來臺後，先後出任現中國 廣播公司、警察廣播電臺節目製作兼主持人，扢揚樂音妙理，融匯 文學哲思，口若懸河，詞如瀉水；善言雅韻，沾溉人心。尤以《羅 蘭小語》、《羅蘭散文》、《飄雪的春天》等經典佳作，文風平徹 閑雅，筆觸精微朗暢，涵泳瑤軸，元經秘旨；逸趣橫生，妙絕時人。 其《歲月沉沙三部曲》一書，刻劃大時代變遷個人與歷史意義，為 自傳性文學最佳典範，誠迺臺灣第一代女性作家之翹楚。曾獲頒中 山文藝獎、金鐘獎、教育部社會教育獎、國家文藝獎、世界華文作 家協會暨亞洲華文作家文藝基金會終身成就獎等殊榮，渾俗和光，卓蜚清譽。綜其生平，志道游藝—馳廣播之弘聲，筆墨淵海—成名山之盛業，徽德懿行，林下風範；雅化懋績，奕世流詠。遽聞鶴齡 捐館，震悼曷極，應予明令褒揚，用示政府崇禮芳賢之至意。

總　　統　馬英九
行政院院長　毛治國

總統　令

發文日期：中華民國 89 年 10 月 13 日
發文字號：華總二榮字第 8910023000 號

前總統府資政、行政院院長俞國華，性行廉正，才識宏達，早歲卒業清華大學，嗣奉派美英，專研經濟，以期蔚為國用。歷任中央信託局局長、中國銀行董事長、財政部部長、中央銀行總裁、行政院政務委員、行政院經濟建設委員會主任委員等職，開源節流，奠經濟建設之丕基；鼎新革故，成貨幣金融之偉業。懋績孔昭，群倫共仰。嗣出長行政院，綜理百揆，率行中道，政通人和，八紘向化；尤以推行新制營業稅、解除報禁、戒嚴、黨禁，開放外匯管制及赴大陸探親等要政，硬畫藎籌，勳猷丕著；德業並懋，聲望益隆。晚歲膺聘資政，翊贊中樞，老成謀國，獻替良多。茲聞溘逝，震悼殊深，應予明令褒揚，用示政府崇禮耆賢之至意。

總　　　統　陳水扁
行政院院長　張俊雄

總統　令

發文日期：中華民國 93 年 12 月 24 日
發文字號：華總二榮字第 09310052681 號

蔣故總統經國先生夫人方良女士，志節貞固，蕙質婉約。原籍俄羅斯，自幼困學勉行，襟懷開朗，卒業烏拉重機械廠附設工人技術學校。民國二十四年，與留俄之經國先生結縭，執手砥礪，相互扶持。嗣隨夫婿遄返中土，鄉關萬里，入境隨俗；相夫教子，侍奉翁姑，贏得國人「賢良慈孝」讚譽。雖為第一家庭成員，平居操持勤奮，厲行簡約質樸，鋒芒盡藏，弗涉政治；勞謙愷悌，律己達人。曾創辦私立三軍托兒所，積極照護軍眷遺孤，德澤溥乎赤子，仁愛播於宇內。晚歲遭遇人世至痛，迭攖痼疾所苦，堅忍剛毅，橫逆無畏。中華傳統矩範「溫良恭儉讓」，斯人有之。綜其生平，寧靜澹泊，廉潔恪慎，懿德淑世，朝野同欽。遽聞溘逝，殊深軫悼，應予明令褒揚，以示政府崇念馨德之至意。

總　　　統　陳水扁
行政院院長　游錫堃

總統令

發文日期：中華民國 103 年 10 月 24 日

總統府前國策顧問、中央研究院院士、前行政院文化建設委員會主任委員陳奇祿，溫潤沖簡，詳雅端方。少歲卒業上海聖約翰大學，嗣負笈英國倫敦大學東方非洲學院究習，復獲日本東京大學社會學博士學位，殫見洽聞，洞貫今古。返臺執教國立臺灣大學，啓迪擢秀，澤沾棫樸。潛心原民物質文化調查，悉力部落特色工藝保存，深稽博考，沿波探源，允爲臺灣人類學界泰斗。開啓文藝季系列活動，籌劃民族傳統音樂週；設置國家文藝獎項，草創國立藝術學院；制定「文化藝術獎助條例」，研擬「文化資產保存法」，錦繡胸羅，獨出機杼；意度過人，旨趣深邃，誠迺本土文化建設前驅。公餘秉筆宣勤，豐贍博約，尤以《臺灣風土》、《臺灣文化》、《日月潭邵族調查報告》、《民族與文化》等經典撰述蜚聲。曾獲頒中山文化基金會學術著作獎、國家文藝獎特別貢獻獎、行政院文化獎暨國家文化資產保存獎等殊榮，懋績迭纘，清芬遠挹。綜其生平，窮原住民文化研究之底蘊，闡考古人類學領域之神髓，儒林哲匹，學海津梁；志華日月，作範彝倫。遽聞嵩壽凋零，曷極軫悼，應予明令褒揚，用示政府崇禮邦彥之至意。

總　　　統　馬英九
行政院院長　江宜樺

總統令

發文日期：中華民國 103 年 8 月 12 日
發文字號：華總二榮字第 10300121270 號

高雄市政府消防局副局長林基澤，襟懷軒朗，機敏篤實；少歲投身警消行列，矢志護民報國。卒業中央警官學校，獲特種考試警察人員乙等考試及格，槃才識見，英雋早發。歷任屏東縣警察局消防分隊長、高雄市警察局消防大隊中隊長、組長、勤務指揮中心主任等職，潛心消防專業技能，悉力救災督導重責，敬業弗遷，勞瘁罔辭。嗣任消防局大隊長，幹濟有聲，迭樹嘉績。復晉升主任秘書，精進各項業務，克盡輔佐職責，殫精竭智，措置多所。詎意民國 103 年 7 月 31 日夜間，高雄市驚傳石化氣體外洩事件，無畏爆燃險象環生，親赴現場指揮救災，不幸捨身殉職。匡持協濟，蹈危履險；抱義抒忠，矩範足式，應予明令褒揚，用彰勤藎，而表遺徽。

總　　　統　馬英九
行政院院長　江宜樺

總統令

發文日期：中華民國103年8月12日

文壇耆宿周夢蝶，本名起述，澹泊悲憫，謙抑堅卓。自幼精勤古典文籍，誦習四書五經；爰以紅羊浩劫，顛沛流離，肄業河南開封師範學校，曾任圖書管理員、中小學教師等職。嗣從戎展志，追隨政府播遷來臺；羸疾退役，悉力投身藍星詩社，汲取西洋文學深微，簞食瓢飲，鬻書維生；運思振筆，詞無竭源，蓄積藝文創作能量。尤以《孤獨國》、《還魂草》、《約會》、《十三朵白菊花》、《周夢蝶詩文集》等佳品，賡續中國禪學精蘊，豐厚當代詩作內涵，融匯儒釋範疇，兼擅老莊哲理，佛心慧悟，道崇靈修；霜雪淬礪，才緒雲騫，體現東方無我意度，允爲臺灣文化史頁不朽傳奇。曾獲頒中國文藝協會新詩特別獎、第一屆國家文藝獎文學類獎暨中國詩歌藝術學會第四屆詩歌藝術貢獻獎等殊榮，琦行瑰意，徽音望隆。綜其生平，華國詩文一播宗風於海宇；名山典藏一留聲采於藝苑，清衷雅操，理趣不凡；妙絕化境，來葉垂名。遽聞嵩齡捐館，悼惜殊殷，應予明令褒揚，用示政府崇禮文彥之至意。

總　　　統　馬英九
行政院院長　江宜樺

總統令

發文日期：中華民國103年8月12日

總統府前戰略顧問、海軍陸戰隊中將、內政部警政署前署長孔令晟，博約端毅，奇志瑋質。早歲入庠北京大學，以四郊多壘，蒿目時艱，毅然投筆從戎，卒業中央軍校；嗣遠赴美國三軍工業大學研修，濬瀹沈潛，謙撝淬勵。歷預抗戰、戡亂諸役，尤以豫西鄂北會戰西峽口、陝甘秦嶺追剿、榆林圍城戰、福建東山等戰役，狙擊日軍於強弩之末，遏阻赤共於東南之濱，扼襟控咽，出車殄寇；率部用命，虎旅奏捷。復任總統府侍衛長，援引美國特種警衛制度，精進國家元首維安機制，覃思遠謨，創置多方。銜令接掌內政部警政署兼臺灣省警務處任內，構築現代專業體系，深化警務改革事宜；確立民主法治原則，維護社會人權治安，迴籌轉策，慮周行果；靖匡宣勤，明效大驗。先後出使我派駐柬埔寨王國武官團長，悉力穩定僑界民心，周詳協濟僑胞撤離；洎持節馬來西亞聯邦，推展雙邊實質交流，推升僑團社經地位，計議折衝，揚聲睦誼。綜其生平，請纓黃埔，作衛國干城之前驅；興革警政，成保家護民之壯猷，文德武略，忠藎懋績；勛華鼎銘，奕世遐載。遽聞修齡殂落，軫悼良殷，應予明令褒揚，用示政府崇念耆勳之至意。

總　　　統　馬英九
行政院院長　江宜樺

（六）治喪令

總統　令

發文日期：中華民國○○○年○月○○日
發文字號：○○○○字第○○○○○○○號

考試院院長孫科，乃　國父哲嗣，為革命元勛，器量恢宏，才識遠大。力行三民主義，學術造詣淵深，歷膺重寄，忠藎孔昭。曾三任廣州市市長，兩任行政院院長，兩任立法院院長，其間並任國民政府副主席，嘉猷偉績，宏濟艱難，功在國家，聲馳寰宇。比年受任考試院院長，時際中興，人才為本，藉其名德，以重詮衡。方今匡復大計，正賴老成喪迪，遽聞溘逝，震悼殊深。特派嚴家淦、蔣經國、鄭彥棻、倪文亞、張寶樹敬謹治喪，以示優隆，而昭崇報。

總　　　統　○○○
行政院院長　○○○

總統　令

發文日期：中華民國 90 年 4 月 10 日
發文字號：華總一義字第 9010000580 號

謝前副總統東閔先生畢生為國宣勞，功在國家，不幸病逝。茲特派李元簇、連戰、張俊雄、王金平、翁岳生、許水德、錢復、游錫堃、莊銘耀、張博雅、田弘茂、伍世文等大員，敬謹治喪、並由李元簇主持治喪大員會議。

總　　　統　陳水扁
行政院院長　張俊雄

總統　令

發文日期：中華民國 89 年 10 月 13 日
發文字號：華總二榮字第 8910023000 號

前總統府資政、行政院院長俞國華，性行廉正，才識宏達，早歲卒業清華大學，嗣奉派美英，專研經濟，以期蔚為國用。歷任中央信託局局長、中國銀行董事長、財政部部長、中央銀行總裁、行政院政務委員、行政院經濟建設委員會主任委員等職，開源節流，奠經濟建設之丕基；鼎新革故，成貨幣金融之偉業。懋績孔昭，群倫共仰。嗣出長行政院，綜理百揆，率行中道，政通人和，八紘向化；尤以推行新制營業稅、解除報禁、戒嚴、黨禁，開放外匯管制及赴大陸探親等要政，硬畫藎籌，勳猷丕著；德業並懋，聲望益隆。晚歲膺聘資政，翊贊中樞，老成謀國，獻替良多。茲聞溘逝，震悼殊深，應予明令褒揚，用示政府崇禮耆賢之至意。

總　　　統　陳水扁
行政院院長　張俊雄

總統　令

發文日期：中華民國 93 年 12 月 24 日
發文字號：華總二榮字第 09310052681 號

蔣故總統經國先生夫人方良女士，志節貞固，蕙質婉約。原籍俄羅斯，自幼困學勉行，襟懷開朗，卒業烏拉重機械廠附設工人技術學校。民國二十四年，與留俄之經國先生結縭，執手砥礪，相互扶持。嗣隨夫婿遄返中土，鄉關萬里，入境隨俗；相夫教子，侍奉翁姑，贏得國人「賢良慈孝」讚譽。雖為第一家庭成員，平居操持勤奮，厲行簡約質樸，鋒芒盡藏，弗涉政治；勞謙愷悌，律己達人。曾創辦私立三軍托兒所，積極照護軍眷遺孤，德澤溥乎赤子，仁愛播於宇內。晚歲遭遇人世至痛，迭攖痼疾所苦，堅忍剛毅，橫逆無畏。中華傳統矩範「溫良恭儉讓」，斯人有之。綜其生平，寧靜澹泊，廉潔恪慎，懿德淑世，朝野同欽。遽聞溘逝，殊深軫悼，應予明令褒揚，以示政府崇念馨德之至意。

總　　　統　陳水扁
行政院院長　游錫堃

（七）院部令

行政院
考試院　令

發文日期：中華民國 89 年 10 月 3 日
發文字號：臺八裁人政考字第 200810 號
八九考臺組貳一字第 09025 號

訂定「公務人員週休二日實施辦法」。
　附「公務人員週休二日實施辦法」。

行政院新聞局　令

發文日期：中華民國 88 年 12 月 31 日
發文字號：（八八）怡廣一字第 21458 號

訂定「無線電視節目審查辦法」。
　附「無線電視節目審查辦法」。

局　長　趙　怡

無線電視節目審查辦法

第一條　本辦法依廣播電視法第二十五條規定訂定之。

第二條　經許可進入臺灣原區之大陸地區電視節目，應事先送行政院新聞局（簡稱本局）審查核准，並改用正體字後，始得在臺灣地區無線電視事業經營之電臺播送。

第三條　除新聞外，本局得指定應事先送本局審查核准後，始得播送之電視節目。

第四條　無線電視事業應依電視節目分級處理辦法規定播送電視節目。

第五條　本辦法自發布日施行。

（八）省市令

臺北市政府　令

發文日期：中華民國 89 年 1 月 26 日
發文字號：府法三字第 8900165000 號

訂定「臺北市私立老人福利機構獎助及獎勵辦法」。
　附「臺北市私立老人福利機構獎助及獎勵辦法」。

市　長　馬英九

高雄市政府　令

發行日期：中華民國 90 年 1 月 16 日
發文字號：高市府勞二字第 1627 號

修政「高雄市勞工權益基金補助辦法」第五條。
　附「高雄市勞工權益基金補助辦法」第五條。

高雄市勞工權益基金補助辦法第五條條文

第五條　本基金補助標準如下：

一、律師費：每一審級（同一事由）以委任律師一人為限，律師費不得超過高雄律師公會章程所訂之標準。

　　一工會幹部：補助律師費總金額以新台幣十二萬元為上限。

　　二個案勞工：補助律師費總金額以新台幣四萬五千元為上限。

（九）縣市令

雲林縣政府令

發文日期：中華民國 89 年 9 月 18 日
發文字號：（八九）府行法第 8910000443 號

修正「雲林縣立高級中學組織規程準則」第十三條條文
　附修正「雲林縣立高級中學組織規程準則」第十三條條文

縣　長　張榮味

雲林縣立高級中學組織規程準則第十條修正條文
第十三條　高級中學設會計室或置會計員；其設會計室者，置會計主任一人，得置組員，佐理員若干人，依法辦理歲計、會計事項並兼辦統計事項。

花蓮縣政府令

發文日期：中華民國 89 年 12 月 30 日
發文字號：（八九）府行法字第 130070 號

修正「花蓮縣政府公報發行辦法」第二條條文。
　附「花蓮縣政府公報發行辦法」第二條條文乙份。

縣　長　王慶豐

修正「花蓮縣政府公報發行辦法」第二條條文。
第二條　本府公報每週發行一期（每星期三發行）。全年分春、夏、秋、冬四季共四卷，如遇國定假日則暫停發行。

二、呈

(一) 報告用

行政院　呈

地址：100-58 臺北市中正區忠孝東路 1 段 1 號
聯絡方式：(承辦人、電話、傳真、e-mail)

受文者：總統

速別：最速件
密等及解密條件：
發文日期：中華民國 90 年 1 月 30 日
發文字號：臺(九十)防字第 0000000000 號
附　　件：

主旨：呈報「行政院核四電廠停建報告書」乙份，恭請　鑒核。

說明：

一、依 89 年 12 月 15 日，司法院大法官會議第 520 號釋憲文規定，應向立法院院會，補行報告並備詢程序。

二、本案已函請立法院安排 90 年1月 30 日第三屆第五會期臨時會議提出報告及備詢完畢。

三、謹呈「行政院核四電廠停建報告書」乙份，報請　鑒察。

院長　張　俊　雄　職章

（二）呈請用

行政院　呈

地址：100-58 臺北市中正區忠孝東路 1 段 1 號
聯絡方式：(承辦人、電話、傳真、e-mail)

受文者：總統

發文日期：中華民國 00 年 00 月 00 日
發文字號：台○○教字第 00000000 號
速別：速件
密等及解密條件或保密期限：
附　　件：隨文

主旨：張榮發先生慨捐現款予淡江大學興建船學館、購置教學儀器設備並協助學生實習，擬請賜頒匾額一方，以資褒獎，敬呈　鑒核。

說明：

一、本案係根據內政、教育二部 00 年 0 月 0 日○○臺內民字第 00000 號、台（○○）高字第 00000 號會銜函辦理。

二、張榮發先生於 65 年至 69 年間，先後捐助淡江大學興建五層船學館一棟，購置教學儀器、設備、圖書、實習船及協助學生實習費用等，共計新臺幣玖仟萬元。經內政、教育二部審核合於捐資興學褒獎條例及該條例調整給獎標準之規定，捐資新台幣 1 千萬元以上者給予匾額，以資褒獎。

三、檢呈受獎人履歷表 1 件、捐資興學證件 23 件。

正本：總　統
副本：內政部、教育部、本院第六組

院長　○　○　○　職章

三、咨

（一）咨請用

立法院　咨

地址：100-51 臺北市中正區中山南路 1 號
聯絡方式：（承辦人、電話、傳真、e-mail）

受文者：總統

發文日期：中華民國 89 年 10 月 0 日
發文字號：○○○○字第 00000 號
速別：
密等及解密條件或保密期限：
附　　件：海洋污染防治法乙份

主旨：制定「海洋污染防治法」，咨請公布。

說明：

一、行政院本（89）年 0 月 0 日臺(八九)字第字第 0000 號函請審議。

二、本院 89 年 10 月 0 日第五會期第 000 次會議審議通過。

三、附「海洋污染防治法」乙份。

正　本：總　統
副　本：行政院

院長　王　金　平　職章

（二）咨復用

監察院　咨

地址：100-51 臺北市中正區忠孝東路 1 段 2 號
聯絡方式：（承辦人、電話、傳真、e-mail）

受文者　總統

發文日期：中華民國 87 年 11 月 18 日
發文字號：（八七）院臺人字第 870112921 號
速別：
密等及解密條件或保密期限：
附　　件：如主旨

主旨：檢陳審計部臺灣省臺南縣審計室簡任人員莊榮吉等三人請任名冊、銓敘部審定函影本各一份，咨請　詧照，准予任命。

說明：依據審計部 87 年 11 月 11 日臺審部人字第 872053 號函辦理。

正本：總　統
副本：本院人事室（含請任名冊一份）

院長　王　作　榮　職章

四、函

（一）上行函

甲、報告用

國防部　函

受文者：行政院

發文日期：中華民國 89 年 3 月 24 日
發文字號：（八九）戍成字第 0992 號
速別：
密等及解密條件或保密期限：
附件：檢討改進執行情形表乙份

主旨：呈均院轉監察院函示，陸軍一〇二旅上尉連長黃志強燒車自焚，部隊處理涉有違失案，陸軍總部檢討改善執行情形（如附件），請鑒核！

說明：奉鈞院 89 年 1 月 21 日臺（　）防字第 0096 號函辦理。

部長　唐　飛

國立中央圖書館臺灣分館　函

地址：235-74 臺北縣中和市中安街 85 號
電話（02）2926-6888
聯絡方式：（承辦人、電話、傳真、e-mail）

100-51
臺北市中正區中山南路 1 號
受文者：教育部
發文日期：中華民國 90 年 1 月 12 日
發文字號：（九十）圖總字第 00065 號
速別：
密等及解密條件或保密期限：
附件：
主旨：檢陳本館經管「國有公用財產管理情形檢表」乙份，請　鑒核。
說明：依據　鈞部 89 年12月30 日(八九)總一字第 89170803 號函辦理。
正本：教育部
副本：本館會計室、總務組
館長　林　文　睿

乙、請求

國立中興大學　函

地址：402-27 臺中市南區國光路 250 號
聯絡方式：（承辦人、電話、傳真、e-mail）

100-51
臺北市中正區中山南路 1 號
受文者：教育部
發文日期：中華民國 88 年 2 月 2 日
發文字號：（八八）興學程字第 8820300017 號
速別：最速件
密等及解密條件或保密期限：
附件：隨文
主旨：檢陳本校八十七年度參加教育實習教師支領實習津貼印領清冊（第一期支出憑證，總金額新臺幣參佰陸拾萬元整）一份，敬請　鑒核。
說明：遵照　鈞部 88 年1月16 日臺(八八)師三字第 88004824 號函辦理。
正本：教育部
副本：
校長　李　成　章

（二）平行函

甲、洽辦用

行政院　函

地址：100-58 臺北市中正區忠孝東路1段1號
聯絡方式：(承辦人、電話、傳真、e-mail)

100-51
臺北市中正區中山南路1號

受文者：立法院

發文日期：中華民國90年1月19日
發文字號：臺(九十)經字第00000號
速別：最速件
密等及解密條件或保密期限：
附件：

主旨：八十九年十月二十七日本院第二七〇六次會議，依據主管機關經濟部建議決議停止興建核四電廠，茲擬依立法院職權行使法第十七條第一項規定，向　貴院院會提出報告，請惠予安排議程。

說明：依89年12月15日，司法院大法官會議第5號釋憲文辦理。

院長　張　〇　〇

乙、答覆用

行政院　函

地址：100 臺北市中正區忠孝東路 1 段 1 號
聯絡方式：(承辦人、電話、傳真、e-mail)

受文者：監察院
發文日期：中華民國 89 年 4 月 12 日
發文字號：臺(八九)防字第 10520 號
速別：
密等及解密條件或保密期限：
附件：如說明二

主旨：貴院函，為成功嶺訓練中心一〇二旅上尉連長黃志強，疑因指示部屬郭宏展下士代為接受三千公尺跑步測驗致死，內心自責，於苗栗三義鄉鯉魚潭村燒車自焚案，部隊處理涉有違失。爰依法提案糾正，囑督飭所屬切實檢討改善見復一案。經轉據國防部函報檢討改進執行情形，尚屬實情，復請　查照。

說明：

一、復 貴院 89 年1月4日(八八)院臺國字第 882100451 號函。

二、影附國防部檢討改進執行情形一份。

院長　蕭　萬　長

行政院轉監察院對陸軍成功嶺訓練中心一〇二旅上尉連長黃志強燒車自焚，部隊處理涉有違失，依法糾正案，陸軍檢討改進執行情形：

1．為嚴肅本軍訓練紀律，陸軍總部已針對本案肇生原因、缺失檢討及精進作法，於 88 年 11 月 23 日(八八)佑子字第 2355 號令頒發訓練安全通報第 13 號，通令全軍視同重要命令，列為幹部教育宣教資料，確實宣教院範；另配合主官「親教親考」教育，加強幹部法治教育，建立正確溝通管道，強化幹部任務管制能力及培養道德勇氣，確使各級幹部養成依法行政，以有效杜絕類案發生。

2．本院各項訓練鑑測均有其一定之標準程序與作法，案內鑑測人員未依標準程序執行，致因人為疏失肇生意外憾事，本軍已按「訓練安全懲處標準」，對違失幹部所應負法定責任，分別核予申誡兩次至大過兩次不等之處分，同時配合安全通報要求各級部隊執行測驗時應逐級詳實查核，嚴禁替代情事，以貫徹本軍忠誠軍風。

行政院　函

地址：100 臺北市中正區忠孝東路 1 段 1 號
聯絡方式：(承辦人、電話、傳真、e-mail)

100-51
臺北市中正區忠孝東路 1 段 2 號

受文者：監察院

發文日期：中華民國 89 年 8 月 29 日
發文字號：臺(八九)防字第 25438 號
速別：
密等及解密條件或保密期限：
附件：如文

主旨：貴院函，為國防部空軍總司令部桃園基地指揮部，於八十八年十月三日及同月十一日，連續發現彈藥遭竊案件，係因未能貫徹巡查制度、彈孳庫衛哨配置不當、阻絕與防盜設施不足、值日官擅離職守、軍紀廢弛、各級幹部處事延宕、監督不周、考核不力等諸多缺失，已嚴重影響社會治安與國防安全。爰依法提案糾正，囑督飭所屬切實檢討改善見復一案。經轉據國防部函報辦理情形，尚屬實情，復請　查照。

說明：

一、復　貴院89年5月23日(八九)院臺國字第892100189 號函及89 年 8 月 10 日(八九)院臺國字第 892100326 號函。

二、影附國防部辦理情形一份。

院長　唐　飛

（三）下行函

甲、交辦用

行政院　函

地址：100 臺北市中正區忠孝東路 1 段 1 號
聯絡方式：（承辦人、電話、傳真、e-mail）

110-08
臺北市信義區市府路 1 號

受文者：臺北市政府

發文日期：中華民國 89 年 6 月 3 日
發文字號：臺（八九）人政考字第 010740 號
速別：
密等及解密條件或保密期限：
附件：

主旨：「公務人員政風調查考核處理要點」及「行政院所屬軍公教人員涉及賭博財物處分原則」自中華民國八十九年六月三日起停止適用，請　查照轉知。

說明：依據法務部民國 89 年 5 月 1 日法八九政字第 009321 號函辦理。

院　長　唐　飛請假
副院長　游錫　代行

司法院　函

地址：100 臺北市中正區重慶南路1段124 號
聯絡方式：(承辦人、電話、傳真、e-mail)

受文者：最高法院、行政法院、公務員懲戒委員會、臺灣高等法院、福建高等法院金門分院、福建金門地方法院

發文日期：中華民國 88 年 12 月 18 日
發文字號：(八八) 院臺廳司一字第 32382 號
速別：
密等及解密條件或保密期限：
附件：

主旨：檢送「法官守則」乙份，請　查照。

說明：「法官守則」業經本院於八十八年十二月十八日修正發布

院長　翁　岳　生

附：修正發布法官守則

中華民國八十四年八月二十二日(八四)院臺廳司一字第一六四〇五號函發布
中華民國八十八年十二月十八日(八八)院臺廳司一字第三二三八二號函修正發布

一、法官應保有高尚品格，謹言慎行、廉潔自持，避免不當或易被認為不當的行為。
二、法官應超然公正，依據憲法及法律，獨立審判，不受及不為任何關說或干涉。
三、法官應避免參加政治活動，並不得從事與法官身分不相容的事務或活動。
四、法官應勤慎篤實地執行職務，尊重人民司法上的權利。
五、法官應隨時汲取新知，掌握時代脈動，精進裁判品質。

乙、通報用

行政院公共工程委員會　函

地址：110—10臺北市信義區松仁路3號9樓
聯絡方式：（承辦人、電話、傳真、e-mail）

發文日期：中華民國88年10月28日
發文字號：（八八）工程企字第8817806號
速別：
密等及解密條件或保密期限：
附件：

主旨：檢送「押標金／保證金連帶保證書」、「預付款還款保證連帶保證書」及「廠商資格履約及賠償連帶保證書」格式八十八年十月二十六日修訂版一份，請參考並轉知所屬（轄）機關。

說明：前揭原格式本會前以88年5月26日　工程企字第8807105號函送請參考在案。

主任委員　蔡　兆　陽

押標金／保證金連帶保證書格式（略）

臺北市政府　函

地址：110-08臺北市信義區市府路1號
聯絡方式：（承辦人、電話、傳真、e-mail）

受文者：本府所屬各機關

發文日期：中華民國89年8月7日
發文字號：府法三字第8906943200號
速別：
密等及解密條件或保密期限：
附件：

主旨：行政院函送「行政院國家搜救指揮中心設置及作業規定」，並自八十九年七月二十四日起生效，如附件，請　查照。

說明：依行政院89年7月29日臺八九內字第22719號函辦理。

市　長　馬　英　九　公假
副市長　歐　晉　德　代行

法規委員會
主任委員　陳清秀　決行

臺北市政府　函

地址：110-08 臺北市信義區市府路 1 號
聯絡方式：(承辦人、電話、傳真、e-mail)

受文者：臺北市政府各機關學校

發文日期：中華民國 89 年 8 月 15 日
發文字號：府文化一字第 89069024100 號
速別：
密等及解密條件或保密期限：
附件：

主旨：檢送本府修正之「臺北文化獎頒贈要點」，　查照。

市　　長 馬　英　九　公假
副 市 長 歐　晉　德　代行
文化局局長 龍　應　台　決行

司法院人事處　函

地址：100 臺北市中正區重慶南路1段124 號
聯絡方式：(承辦人、電話、傳真、e-mail)

受文者：臺灣高等法院、金門地方法院等人事室

發文日期：中華民國 88 年 12 月 23 日
發文字號：(八八) 處人三字第 32051 號
速別：
密等及解密條件或保密期限：
附件：

主旨：為請釋於法務部調查局約談階段，是否適用「公務人員因公涉訟輔助辦法」疑義一案，業經公務人員保障暨培訓委員會釋示如附件，請　查照。

說明：依公務人員保障暨培訓委員會 88 年 12 月 8 日公保字第 8811031 號書函辦理。

處長　呂　太　郎

附：公務人員保障暨培訓委員會書函（略）

臺北市政府　函

地址：110-08 臺北市信義區市府路 1 號
聯絡方式：(承辦人、電話、傳真、e-mail)

受文者：臺北市政府各機關學校

發文日期：中華民國 89 年 6 月 12 日
發文字號：府民四字第 8904837300 號
速別：
密等及解密條件或保密期限：
附件：

主旨：公布八十八年五月遷出入本市人口數暨公民數，請 查照。

說明：遷出入本市人口數暨公民數如附件統計表。

副本：臺北市議會、臺北市政府局政局

市　　長 馬　英　九
民政局局長 林　正　修　決行

人口數 項目 月份	遷入人口數	遷入公民數	遷出人口數	遷出公民數
89 年 5 月	10、175	7、063	12、019	8、104

丙、指示用

教育部函

地址：100-51 臺北市中正區中山南路 5 號
聯絡方式：(承辦人、電話、傳真、e-mail)

受文者：如正、副本

發文日期：中華民國 89 年 8 月 5 日
發文字號：臺（八九）人二字第 89081589 號
速別：
密等及解密條件或保密期限：
附件：

主旨：關於公立高級中等以下學校未納入銓敘職員、教師因成績考核誤核，所溢領之薪給、考核獎金及年終工作獎金是否應予追繳一案，希依說明辦理，請　查照。

說明：

一、參酌行政院人事行政局本（89）年 6 月 30 日八九局給字第 007665 號函辦理，並兼復臺中縣政府 88 年 11 月 11 日八八府人二字第 315384 號函。

二、查銓敘部 86 年2月 3 日八六臺甄五字第 1415828 號函釋略以，各機關或受考人因考績誤核案件，倘於公務人員考績法施行細則第 25 條規定期限內辦理復審（更正）者，如復審（更正）後之俸級低於原核定俸級，同意參照公務人員俸給法施行細則第 13 條規定，免予追繳；反之，則應予追繳。惟為顧及當事人經濟負擔能力，應予追繳之溢領金額得分期償還。復查公立學校教職員成績考核辦法第 2 條規定：「教育人員任用條例施行前已遴用學校編制內未納入銓敘之職員，其成績考核準用公務人員考績法及其施行細則規定辦理。但考核年度為學年度。」是以，學校未納入銓敘職員因成績考核誤核，如於公務人員考績法施行細則第 25 條規定期限內辦理更正者，如更正後之薪級低

第一頁，共二頁

於原核定薪級者，同意參照公務人員俸給法施行細則第 13 條規定，免予追繳其溢領之薪給及獎第一金；反之，則應予追繳。

三、至教師成績考核誤核者，以本部 87 年 4 月 27 日臺(八七)人二字第 870117692 號函釋略以，學校教職員成績考核誤核，其溢支之考核獎金及薪給，宜請比照銓敘部 86 年 2 月 3 日八六臺甄五字第 1415828 號函釋辦理。因此，87 年 4 月 27 日以前，教師成績考核誤核案件，如非可歸責於當事人，其溢領之薪給及獎金同意免予追繳；87 年 4 月 27 日以後，教師成績考核誤核案件，應依本部前開函釋辦理。惟如發生於 87 年 7 月 1 日後，原公立學校教職員成績考核辦法第 18 條條文有關復審期限之規定雖經刪除，但依教師申訴評議委員會組織及評議準則第 11 條規定：「申訴之提起應於知悉措施之次日起 30 日內為之；再申訴應於評議書達到之次日起 30 日內以書面為之。」如其經依教師法規定申訴後核定之薪級低於原核定薪級者，亦同意免予追繳。

正本：福建省政府、臺北市政府教育局、高雄市政府教育局、各縣市政府、本部中部辦公室

副本：行政院人事行政局、本部公報室、人事處

部長　曾　志　朗

第二頁，共二頁

臺北市政府　函

地址：110-08 臺北市信義區市府路 1 號
聯絡方式：(承辦人、電話、傳真、e-mail)

受文者：臺北市政府各機關學校

發文日期：中華民國 89 年 6 月 20 日
發文字號：府財四字第 8904101600 號
速別：
密等及解密條件或保密期限：
附件：

主旨：為本市民族國中函請釋示購置硬碟機、記憶體等電腦週邊設備應否依事務管理手冊規定辦理財產增值或列物品帳疑義乙案，茲予統一規定，請查照辦理。

說明：

一、依本府財政局案陳本市立民族國民中學 89 年 3 月 14 日北市族中總字第 785 號函辦理。

二、有關本府各機關學校編列預算，同一時間採購之個人電腦（或工作站）暨其相關週邊設備後，依本府 87 年 4 月 17 日府財四字第 8702123800 號函（刊登市府公報 87 年夏字第 22 期）規定，應統一以「個人電腦」（或工作站）列計財產帳，先予敘明。

三、另有關單獨購置（非同一時間採購）硬碟機、顯示器、記憶體等電腦週邊設備之列帳原則，訂定統一規範如下：

（1）新購硬碟機等電腦週邊設備，每件單價在 1 萬元以上（含 1 萬元）者，單獨列【財產帳】。

（2）新購硬碟機等電腦週邊設備，每件單價在 1 萬元以下者，統一列【物品帳】，並依下列規定辦理：

1．於安裝之個人電腦（或工作站）財產帳之「廠牌型式及規格」欄加註增置之週邊設備『名稱』及『數量』（或應註明『另有增置設備詳見物品帳』），並於安裝標的加貼【物品標籤】，以利識別管理。

2．嗣後安裝之週邊設備如移置他部電腦，除需依前開方式辦理加註及改貼標籤外，應併同刪除原安裝標的財產帳之加註文字。

3．個人電腦（或工作站）已逾最低耐用年限不堪使用需辦理報廢時，該增置之物品設備，應依事務管理規則及事務管理手冊物品管理規定辦理，即：仍可使用者，不論其使用年限是否屆滿，無須辦理報廢，並自原安裝之個人電腦（或工作站）取出移置其他個人電腦（或工作站）或備用；已損壞不堪使用者，由申請人敘明緣由，依規定程序辦理物品報廢及廢品處理。

副本：審計部臺北市審計處，臺北市立民族國民中學、臺北市政府主計處、臺北市政府財政局祕書室、臺北市政府財政局第四科。

市長　馬　英　九

第二頁　共二頁

丁、核後（示）用

行政院　函

地址：100 臺北市中正區忠孝東路 1 段 1 號
聯絡方式：(承辦人、電話、傳真、e-mail)

100-51
臺北市中山南路 1 號

受文者：教育部

發文日期：中華民國 89 年 5 月 25 日
發文字號：臺（八九）內 15103 號
速別：最速件
密等及解密條件或保密期限：
附件：

主旨：所報關於私立學校以取得地方政府讓售其所有土地進行籌設，須變更都市計畫時，得否依都市計畫法第二十七條第一項第四款規定，辦理都市計畫個案變更一案，本院七十六年十一月五日臺七六內字第 25400 號函說明二、1.(1)同意修正為「所有土地均已依法取得所有權或完成合法之買賣契約，或取得經教育部審核通過並依法完成承租公有、公營事業土地或設定地上權之證明文件，或取得公有土地管理機關同意讓售之證明文件。」請查照。

說明：復 89 年 3 月 22 日臺(八九)高三字第 89031080 號函。

正本：教育部
副本：內政部

院　長　唐　飛　請假
副院長　游錫堃　代行

高雄市政府教育局　函

機關地址：高雄市苓雅區四維3 路2 號4 樓
承辦單位：督學室 聯絡人：康雅玲
聯絡電話：3314834

發文日期：中華民國94 年9 月5 日
發文字號：高市教督字第0940030118 號

主　旨：廢止本局88 年3 月15 日高市教督字第06985 號函訂定之「高雄市政府教育局處理各級學校學生家長申訴案件實施要點」，請　查照。

說　明：有關學生權益之維護及救濟等，業經本局94 年7 月25 日以高市府教一字第0940035133 號令公布「高雄市高級中等以下學校學生申訴事件處理辦法」在案，依據該項辦法第6條第3項略以：「如不服本申訴決定，得於申訴評議決定書送達之次日起30日內，
繕具訴願書經由原處分學校向高雄市政府提起訴願」，爰以本局原訂之「高雄市政府教育局處理各級學校學生家長申訴案件實施要點」應予廢止。

正　本：本市公私立各級學校
副　本：本局各科室、督學室

局　長　鄭　進　丁

戊、機關公務與企業、社團函

檔號：
保存年限：

文 化 部　函

地址：新北市新莊區中平路439號南棟
傳真：02) 8995-6425
聯絡人：陳瑩潔
聯絡電話：02-8512-6493
電子信箱：yuan049Gmoc . gov . tw

100
台北市羅斯福路 1 段 72 巷 4 號

受文者：文史哲出版社
發文日期：中華民國 103 年 8 月 4 日
發文字號：文版字第 1033021107 號
速　　別：普通件
密等及解密條件或保密期限：普通

主旨：本部「編輯力出版企畫補助」業於 103 年 7 月 18 日開始受理申請，歡迎踴躍提案申請，請查照。

說明：

一、爲培養臺灣圖書編輯企劃人才，鼓勵多元出版，提升產業能量與品質，本部辦理「編輯力出版企畫補助」，自本(103)年 7 月 18 日起至 8 月 17 日止受理收件。

二、本項補助採網路申請，請至本部獎補助資訊網(網址 https://grants.moc.gov.tw/Web/index.jsp)，詳閱補助作業要點後再作申請。

三、檢附本案補助作業要點供參。

正本：各圖書出版業者
副本：

部 長 龍應台

內政部　函

機關地址：100 臺北市中正區徐州路 5 號
聯 絡 人：林素珍
電　　話：02-23565204
傳　　眞：02-23566226
電子信箱：moi0517@ moi.gov .tw

111-73
臺北市士林區中正路 620 號 3 樓

受文者：台灣出版協會籌備處

發文日期：中華民國 102 年 10 月 30 日
發文字號：台內團字第 1020336376 號
速別：普通件
密等及解密條件或保密期限：
附件：如說明三

主旨：關於函請本部駁回台灣出版協會之申請或令其使用其他名稱一案，於法無據，未便同意辦理，復請查照。

說明：

一、依據台灣出版協會籌備處102年10月24 日台版籌字第102014 號函辦理，兼復貴會102 年10 月21 日（102）圖協發字第 053 號函。

二、按「人民團體在同一組織區域內，除法律另有限制外，得組織二個以上同級同類之團體，但其名稱不得相同」，人民團體法第 7 條定有明文，經查「台灣出版協會」與貴會名稱明顯有別，該會之申請核與上開法令規定相符，且無社會團體許可立案作業規定第 7 點所定不合於程式之情事。

三、檢附台灣出版協會籌備處 102 年 10 月 24 日台版籌字第102014 號函及附件影本各 1 份，請酌參。

正本：中華民國圖書出版事業協會【100 臺北市中正區羅斯福路 1 段 72 巷 1-1 號 1 樓】
副本：立法委員楊瓊瓔國會辦公室（含附件）、台灣出版協會籌備處【111 臺北市士林區中正路 620 號 3 樓】、本部合作及人民團體司籌備處

部長李鴻源

(己)內部範本

檔　　號：
保存年限：

教育部　函

地址：臺北市中山南路 5 號
傳真：02-23976939
聯絡人：黃興彬
聯絡電話：02-23566026 轉1234

受文者：教育部
發文日期：中華民國 93 年 12 月 2 日
發文字號：捷測字第 0939999922 號
速別：最速件
密等及解密條件或保密期限：普通
附件：計畫書乙份（計畫書乙份.TIF，共一個電子檔案）
主旨：檢送 93 年度本部所屬機關學校總務工作研討會計畫書乙份，請查照。
說明：
一、總務工作包括文書、檔案、出納、採購、財產管理、工程營建、環安等事項，業務龐雜，為配合電子資訊化、全球化並提升總務工作效能及服務品質，有必要透過總務人員研討會，以加強總務人員專業服務與管理能力。
二、本研討會預定於 93 年 9 至 11 月間舉辦，預定辦理 3 梯次，每梯次 120 人，預估 1360 人參加，並以二天一夜方式規劃，會議內容包含專題演講、報加事項、提案討論暨綜合座談等項目，並就各機關學校業務進行中所遭遇問題或相關議題進行綜合座談及經驗交流。
三、辦理方式：
依政府採購法擇定受委託辦理之機關、學校或其他單位。
承辦單位應辦事項如下：
1、受委託辦理之單位研擬該年度總務工作研討會計畫，報本部核備。
2、安排會議場地、食宿、交通等事宜。
3、 聯繫各機關學校報名、出席、提供議題、延聘講座、綜合座談等事宜。
4、製作、分發會議相關資料。
整理會議記錄。
製作成果報告。
四、經費概算：詳如計畫書之經費概算表。
五、本次研討會議程：詳如計畫書議程表。
正本：教育部
副本：總務司

五、公告

(一) 刊登報章

財政部臺灣省南區國稅局　公告

發文日期：中華民國 89 年 12 月 22 日
發文字號：南區國稅人字第 89092096 號

主旨：公告換發本局九十年稽查證有關事宜。

依據：各稅捐稽徵機關稽查證發給管理及使用辦法。

公告事項：

一、本局九十年稽查證底色為藍色，外緣及部徽燙金，字體除正面機關全銜及編號為紅色外，餘均為黑色；左下方貼照片並蓋鋼印，書寫持用人職稱、姓名，右方蓋本機關印信，於民國 90 年 1 月 1 日起使用。

二、八十九年舊稽查證同時作廢。

局長　許　虞　哲

中國信託商業銀行　公告

茲將本公司 89 年 12 月份董事，監察人，經理人及百分之十以上大股東持有
股權質權設定公告如下：

股票持有人身份	姓　名	質權設定股數	設　定日　期	質　權　人	設　定　累計　股　數	備註
董事	顏文隆	500,000	89.12.11	彰化商業銀行民生分行	17,000,000	

自由時報 標購感熱傳真紙 公告

一、品 名：感熱傳真紙（規格 216×100 足米，一吋心）。
二、每月用量：每月約 1,000 卷，須分送臺北、臺中、高雄三地。
三、投標資格：領有政府核發之營利事業登記證、公司執照廠商。
四、投標規定：參加投標廠商應於 92 年 2 月 26 日至 3 月 2 日前，將前開證照送本社總務組審查同意後發給相關投標資料。
五、連絡電話：（02）2504-2828 轉 700、702 分機洽詢。

（二）刊登政府公報用：公布事實、各項登記（許可、變更、註銷）

內政部公告

發文日期：中華民國 88 年 12 月 2 日
發文字號：臺（八八）內警字第 8870609 號

主旨：公告臺灣臺北地方法院新店辦公大樓周邊範圍列入集會、遊行禁制區，自公告日起生效。
依據：集會遊行法第六條。
公告事項：
一、臺灣臺北地方法院新店辦公大樓周邊範圍列入集會、遊行禁制區公告表。
二、臺灣臺北地方法院新店辦公大樓周邊範圍列入集會、遊行禁制區公告圖。（從略）

部長 黃 主 文

經濟部　公告

中華民國 94 年 4 月 1 日
經授水字第 09420205870 號

主　　旨：公告修正花蓮溪水系 B3、B4 及 B6 等三區土石「可採區」，採取期限自公告日（即 94 年 4 月 1 日）起計 174 日（即至 94 年 9 月 21 日）為止。

依　　據：河川管理辦法第 41 條。

公告事項：本部 92 年 10 月 28 日經授水字第 09220213341 號公告之花蓮溪水系土石「可採區」，其中 B3、B4 及 B6 等三區採取期限修正至 94 年 9 月 21 日止。

部長　何　美　玥

本案授權水利署決行

財政部　公告

台財關字第09405501080 號

主　旨：公告「海關管理保稅工廠辦法」第22 條修正草案。
依　據：行政程序法第151 條第2 項及第154 條第1 項。
公告事項：

一、修正機關：財政部。

二、修正依據：關稅法第59 條第3 項規定。

三、「海關管理保稅工廠辦法」第22 條修正草案總說明及條文對照表如附件。

四、對公告內容如有意見或建議，請於本公告刊登公報日起10日內陳述意見或洽詢：

(一)承辦單位：財政部關政司。
(二)地址：台北市愛國西路2 號。
(三)電話：(02)23228232。
(四)傳真：(02)23941479。
(五)電子信箱：doca@mail.mof.gov.tw。

部　　長　林　　　全 出國
政務次長　李　瑞　倉 代行

海關管理保稅工廠辦法第二十二條修正草案總說明　略

中央選舉委員會公告

發文日期：中華民國 89 年 1 月 21 日
發文字號：八九中選一字第 8900067 號

主旨：公告第十任總統、副總統選舉連署結果。

依據：

一、總統副總統選舉罷免法第 23 條第 4 項、同法施行細則第 17 條第 2 項。

二、總統副總統選舉連署及查核辦法第九條、第十條。

公告事項　第十任總統副總統選舉連署結果。

代理主任委員　黃　石　城

臺中縣政府　公告

發文日期：中華民國 90 年 1 月 2 日
發文字號：九十府民戶字第 4291 號

主旨：公告臺中縣各鄉（鎮、市）戶政事務所受理人民申請案件項目及期限。

公告事項：「臺中縣各鄉（鎮、市）戶政事務所受理人民申請案件項目及期限表」如附表。（從略）

縣長　廖　永　來

（本案依分層負責規定授權主管局長決行）

中央選舉委員會　公告

發文日期：中華民國 89 年 1 月 21 日
發文字號：八九中選一字第 89000701 號
速別：
密等及解密條件或保密期限：
附件：

主旨：公告全國不分區選出之第三屆國民大會代表遞補當選人名單。

依據：公職人員選舉罷免法第 68 條之 1 第 2 項，同法施行細則第 78 條之 1 第 4 項。

公告事項：

一、全國不分區選出之第三屆國民大會代表遞補當選人名單

政黨名稱	姓　名	性　別	出生年月日
中國國民黨	李　偉	男	28 年 5 月 22 日

二、遞補當選之國民大會代表，其任期至第三屆國民大會代表任期屆滿之日止。

代理主任委員　黃　石　城

行政院衛生署　公告

發文日期：中華民國 89 年 7 月 14 日
發文字號：衛署健保字第 89040093 號
速別：
密等及解密條件或保密期限：
附件：

主旨：公告大陸地區人民以團聚事由申請進入臺灣地區，經內政部警政署入出境管理局許可發給之中華民國臺灣地區旅行證，為全民健康保險法施行細則第十六條所稱「經本保險主管機關認定得在臺灣地區長期居留之證明文件」。

依據：全民健康保險法施行細則第 16 條暨大陸地區人民進入臺灣地區許可辦法第 18 條。

署長　李　明　亮

臺灣省政府　公告

發文日期：中華民國 88 年 5 月 21 日
發文字號：八八府交三字 146420 號
速別：
密等及解密條件或保密期限：
附件：

主旨：公告淡水港自即日起更名為「臺北港」。

依據：

一、商港法第四條第二項

二、淡水港公告指定為國內商港前經本府以 71 年 4 月 23 日七一府交三字第 30537 號函核定在案，現公告淡水港更名為臺北港經交通部 88 年 4 月 6 日交航八八字第 019821 號函轉行政院 88 年 3 月 16 日臺八六交 09926 號函備案。

主席　趙　守　博

福建省金門縣政府公告

發文日期：中華民國 89 年 10 月 2 日
發文字號：（八九）府工字第 8941724 號
速別：
密等及解密條件或保密期限：
附件：

主旨：公告嘉豐營造（股份）有限公司停止營業。

依據：營造業管理規則第 20 條。

公告事項：

廠商名稱	登記證		負責人	營業地址	備註
	等	號			
嘉豐營造有限公司	丙D	E00045之 000	陳克盈	金門縣金湖鎮武德新莊 42 號 1 樓	89 年 8 月 25 日專任工程人員離，逾期未補聘

正本：福建省政府公報、本府公告欄
副本：內政部營建署、內政部中部辦公室、經濟部商業司、福建省政府、臺北市政府工務局、高雄市政府工務局、連江縣政府、臺灣區營造工程工業同業公會、臺灣區營造工程工業同業公會金門辦事處、甲種發行、本府建設局（工商課）、工務局。

縣長　陳　水　在

臺北市政府工務局　公告

發文日期：中華民國 89 年 6 月 26 日
發文字號：北市工建字第 8931564101 號
速別：
密等及解密條件或保密期限：
附件：

主旨：公告華祖悅營造有限公司丙等營造業設立登記。

依據：營造業管理規則第七條（及該公司 89 年 6 月 16 日申請函）。

公告事項：

廠商名稱	登記證		負責人	工地 主任	營業地址	備註
	等	號				
華祖稅營造有限公司	丙B	B01113-000	華祖稅	邵仕強	臺北市大安區安和路 1 段 112 巷 21 號	資本總額：參佰萬元整

局　　　　長　李　鴻　基
建築管理處處長　劉　哲　雄　決行

臺北市政府建設局　公告

發文日期：中華民國 89 年 6 月 20 日
發文字號：北市建一字第 89401523 號
速別：
密等及解密條件或保密期限：
附件：

主旨：核准債務人立雄彩色印刷股份有限公司、抵押權人臺灣歐力士股份有限公司等共同申請動產擔保交易登記。

依據：動產擔保交易法第 8 條暨其施行細則第 19 條、第 21 條。

公告事項：

一、登記事項：「動產抵押」之登記。
二、擔保債權金額：新臺幣陸佰參拾參萬壹仟伍佰元整。
三、標的物所在地：臺北市通河東街 1 段 167 巷 29 號。
四、登記字號：北市建一動字第 3188 號。
五、如有錯誤或遺漏時申請登記人應於公告日起 30 天內申請更正，逾期不受理。

局　　長 黃　榮　峰

本案依分層負責規定授權業務主管決行

（三）張貼公告欄用

行政院勞工委員會　公告

發文日期：中華民國 89 年 6 月 21 日
發文字號：臺八十九營檢四字第 0025386 號

主旨：茲指定「營造工作場所有因環境、設備、措施等，引致勞工有墜落、感電、崩塌等立即發生危險之虞者」，為勞動檢查法第二十八條之「勞工有立即發生危險之虞」。

依據：「勞動檢查法施行細則」第 32 條第 4 款規定。

正本：本會公告欄
副本：本會勞工檢查處

主任委員　陳　菊

行政院環境保護署　公告

發文日期：中華民國89年7月7日
發文字號：(八九)環署廢字第0037901號
附件：「廢機動車輛粉碎分類廠申請為資源化工廠之補貼規範

主旨：公告「廢機動車輛粉碎分類廠申請為資源化工廠之補貼規範」(如附件)。

署長　林　俊　義

廢機動車輛粉碎分類廠申請為資源化工廠補貼規範（略）

臺北市政府教育局　公示送達

發文日期：中華民國89年6月12日
發文字號：北市教六字第8923791400號

應受送達人：財團法人中華演藝之家基金會附設影劇歌唱短期補習班。

主旨：公示送達本局八十九年四月二十一日北市教六字第8922503800號函至貴班，請　查照。

說明：

一、貴班未招生逾3個月且核准立案班址已停止辦理補習班業務，違反「補習及進修教育法」，前經本局函請於收支後一週內來函說明，否則逕依規定撤銷立案處分。

二、上開函經本局依貴班立案班址（台北市大安區仁愛路3段53號）郵寄，因遷移新址不明，無法送達。依公文程式條例第13條規定準用民事訴訟法第149條第三項及第151條之規定公示送達。

三、上開函正本存本局第六科，貴班設立人得隨時前往領取。

局長　李　錫　津

（四）公告（公示）送達用（刊登報章、政府公報、張貼公告欄）

內 政 部　公告

發文日期：中華民國 94 年 9 月 16 日
發文字號：台內社字第 0940062392 號
主　　旨：預告修正「人民團體選舉罷免辦法」部分條文、「社會團體財務處理辦法」部分條文、「督導各級人民團體實施辦法」部分條文、「社會團體工作人員管理辦法」。
依　　據：行政程序法第 151 條第 2 項及第 154 條第 1 項。
公告事項：
一、主管機關：內政部。
二、修正依據：為落實行政院院長對人民團體管理應朝「積極開放、落實自治」之指示，因應社會快速變遷所衍生不合時宜或窒礙難行之規定，爰參考各級人民團體主管機關所提修正意見，並衡酌當前人民團體運作之實際狀況，予以詳加檢討。
三、修正草案條文（如附件）。本相關草案另詳載於本部社會司網站（網址為 http://www.moi.gov.tw/dsa/index.asp）「最新消息」公告事項。
四、對公告內容如有意見或疑問，請於本公告刊登行政院公報之日期起 7 日內陳述意見或洽詢：
(一)承辦單位：內政部社會司。
(二)地址：台北市中正區徐州路 5 號。
(三)電話：(02)23565198。
(四)傳真：(02)23566226。
(五)電子信箱：moi0772@moi.gov.tw。

部　　長　蘇嘉全

人民團體選舉罷免辦法部分條文修正草案總說明

人民團體選舉罷免辦法（以下簡稱本辦法）為各級人民團體辦理選舉罷免所依循之準據，本辦法於民國五十七年八月十六日公布試行後，歷經五十九年十一月十六日、七十九年六月二十九日、八十一年七月三十一日及八十五年二月十四日修正發布。茲為落實院長對人民團體管理，應朝「積極開放、落實自治」之指示，並因應社會組織結構快速變遷所衍生不合時宜或窒礙難行之規定，爰參考各級人民團體主管機關所提修正意見，並衡酌當前人民團體選

舉實際狀況，予以詳加檢討，將有疑義部 分，予以作文字修正、調整或數據化，使之明確，爰擬具本修正草案，計修正九條，其修正要點如次：

一、人民團體之選舉或罷免係屬內國事務，並無於國外或大陸地區辦理之必要，且將加重團體經費之負擔，爰予明文禁止。（修正條文第三條）

二、人民團體之選舉，經出席會議人數三分之一以上之同意，「得」採用無記名限制連記法，修正為「應」採用無記名限制連記法，以強化其條件符合之絕對性。另有關無記名限制連記法之額數，修正降低為五分之二以內，以取得衡平。（修正條文第 4 條）

三、 有關人民團體選舉票、罷免票，原規定由各該團體自行印製，配合同辦法第七條規定，修正為「由各該團體依前條規定之格式自行印製」。另人民團體之選舉票或罷 免票無法依式製作時，增訂應提經會員（會員代表）大會決議，由會議主席協同監票員一人簽章，以為替代。（修正條文第 8 條）

四、為落實視障者之權益，特增訂選舉票或罷免票得採盲胞投票輔助器輔助之。（修正條文第十五條）

五、為便於人民團體在大會後召開理事、監事會會議，以節省往返時間，增列第三項為，經當選之全體理事、監事同意在大會當日召開理事、監事會議且全數出席者，不受前項但書規定之限制。（修正條文第 20 條）

六、人民團體理事長出缺所餘任期不足章程所定任期六個月者，增列但書規定得依章程規定或由常務理事中互推一人代理，以防因所餘任期不長，如經補選仍以一任計算，恐無人願意參選。（修正條文第 27 條）

七、 人民團體之選舉或罷免，如經提出清查人數動議，原規定應「即」清查在場人數，依會務運作實況，並利會議之召開，將應即清查在場人數之「即」字刪除；並配合 督導各級人民團體實施辦法第八條規定，增列第二項規定於提清查人數之動議後，原動議人得於清查結果宣布前收回之，使動議較富彈性，並增進會員之和諧。（修 正條文第 31 條）

八、配合督導各級人民團體實施辦法第 18 條、第 19 條規定，人民團體理事、監事任期屆滿未完成改選者，賦予主管機關得限期整理權限，以符實際需求，並齊一法令規範。（修正條文第 33 條）

九、增列但書規定國際性社會團體章程另有規定並報經主管機關核准者，其理監事任期之計算從其規定，以配合國際總會章程之規定。（修正條文第 45 條）

人民團體選舉罷免辦法部分條文修正草案條文對照表

修正條文	現行條文	說明
第三條　人民團體之選舉或罷免除第三十五條及第四十條規定外，應以集會方式辦理。 人民團體之選舉或罷免，不得於國外及大陸地區辦理。	第三條　人民團體之選舉或罷免除第三十五條及第四十條規定外，應以集會方式辦理。_	人民團體之選舉或罷免係屬內國事務，當無於國外辦理之必要，且勢必增加團體經費之負擔，而主管機關復有無法派員列席之情形，爰增訂第三項明文禁止。
第四條　人民團體之選舉，其應選出名額為一名時，採用無記名單記法；二名以上時，採用無記名連記法。但以集會方式選舉者，經出席會議人數三分之一以上之同意，應採用無記名限制連記法。 前項無記名限制連記法，其限制連記額數為應選出名額之五分之二以內，並不得再作限制名額之主張。	第四條　人民團體之選舉，其應選出名額為一名時，採用無記名單記法；二名以上時，採用無記名連記法。但以集會方式選舉者，經出席會議人數三分之一以上之同意，得採用無記名限制連記法。 前項無記名限制連記法，其限制連記額數為應選出名額之二分之一以內，並不得再作限制名額之主張。	一、將經出席人數三分之一以上之同意，得採用無記名限制連記法，修訂為經出席人數三分之一以上之同意應採用無記名限制連記法，以強化其條件符合之絕對性，並避免爭議。 二、本條有關限制連記法之規定，旨在保障少數會員，藉由限制連記法之主張，而當選理監事，參與團體運作，立意良善；惟實務上常見僅以三分之一之少數，主張限制 連記，因配票得宜，即得獲取近半數理監事席次，反形成少數凌駕多數，而失立法美意，爰將限制連記額數由二分之一降低為五分之二，以取得衡平。
第八條　人民團體之選舉票或罷免票，應由各該團體依前條規定之格式自行印製，並蓋用各該團體圖記及由監事會推派之監事或由監事會召集人（常務監事）簽章後，始生效力。許可設立中之團體	第八條　人民團體之選舉票或罷免票，應由各該團體自行印製，並蓋用各該團體圖記及由監事會推派之監事或由監事會召集人（常務監事）簽章後，始生效力。許可設立中之團體蓋用籌備會戳記及由	一、原規定，將人民團體之選舉或罷免票，應由各該團體自行印製，修訂為應由各該團體依前條規定之格式自行印製，俾與第七條規定選舉票或罷免票之格式相符合。 二、按人民團體之選舉票或罷免票應蓋用

蓋用籌備會戳記及由召集人簽章。 人民團體之選舉票或罷免票，無法依前項規定辦理時，應提經會員（會員代表）大會決議，由會議主席及監票員一人共同簽章。	召集人簽章。	團體圖記或監事（常務監事）簽章始生效力，其規定意旨，應在昭顯選票公信力，以杜流弊。惟實務上不乏理事長拒用圖記或監 事不為簽章，以為抵制；此際，似可提經會員（會員代表）大會決議，由會議主席協同監票員一人簽章，以為替代，俾順利完成選務，爰增訂第二項。
第十五條　人民團體之選舉或罷免，各選舉人罷免人應憑出席證或或委託出席證親自領取選舉或罷免票一張。選舉人或罷免人應親自在指定之場所圈寫選舉或罷免票，並親自投入票匭。 選舉人或罷免人因不識字或身體障礙致無法圈寫時，得請求監票員或會議所推定之代書人，依該選舉人或罷免人之意旨，代為圈寫。 前項選舉人或罷免人為視障者，其選舉票或罷免票得採盲胞投票輔助器輔助之。	第十五條　人民團體之選舉或罷免，各選舉人或罷免人應憑出席證或委託出席證親自領取選舉或罷免票一張。選舉人或罷免人應親自在指定之場所圈寫選舉或罷免票，並親自投入票匭。 選舉人或罷免人因不識字或身體殘障致無法圈寫時，得請求監票員或會議所推定之代書人，依該選舉人或罷免人之意旨，代為圈寫。	一、第二項「身體殘障」修正為「身體障礙」俾符合身心障礙者保護法用語。 二、為落實視障者之權益，選舉票或罷免票得採盲胞投票輔助器輔助之，爰增列第三項。
第 二十條　人民團體之理事、監事選出後，應於大會閉會之第七日起至十五日內分別召開理事會、監事會，由原任理事長、監事會召集人（常務監事）召集之，許可設 立中之團體由籌備會召集人召集，如逾期不為召集時，由得票最多數之理事、監事或由主管機關指定理事、監事召集之。無法於前述時間內召開，得報請主管機關	第二十條　人 民團體之理事、監事選出後，應於大會閉會之第七日起至十五日內分別召開理事會、監事會，由原任理事長、監事會召集人（常務監事）召集之，許可設立中之團體由籌備會召集人召集，如逾期不為召集時，由得票最多數之理事、監事或由主管機關指定理事、監事召集之。無法於前述時間內召開，得報請主管機關	為尊重全體當選人之意見，增列第三項便於全體當選人在大會當日召開理事、監事會會議，以節省往返時間。

核 准延長之。 理事會、監事會會議於大會當日召開者，應於召開會員（會員代表）大會時一併通知。但依法令或章程規定，理事、監事之當選不限於出席之會員（會員代表），不得於大會當日召開理事會、監事會會議。 經當選之全體理事、監事同意在大會當日召開理事、監事會會議，且全數出席者，不受前項但書規定之限制。	核准延長之。 理事會、監事會會議於大會當日召開者，應於召開會員（會員代表）大會時一併通知。但依法令或章程規定，理事、監事之當選不限於出席之會員（會員代表），不得於大會當日召開理事會、監事會會議。	
第二十七條　人民團體理事、監事出缺時，應以候補理事、候補監事依次遞補，經遞補後，如理事、監事人數未達章程所定名額三分之二時，應補選足額。人民團體之理事長、常務理事或監事會召集人（常務監事）出缺，應自出缺之日起一個月內補選之；但理事長出缺所餘任期不足六個月者，得自出缺之日起一個月內，依章程規定或由常務理事互推一人代理之，其不設常務理事者，由理事互推一人代理之。	第二十七條　人民團體理事、監事出缺時，應以候補理事、候補監事依次遞補，經遞補後，如理事、監事人數未達章程所定名額三分之二時，應補選足額。人民團體之理事長、常務理事或監事會召集人（常務監事）出缺，應自出缺之日起一個月內補選之。	理事長既經補選仍以一屆計算，為恐該居所餘任期不長，無人願意參選，及為配合人民團體選務運作現況，爰予增訂但書之規定。
第三十一條　人民團體之選舉或罷免，在開始前，出席人如未提出清查在場人數之動議，其選舉或罷免應隨該會議之合法而有效；如提出此項動議，應清查在場人數，須足法定出席人	第三十一條　人民團體之選舉或罷免，在開始前，出席人如未提出清查在場人數之動議，其選舉或罷免應隨該會議之合法而有效；如提出此項動議，應即清查在場人數，須足法定出	一、配合會務運作實況，刪除應即清查在場人數之「即」字，以利會議之正常召開。 二、本條增列第二項，規定原動議人在清查結果宣佈前得收回清查人數之動議，使動議較富彈性，並可增進會員

數時，方可開始選舉或罷免。 前項動議不需附議，但原動議人得於清查結果宣布前收回之。	席人數時，方可開始選舉或罷免。	之和諧與會務之發展。 三、配合督導各級人民團體實施辦法第八條規定，作修正。
第三十三條　人民團體之理事、監事應於任期屆滿前一個月內辦理改選，如確有困難時，得申請主管機關核准延長，其期限以不超過三個月為限，屆期仍未完成改選者，得由主管機關限期整理。	第三十三條　人民團體之理事、監事應於任期屆滿前一個月內辦理改選，如確有困難時，得申請主管機關核准延長，其期限以不超過三個月為限，屆期仍未完成改選者，由主管機關限期整理。	配合督導各級人民團體實施辦法第十八條、第十九條規定，人民團體理事、監事任期居滿未完成改選者，賦予主管機關得限期整理權限，以符實際需求，並齊一法令規範。
第四十五條　人民團體理事、監事之任期應自召開本居第一次理事會之日起計算；但國際性社會團體章程另有規定並報經主管機關核准者，從其規定。	第四十五條　人民團體理事、監事之任期應自召開本居第一次理事會之日起計算。	國際性團體，因應國外總會章程之規定，通常於本居理監事任期內，即提前辦理改選，俾提報總會下居理監事名單，因此，增列但書規定之。

研提單位：社會司　　　　　　　　　承辦人：張勝堯
聯絡電話：049-2391-406

經濟部 公告

發文日期：中華民國 89 年 11 月 7 日
發文字號：經（八九）商字第 89222997 號
附件：

主旨：美商緯經石油資源股份有限公司前經本部八十九年十月二十五日經　商字第 89222124 號函撤銷該公司認許，惟因無從送達，爰以公告代替送達。

依據：公司法第二十八條之一。

公告事項：本部 89 年 10 月 25 日經（八九）商字第 89222124 號函。

部長　林　信　義

臺北市政府建設局　公告

發文日期：中華民國 89 年 6 月 20 日
發文字號：北市建一字第 89401523 號
速別：
密等及解密條件或保密期限：
附件：

主旨：核准債務人立雄彩色印刷股份有限公司、抵押權人臺灣歐力士股份有限公司等共同申請動產擔保交易登記。
依據：動產擔保交易法第 8 條暨其施行細則第 19 條、第 21 條。
公告事項：
一、登記事項：「動產抵押」之登記。
二、擔保債權金額：新臺幣陸佰參拾參萬壹仟伍佰元整。
三、標的物所在地：臺北市通河東街 1 段 167 巷 29 號。
四、登記字號：北市建一動字第 3188 號。
五、如有錯誤或遺漏時申請登記人應於公告日起 30 天內申請更正，逾期不受理。

局　　長　黃　榮　峰
本案依分層負責規定授權業務主管決行

行政院環境保護署　公告

發文日期：中華民國89年7月7日
發文字號：(八九)環署廢字第0037901號
附件：「廢機動車輛粉碎分類廠申請為資源化工廠之補貼規範

主旨：公告「廢機動車輛粉碎分類廠申請為資源化工廠之補貼規範」(如附件)。

署長　林　俊　義

廢機動車輛粉碎分類廠申請為資源化工廠補貼規範（略）

公　告

本局於2月28日放假乙天
東門郵局

(五) 通　告

通　告

敬啟者，本會於民國90年1月份起，卡拉歌唱活動，定訂每月（第三星期一）
公休乙天，特此週知

忠義早晨會敬啟

通　報

一、本館八十九年歲末餐會活動事宜
時間：民國90年1月15日（週五）中午12時
地點：本館四樓中正廳
活動內容：聚餐、摸彩、卡拉OK

二、敬請準時參加

人事室啟民國90年1月11日

(六)電子公告

[招標機關]南投縣政府
[標的名稱]德興國小九二一震災校園整修工程

[機關地址]南投縣南投市南崗一路300號
[案號]89121102
[招標方式]第一次公開招標未達查核金額：不少於14日（本法第28條）
[等標期]14天
[採購金額級距]公告金額以上未達查核金額
[適用條約]否
[開標日期]89年12月27日09時00分
[領標及投標期限]即日起至89年12月27日09時00分
[開標地點]南投縣政府開標室
[採行協商]否[投標文字]中文
[履約期限]90年5月31日
[履約地點]南投縣
[聯絡人（或單位）]陳錦政
[電話]049-200545
〈其他內容〉
[廠商資格摘要]：土木包工業級以上營造廠商。
[工程地點]南投市。
[押標金額度]：新台幣壹拾萬元整。
[購領招標文件及地點]：檢附。1．招標文件費及購圖費新台幣捌佰元受款人為南投縣政府之郵政匯票。（得標與否均不退還）2．書明招標工程名稱。3．回件信封寫明收件人姓名、地址。4．回郵郵票貳佰元一併以限時掛號自本公告次日起至十二月廿七日上午九時以前（請廠商自行估計時間）郵寄本府出納課。5．派員前來領取者除免附3項及回郵外，領標時間至開標日上午九時止6．領取地點：本府服務中心、出納課。
[投標時間地點]：1．廠商之投標文件請自行估計寄達時間於十二月廿七日上午九時前寄達本府指定信箱，逾期無效（以郵戳為準）。2．親自送達者，請於十二月廿七日上午九時前送達本府文書課，逾期無效。
[決標方式]：合於招標文件規定並且在底價以內最低標為得標廠商。
[其它]：投標手續、廠商應備證件、押標金繳退及其他事項請閱南投縣政府暨所屬各機關學校一般採購案招標廠商投標須知及本府投標須知附件。

[招標機關]國立中央圖書館台灣分館
[標的名稱]連江縣圖書館自動化網路系統建置工作

[機關地址]台北市新生南路一段一號
[案號]891101-001A
[採購金額級距]公告金額以上未達查核金額
[執行現況]已決標
[招標方式]公開招標
[決標方式]非複數決標：定有底價最低標得標
[決標日期]民國89年12月12日
[原公告日期]民國89年12月01日
[預算金額]新台幣3984000元
[底價金額]新台幣3984000元
[決標廠商]傳技資訊股份有限公司
[廠商地址]臺北市中山區建國北路二段一三五號十四樓
[決標金額]新台幣3580000元
[本案聯絡人]國立中央圖書館台灣分館總務組蔡小姐
[電話]02-27724724-269

[招標機關]教育部
[標的名稱]印製春暉校園文宣品

[機關地址]台北市中山南路五號
[案號]891228
[招標方式]第一次公開招標未達查核金額：不少於14日（本法第28條）
[等標期]14天
[採購金額級距]公告金額以上未達查核金額
[適用條約]否
[開標日期]89年12月28日14時30分
[領標及投標期限]即日起至89年12月28日14時30分
[開標地點]本部一樓簡報室
[採行協商]否[投標文字]中文
[履約期限]定稿交印後二十五日
[履約地點]台北市
[聯絡人（或單位）]總務司王先生
[電話]23566069
[預算金額]2050000
[預計金額]2050000
〈其他內容〉
[廠商資格摘要]：印刷業
[未來增購權利]：有
[招標文件領取方式及地點]：至本部索取或附回郵信封索取（重量約180公克）
[招標文件售價及付款方式]：免費
[收受投標文件地點]：本部採購科
[押標金額度]：標價百分之五
[決標方式]：以標價最低，低於底價且合於招標文件者得標
[其它]：詳投標須知

[招標機關]教育部
[標的名稱]印製國民中小學九年一貫課程暫行綱要10種共30萬册

[機關地址]台北市中山南路五號
[案號]891228-1
[招標方式]第一次公開招標未達查核金額：不少於14日（本法第28條）
[等標期]14天
[採購金額級距]公告金額以上未達查核金額
[適用條約]否
[開標日期]89年12月28日16時00分
[領標及投標期限]即日起至89年12月28日16時00分
[開標地點]本部一樓簡報室
[採行協商]否[投標文字]中文
[履約期限]決標後十五日內
[履約地點]台北市
[聯絡人（或單位）]總務司王先生
[電話]23566069
[預算金額]17700000
[預計金額]17700000
〈其他內容〉
[廠商資格摘要]：印刷業
[未來增購權利]：有
[招標文件領取方式及地點]：親取或附回郵信封索取（重量約180公克）
[招標文件售價及付款方式]：免費
[收受投標文件地點]：本部採購科
[押標金額度]：標價百分之五
[決標方式]：定有底價，以符合招標文件且標價最低者得標
[其它]：詳投標須知

六、書函（便箋）

行政院勞工委員會　書函

地址：105 臺北市民生東路 3 段 132 號 6 樓
聯絡方式：（承辦人、電話、傳真、e-mail）

受文者：臺北市政府

發文日期：中華民國 89 年 6 月 15 日
發文字號：臺八十九勞動二字第 0021799 號
速別：最速件
密等及解密條件或保密期限：
附件：如說明

主旨：所詢有關公立學校技工、工友因公受傷經依事務管理規則核給公傷假，於適用勞動基準法，屆滿該規則所定之二年期限時仍未痊癒，得否依勞工請假規則第六條規定續給公傷假或應依事務管理規則規定辦理退職一案，復如說明，請查照。

說明：

一、依據行政院人事行政局 89 年 5 月 29 日八十九局企字第 011711 號書函轉貴府 89 年 5 月 23 日府人三字第 8904400000 號函辦理。

二、有關公務機構技工、工友等之公傷假期間跨越不同適用法規者，其公傷假期限疑義，前經本會 87 年 8 月 3 日臺八十七勞動二字第 032494 號函釋在案，仍應依勞工實際需要核給，該公傷假並無期限。

三、又，勞工如確仍於勞動基準法第 59 條所稱「醫療期間」，依該法第 13 條規定，雇主除因天災、事變或其他不可抗力致事業不能繼續，經報主管機關核定者外，尚不得片面終止勞動契約。檢附相關法令解釋一則，請參考。

行政院勞工委員會（條戳）

教育部　書函

受文者：本部各單位、部屬機關

發文日期：中華民國 89 年 10 月 18 日
發文字號：臺（八十九）祕一字第 89130449 號
速別：
密等及解密條件或保密期限：
附件：

主旨：檢送修正「行政院所屬各機關申請研考經費補助作業規定」，請　查照。

說明：

一、依據行政院研考會本（89）年 10 月 11 日（八十九）會研字第 19106 號函辦理。

二、各單位申請九十年度研考經費補助案，請於本（89）年 11 月 30 日前，依其作業規定辦理，並送本部祕書室一科彙整。

教　育　部

臺北市廣東同鄉會　箋

地　址：100 臺北市寧波東街 1 段 3 樓
聯絡人：劉慕周
電　話：(02) 2321-7541 傳真：(02) 2351-3266

受文者：社務委員

發文日期：中華民國 90 年 1 月 30 日
發文字號：(九〇) 信祕字第 097 號
速別：
密等及解密條件或保密期限：
附件：

主旨：本會廣東文獻社社務委員會第二次會議意見彙辦表。

說明：

一、本（二）次會議於民國 89 年 12 月 27 日（星期三）上午 10 時，假本會 3 樓會議室召開完畢，諸社務委員建言紀錄在卷。

二、有關建議及處理情形為彙辦表。

正本：本會廣東文獻社社務委員、總編輯鄭弼儀先生。
副本：本會常務理、監事。

臺北市廣東同鄉會（戳）

陳 情 書

受文者：如行文單位

發文日期：中華民國九十三年十二月四日
發文字號：少字第 93036 號
速別：最速件
密等及解密條件：
附件：

主旨：92 年公務人員特種考試身心障礙人員考試榜示後，行政院人事行政局，考選部無法提供 85(88)年至 90 年間之公務人員特種考試身心障礙人員考試之未錄取考生，總平均 50 分以上未有一科零分之落榜考生名冊，推介各機關參考遴用為聘僱人員，本人現向臺灣省政府主席陳情是否將另案函請行政院人事行政局、考選部，應考人(上開考生)持有考選部核發之成績單又符合上開應考人分數資料，行政院各部署局行處、臺灣省政府、台北市政府、高雄市政府、各縣市政府、是否可將依身心障礙之工友(技工)聘僱人員資格 (如附件)辦理。 請　查照。

說明：

正本：行政院院長電子信箱小組、 行政院各部署局行處、 行政院人事行政局、 考選部、 臺灣省政府 、 台北市政府 、 高雄市政府 、 各縣市政府
副本：行政院院長 、臺灣省政府主席
劉少奇 E-Mail：gogo23001010@yahoo.com.tw

陳情人：劉少奇 E-mail：gogo23001010@yahoo.com.tw

附件　　略

七、申請函

甲、請求用

申請函　中華民國 90 年 3 月 6 日

受文者：臺北市榮民服務處

主旨：請安置榮家就養，以度晚年生活。

說明：

一、本人於民國 59 年 2 月 1 日，奉准退伍自謀生活，迄未輔導就業就養在卷。

二、檢陳退伍令及榮民證（影本），暨戶口謄本各乙份。

申請人：王　成　功　印

性　別：男

年　歲：七十歲

通訊處：臺北市永康街○○巷○○號

乙、建議用

申請函　中華民國 94 年 3 月 6 日

受文者　臺北市政府大安區公所

主旨：請禁用擴大器廣播，以保持社區安寧。

說明：永康公園整建後，經常舉辦各項活動，並使用擴大設備，高分貝廣播，同時造成園區髒亂，嚴重影響四周居民生活安寧與品質。

建議：

一、禁用擴大器廣播，以保社區安寧。

二、借用單位或團體，應維護公園內清潔。

申請人：永康社區發展委員會理事長　○○○

地　址：臺北市永康街 31 巷○號○樓

八、電 文

臺南縣同鄉會 電 中華民國 90 年 3 月 25 日

連 戰先生勛鑒：

欣聞

鄉長當選中國國民黨（第一屆黨員直選）黨主席，抉擇明智，深慶得人，特電申賀。

臺南縣同鄉會理事長 ○ ○ ○

九、代 電

行政院代電

地址：100 臺北市忠孝東路 1 段 1 號
傳 真：(02) 2341-3454

受文者：各縣市政府

發文日期：中華民國 90 年 5 月 1 日
發文字號：臺九○內字第 00000 號

主旨：颱風豪雨季節，希注意防範，以減少損害，特電遵辦，並轉行所屬知照。

說明：

一、臺閩地區於 5 月至 10 月間，為颱風最多季節，希各機關特別注意防範，以減少災害。

二、各縣市成立防颱中心，加強防颱準備。

三、各機關儘速報告災情，暨善後處理。

副 本：行政院中部辦公室，臺灣省政府、福建省政府、臺北市政府、高雄市政府。

院 長 張 ○ ○

臺北市政府　代電

受文者：國民住宅處

發文日期：中華民國 00 年 0 月 0 日
發文字號：0000 字第 000 號

主旨：關於公務人員兼課之規定，是否適用於約僱人員案，經准行政院人事行政局釋復，以約僱人員係擔任臨時性工作，應不適用公務人員兼課兼職之規定，希查照。

市長　○　○　○

臺北市景美女子高級中學　代電

地址：116 臺北市文山區木新路 3 段 312 號
傳　　真：(02) 2936-8847

受文者：立法院

發文日期：中華民國 87 年 12 月 0 日
發文字號：0000 字第 000000 號

主旨：本校應屆畢業生擬參觀　大院院會議事情形，請　查照惠允見復。

說明：本校應屆畢業生○○○等 76 人，為體驗民主真諦，印證課本理論，擬由教師○○○先生率領參觀　大院本 (0) 月 0 日 0 午 0 時舉行之院會。

校長　○　○　○

十、簽

甲、請　假

簽　於會計室

發文日期：中華民國000年0月0日

主旨：職欲赴高雄省親，因路途遙遠，往返費時，自本（0）月0日起至同月0日止，擬請事假五於請假期間，本人職務已商李中平先生代理，恭請　核示

　　謹　陳

主　任

局　長

職陳思道（或蓋職章）

乙、請示（1）

簽　於教務處

主旨：本校教師白梅莊製作教具，裨益教學，請予獎勵。

說明：

一、本校教師白梅莊平日教學認真，誨人不倦，近更利用授課餘暇，自製國文科教具，裨益教學至鉅。

二、檢附該教師所製國文科教具三件暨說明書一分。

　　謹陳

校長

○　○　○　職章（日期及時間）

丙、請　示（2）

簽

發文日期：0年0月0日
於訓導處

主旨：本校學生○○○損毀公物、侮慢師長，擬勒令退學，請　核示。

說明：本校○年級○班學生○○○性行頑劣，昨竟無故毆打同學，經○年○班教師○○○先生見而勸阻，反以惡語相加，恣意頂撞，殊屬非是。

擬辦：擬依本校學則第○條規定，予以勒令退學，以示懲戒。

　　敬　陳

校　長

○　○　○　職章（日期及時間）

丁、內部作業用

政務首長個別請辭之辭呈格式

簽　於○○○○○（機關名稱）

主旨：茲值行政院總辭改組，爰本共進退之旨，請准辭卸○○○○○（機關名稱）○○○○（職稱）職務，謹請　鑒核。

　　謹　陳

院長

○○○（蓋章）　　謹簽　民國94年1月3日

院屬一級機關政務副首長（含北美事務協調委員會特派委員及二級機關政務首長）個別請辭之辭呈格式

簽　於○○○○○（機關名稱）

主旨：茲值行政院總辭改組，爰本共進退之旨，請准辭卸○○○○○（機關名稱）○○○○（職稱）職務，謹請　鑒核。

謹　陳

（部、會、院、局、署首長）（首長請簽名）

轉　陳

院長

○○○（蓋章）　　謹簽　民國94年1月3日

簽　於總務組敬會

主旨：本館工友張碧枝於九十年一月十六日起，因屆齡退休，申請　核發福利互助金乙案，請　鑒核。

說明：

一、依「中央公教人員福利辦法」第18條第1項第3條規定，辦理退休福利互助補助，前開退休人員自民國70年7月1日起參加福利互助至今（如附件一，互助卡），應可領20個福利互助俸額。

二、檢陳福利互助人員異動月報表、工友退休申請書影本、福利互助資料卡影本各乙份，送中央公教人員住宅輔建及福利互助委員會辦理。

三、函稿併陳。

擬辦　如奉　核可後，即依相關規定辦理。

十一、報告（內部作業用）

甲、請公假

報　告 於第三科

主旨：職奉召於六月十一日入營服役，請准公假一個月，並遴員代理職務，俾如期前往報到。

說明：

一、請假日期自6月11日起至7月10日止。

二、檢附召集令複印本1分。

敬　陳

科　長

局　長

江　平　職章（日期及時間）

乙、請事假

報　告 於第一科

主旨：職母病危，連電促歸，請准事假一週，俾返籍省視，職盡人子之責。

說明：

一、請假日期自（0）月0日起至同月0日止。

二、檢附電報一紙。

敬　陳

科　長

處　長

部　長

○　○　○　職章（日期及時間）

丙、請報警

報　告 於總務處

主旨：本校教職員宿舍昨夜失竊，衣物被竊一空，請函◯◯警察局迅予偵辦。

說明：

一、職昨往高雄探親，今晨返校，始悉被竊。

二、檢附失物詳單1份。

謹　陳

校　長

職　◯　◯　◯　（蓋職章）

丁、請辭職

報　告 於◯◯◯◯司

主旨：職考取國立◯◯大學◯◯研究所，即須報到入學，敬請　賜准辭職。

說明：

一、職自經高等考試及格，奉分發本部服務以來，瞬逾五載，猥承匡導，幸免隕越。茲以日常處理業務，每感學識淺陋，力不從心，亟思重遙學府，以資進修。

二、檢附◯◯大學◯◯研究所錄取通知書一份。

謹　陳

司　長

部　長

◯　◯　◯　（蓋職章）

（說　明）

1. 第甲乙丁三例亦可用『簽』。
2. 第丙例適用於職員及兼行政職務之教師。

戊、請借支

報　告　於機要科

主旨：舍間不幸昨夜失火，財物被焚殆盡，請准預借薪津六個月，以濟眉急。

說明：舍間昨夜 11 時慘遭回祿之災，全部財物幾皆付之一炬，所幸家屬均尚平安。職上有年邁尊親，不有黃口稚兒，今驟遭此劇變，亟需經濟支援，以度難關。

敬　陳

科　長

局　長

○　○　○　（蓋職章）

己、請休學

報　告　於舍間

主旨：生患肺疾重病，請准休學一年。

說明：

一、生近日身體發高燒，面現紅暈，體重驟減，不思飲食，夜晚咳嗽不止，難以入眠。經○○市肺病防治院以 X 光透視，診斷為第二期肺疾，亟須住院長期療養。

二、附○○市肺病防治院診斷書暨生家長函各一紙。

敬　陳

系主任

院　長

教務長

校　長

中二學生　○○○蓋章敬上

學號○○○○○○

庚、請補假

報　告 於舍間

主旨：生返里省親，為○○阻，致延期返校，請　准補假兩日。

說明：

一、生於本（10）月5日（星期六）返○○縣○○鎮故里省親，詎於翌（六）日遭○○強烈颱風侵襲，河水陡漲，縱貫線交通斷絕，迄8日交通恢復，始克返校。請准七八兩日補假。

二、檢附生家長證明書一紙。

謹　陳

訓導長

法三學生 ○○○蓋章敬上

學號○○○○○○○

辛、請發當英文成績單等

報　告 於女生第一宿舍

主旨：敬請抄發生英文在校成證明書，並懇賜予推薦，以資進修，請　鑒核。

說明：

一、生系本（94）學年度應屆畢業生，擬申請美國加州大學獎學金，繼續深造。

二、依該校規定，須繳英文在校成績單一份暨任課教授二人之推薦書。並限本月底以前寄出。

三、生曾於三年級時選修　鈞長所授之西洋哲學史，潛心研習，得益甚大。

謹　陳

教務長

外四學生 ○○○蓋章敬上

學號○○○○○○○

十二、聲請書

聲請書

抄鄒政治

受文者：司　法　院

主　旨：考試院發布之「後備軍人轉任公職考試比敘條例施行細則」第十條第二項、第五項，法規命令內容有牴觸憲法與法律之疑義，請轉大法官會議，惠予解釋。

說　明：

一、聲請解釋憲法之目的：

後備軍人轉任公職考試比敘條例（以下簡稱該條例），自民國56年6月22日總統公布施行以來，尚未再修訂，顯示該法相當具有安定性與前瞻性，聲請人於民國69年8月31日以陸軍砲兵中校退伍，民國69年9月24日轉任公職，完全符合該條例第5條第1項第2款「後備軍人取得公務人員任用資格者，按其軍職年資，比敘相當俸給」之規定，14年來，竟無緣、無法享受此「比敘相當俸給」之優待權益，癥結乃在主管機關訂定法規時，完全忽視院認為委任立法之限制條件，是補充母法之效力，即使剝奪部分人之權益，亦無違背社會公平、正義之理，與憲法保障之人權，故急需大法官會議釋示，加以澄清，匡正觀念，以宏揚憲政民主法治。

二、疑義或爭議之性質與經過及涉及之憲法條文：

（一）疑義或爭議之性質與經過：

1、疑義內容：（考試院於民國77年1月11日再修正之內容）

（1）該條例施行細則第10條第2項「……高資可以低用，但不得超過該職等本俸最高俸級。……」

（2）該條例施行細則第十條第五項「本條規定限適用於民國76年1月16日公務人員任用、俸給法施行後之轉任人員。」

2 疑義發生經過：

考試院於民國57年5月15日公布該條例施行細則，其中第10條第2項即有「……但均不得超過擬任職務職等最高俸級（階）。……」之規定，原尚無甚大爭議，隨後考試院再公布「後備軍人轉任公職複審俸給作業要點」，其中即嚴加限制，「比敘至本職最高俸級，軍職年資，不得作為年功俸晉敘」，爭議乃由此產生，但因公務員與國家之間，為特別權力關係，不能以行政爭訟手段，謀求救濟，迨至民國77年1月11日修正施行細則，主管機關便將此不合法、不合理之原則納入修正之法規命令中，並特別再增訂第五項適用時間之限制，反正被宰制的都是弱勢的公務人員，申訴、爭訟根本官官相護，無濟於事。

（二）涉及之憲法條文：

1 憲法第7條保障人民在法律上一律平等之權。

2 憲法第15條保障人民在經濟上之受益權。

3 憲法第18條保障人民服公職之權。

4 憲法第172條命令與憲法或法律牴觸者無效。

三、聲請解釋憲法之理由及聲請人對本案所持之立場與見解：

（一）聲請解釋憲法之理由：

1 疑義雖自始存在，但因公務人員與國家之間，是基於特別權力、義務關係，尤其在過去威權體制下，公務人員有冤曲，除了向機關長官陳述與申請復審外，根本無救濟管道，及至民國82年2月25日司法院公布大法官會議釋字第338號解釋後，公務人員對審定之級俸，如有爭執，才得提起訴願及行政訴訟，本案已依照新解釋規定，提起訴願、再訴願及行政訴訟，均被一一駁回，其理由又無法使人信服，表面上雖已有了投訴救濟管道，實際上仍是聊備一格，無助於問題解決，難怪行政法院素有駁回法院之譃稱，絕非浪得虛名。

第二頁　共十二頁

2 考試院銓敘部辦理後備軍人轉任公職之詮審案，以軍階中校轉任公職為例，同樣的資格條件，不同的人，詮審結果居然可以從一至九職等都是合格實授，這就是銓敘部「依法行政」的真義，富有彈性，未免離了譜，豈不滑天下之大稽？當事人轉任公務人員職務時，為了生活，為了工作，高資低用本非所願，不得已也，該院不察，不依法給予「比敘相當俸給」之優待權益，為何再次設限，存心再剝削其身分地位、薪資財產應得權益，使其間的差別待遇，竟有天淵之別？是優待？是懲罰？而各機關用人的標準在那？是什麼？銓敘部都不知道，敢攤在陽光下嗎？真是天曉得。

（二）聲請人對本案所持之立場與見解：

1 該條例施行細則第10條第2項「……高資可以低用，但不得超過該職等本俸最高俸級……」之規定，對當事人說來，無法享受同條第1項比敘之優待，已萬分無奈，高資低用絕非學識、能力、品德之不足問題，考試院訂定此項不得超過該職等本俸最高俸級之限制，無異的是對其懲罰、再次剝奪，甚至使許多人喪失機會享受該條例之良法美意，關鍵均在此違法、違憲之爭議點，長期操生殺予奪之權，棄立法目的、立法精神於不顧所致。

2 公務人員俸給法第2條「……俸級係指各官等、職等本俸及年功俸所分之級次……」，第9條「……轉任行政機關性質程度相當職務時，得依規定核計加級至其職務等級最高為止……」，可知提敘、比敘絕非如該條例施行細則第10條第2項「……但不得超過該職等本俸最高俸級……」之特別限制，顯然此法規命令，亦已牴觸公務人員俸給法，難道後備軍人轉任公務人員時，就該受此特別法特別歧視，特別不合理之待遇。

3 後備軍人轉任公務人員時，依照公務人員任用法之規定，通常由各機關自行遴用考試及格人員之規定方式進用，

第三頁　共十二頁

但因機關職缺有限，僧多粥少，求之者眾，該條例雖也有「應優先任用後備軍人」之規定，但均形同具文，僅被選擇性引用，所憑恃的完全是人事、人情、特權、利害等之錯綜複雜關係，用人無一定章法與標準，不公在所難免，考試院訂定此條例，不良的制度設計，只求為特權者服務，無異的為虎作倀，更加助長社會惡質化風氣。

4 同樣具有乙等特考及格資格、5 年中校年資的後備軍人，於轉任公職時，有特權人事關係者，馬上可派任九職等職務，銓敘部依該條例施行細則第10 條第 1 項第 4 款詮審為九職等本俸五級合格實授，而無關係者，轉任公職惟自求多福，看造化了，為了怕失業坐吃山空，一職等職務，高資低用，在所不辭，政府的保障就是如此，能如何呢？銓敘部就依該條例施行細則第10條第2項詮審為一職等本俸七級合格實授，兩者之差異，社會身分地位、精神價值暫且不論，薪資所得相差兩倍多，這是用人惟才結果？是後者的無能？無才？還是制度吭人，這都不涉及憲法保障人民之平等權、受益權、服公職等等權利？

5 疑義內容，駁回理由稱「上述規定，係考試院依後備軍人轉任公職考試比敘條例第六條之授權所訂定，並函送立法院有案，此項委任立法具有補充母法之效力，自難謂其違法」，程序上固然合法，實質內容呢？該疑義點設定之限制條件、生效時間，已完全悖離法治主義之基本原理，法律優越與法律保留原則，軍人行業、任務特殊，本需特別法加以規範與保障，現非因其個人學經歷資格、能力等條件不符合機關用人之規定，而是政府機關未依法優先任用，給予適當職位的關係，考試院的委任立法就可剝奪其法律賦予應享之權益，豈不讓人納悶不解。

第四頁　共十二頁

6 聲請人以同機關之同事胡弘振詮審案為例，提出質疑，駁回理由稱「……調升情形不同，自難援引比照……」，事實上，兩人皆是民國七十六年一月十六日以前，轉任公職之後備軍人，不同的僅是胡員參加公務人員高、普考試，取得高、普考試及格資格，而聲請人參加國防特種考試、退除役特種考試，均取得乙等考試及格資格任用，考試及格資格，僅是公務人員任用法上任用資格之條件，乙等考試及格資格相當於高考及格，許多法上所明載，而結果胡員可以提敘，聲請人無法銓審，給予比敘，提起訴願、訴訟，結論皆是所起訴之意旨，難認有理，應予駁回，這就是終局判決，司法正義在那？不信公道喚不回。

四、關係文件之名稱及件數：

（一）82 年 11 月 10 日訴願書影本乙份。

（二）銓敘部（八二）台詮華訴字第 197 號訴願決定書影本乙份。

（三）82 年 12 月 24 日再訴願書影本乙份。

（四）考試院（八三）考台訴字第 021 號再訴願決定書影本乙份。

（五）83 年 4 月 6 日行政訴訟書狀影本乙份。

（六）行政法院 83 年度判字第 1115 號判決正本乙份。

聲請人：鄒政洽　　　中華民國八十三年十月四日

附件　六：行政法院判決　　　83 年度判字第 1115 號

原　告　鄒政洽

被　告　銓敘部

右當事人間因任用事件，原告不服考試院中華民國 83 年3月10 日（八三）考台訴決字第 021 號再訴願決定，提起行政訴訟，本院

第五頁　共十二頁

判決如左：

主　　文

原告之訴駁回。

事　　實

緣原告於民國六十八年一月一日晉任陸軍砲兵中校，民國六十九年八月三十一日軍職退伍，民國六十九年九月二十四日以國防特考乙等考試及格資格初任公職，經送審銓審為五等五級合格實授，民國八十二年八月二十八日奉調派股長職（七至八等），送審後被告僅銓審為六等合格實授，准予權理七等，原告軍職年資，被告未依「後備軍人轉任公職考試比敘條例」給予比敘優待，經申請復審，提起訴願、再訴願，均一再被駁回，遂提起行政訴訟，茲摘敘兩造訴辯意旨於次：

原告起訴意旨略謂：

一、駁回理由之一，指原告調升股長，係屬公務人員間之調升，非屬後備軍人之轉任，所以未准予比敘，並無違誤；事實上，「後備軍人轉任公職考試比敘條例」自民國 56 年 6 月 22 日總統公布以來，後備軍人轉任公職時，可完全依照軍職年資，享受比敘優待者，除了特殊的少數，非得有「權」、「錢」莫辦，軍階中校以下，轉任公職時，法律毫無保障，完全屬叢林法則，講的全是人事、人情利害關係，高階低用，是極普遍、正常的現象，人事主管機關，知之甚稔，反正爾後再依個人職務調升，辦理比敘提敘彌補，銓審慣例一向如此，如今被告怎可濫權從新、從嚴解釋本案為僅屬公務人員間之調升？

二、駁回理由之二，指南投縣政府薦任一般民政職系課員胡弘振之銓審案，與本案案情不同，自難援引比照；事實上，兩人皆是民國 76 年 1 月 16 日以前，轉任公職之後備軍人，不同的僅是胡員參加民國七十九年全國性公務人員高等考試，取得考試及格資格，而考試及格資格，僅是公務人員任用法上任用資格之一，難道如此，就可改變民國 76 年 1 月 16 日以前轉任公職後備軍人之事實？可重新適用新法規定，給予提敘，若然，公務人員任用法

上任用資格尚有銓敘合格、考績升等兩項之規定，那原告為何不能以民國 76 年 1 月 16 日以後，取得之該項文件，辦理銓審，給予比敘呢？公平、正義之理何在？

三、駁回理由之三，銓敘部駁回理由稱「上述規定，係考試院依後備軍人轉任公職考試比敘條例第六條之授權所訂定，並函送立法院有案，此項委任立法具有補充母法之效力，自難謂其違法」，形式要件固然合法，實質內容是否已侵害到憲法第七條保障中華民國人民在法律上一律平等之權，同樣的後備軍人轉任公職適用比敘條例法律，為何民國 77 年 1 月 11 日新修正施行細則發布以前，轉任公職之後備軍人可依舊法辦理比敘，民國 76 年 1 月 16 日以後轉任公職之後備軍人亦可依新法辦理比敘，獨以前這一群高階低用者，不再有法律可適用，公平、合理嗎？

四、再論駁回理由之三，查民國 56 年 6 月 22 日總統令公布之「後備軍人轉任公職考試比敘條例」第 5 條第 1 項第 2 款規定：「後備軍人取得公務人員任用資格者，按其軍職年資，比敘相當俸給。」原實施多年之施行細則，也從來未限制後備軍人轉任公職之適用，如今銓敘部強制限制後備軍人轉任公職之適用，還辯稱新修正施行細則第 10 條第 5 項規定係委任立法具有補充母法之效力，自難謂其違法，程序固然合法，但實質內容就可任意所為，置立法目的於不顧，子法可超越母法？命令可牴觸法律嗎？依憲法第 172 條規定：「命令與憲法或法律牴觸者無效。」

五、考試院民國 77 年 1 月 11 日新修正發布後備軍人轉任公職考試比敘條例施行細則第 10 條條文，如以中央法規標準法來加以檢驗，修法作業確實符合該法第 20 條第 1 項第 2 款規定：「因有關法規之修正或廢止而配合修正者。」新修正施行細則第10 條並增訂第 5 項規定，完全是配合民國 76 年 1 月 16 日公務人員任用、俸給法之施行而作修正，由實質內容查軍職年資比敘規定，修正前後均相同，可見一斑，但執法時，銓敘部卻惡意曲解法令，顯然違反了中央法規標準法第 18 條規定：「……但舊法規有利於當事人而新法規未廢除或禁止所聲請之事項者，適用舊法規。」

第七頁　共十二頁

等語。
被告答辯意旨略謂：
一、原告應 66 年特種考試國防部行政及技術人員乙等人事行政人員考試及格，曾任軍職中校（68 年 1 月至 69 年 8 月）年資一年餘，其於 69 年 9 月轉任南投縣政府人事室五等人事行政五級職科員，70 年 9 月調任該縣政府五等經建行政五級職士，分別經被告及前台灣省委任職公務員銓敘委託審查委員會審定合格實授，核敘第五職等本俸五階 370 俸點，歷至78 年考績晉級委任第五職等年功俸四級 430 俸點。79 年 12 月調升該縣政府薦任第六職等經建行政職系課員，80 年 2 月復任該縣政府薦任第六職等一般民政職系科員，亦均經被告審定合格實授。其後原告參加 80 年考績考列乙等，81 年考績考列甲等，晉敘薦任第六職等年功俸一級 460 俸點。嗣於 82 年 9 月經調升該縣政府薦任第七職等至第八職等一般民政職系股長，以原告係於 69 年 9 月轉任公職，依後備軍人轉任公職考試比敘條例施行細則第 10 條第 5 項規定無法依同條第一項第四款規定，以其中校軍職逕予比敘薦任第八職等，又因原告任職已敘至薦任第六職等年功俸級，超過本俸最高級，故其中校年資亦無法再行提敘俸級，經被告依原告原敘俸級，審定為准予權理，核敘薦任第六職等年功俸一級 460 俸點。嗣原告請准依考試院 69 年 12 月 11 日修正發布之後備軍人轉任公職考試比敘條例施行細則第 10 條第 1 項第 2 款第 4 目「中校具有薦任或分類職位公務人員第八職等、第九職等任用資格者，轉任薦任或第八職等、第九職等職務」之規定，予以審定為薦任第八職等合格實授，經由南投縣政府於 82 年 9 月 27 日向被告申請復審，經被告於 82 年 10 月 16 日以八二台華甄四字第 0913047 號書函答復南投縣政府，略以原告並非於 76 年 1 月 16 日新人事制度實施後始轉任公務人員，請求以其中校軍職逕予比敘薦任第八職等一節，格於法令規定，實難辦理。
二、查考試院 69 年 12 月 11 日修正發布之後備軍人轉任公職考試比敘條例施行細則第 10 條第 1 項第 2 款規定：「在 69 年 6 月

29 日『陸海空軍軍官士官任官條例』公布日及以後任職由軍職轉任者為……（四）中校具有薦任或分類職位公務人員第八職等、第九職等任用資格者，轉任薦任或第八職等、第九職等職務‧‧‧‧」暨同條第二項規定：「……軍職年資，經任官有案者，轉任公務人員或分類職位公務人員相當職務時，均得依公務人員俸給法或分類職位公務人員俸給法規定，自起敘俸級（階）比敘，並得按每滿一年提高一級（階），但均不得超過擬任職務職等最高俸給（階）‧‧‧‧復查考試院 77 年 1 月 11 日修正發布之同條例施行細則第十條第一項第四款及第五項規定「‧‧‧‧四、中校具有薦任任用資格者，轉任薦任第八職等、第九職等職務‧‧‧‧。本條規定限適用於民國 76 年 1 月 16 日公務人員任用法、俸給法施行後之轉任人員。」本件原告係於 69 年 9 月轉任公職，82 年 9 月自薦任第六職等科員調升南投縣政府薦任第七職等至第八職等一般民政職系股長，係屬公務人員間之調升，並非上開施行細則所稱之「轉任人員」，自不得適用上開規定，比敘為薦任第八職等，故應依公務人員任用法及俸給法規定辦理任用審查；又原告因任現職已敘至薦任第六職等年功俸級，亦無法再採計其中校年資提敘俸級，故被告依原告原敘俸級，審定為准予權理，核敘薦任第六職等年功俸一級 460 俸點，於法並無違誤。又原告任現職 83 年 1 月 1 日考績升等案亦經被告審定：合格實授，核敘薦任第七職等本俸五級 475 俸點，亦已達本俸最高級，故其中校年資原告自無法提敘俸級，合併敘明。

三、至原告所舉南投縣政府胡弘振任用案，經查該員係參加六十九年全國性公務人員普通考試及格，於 75 年 6 月轉任屏東縣政府辦事員，嗣調任台灣省政府農林廳辦事員、南投縣政府辦事員、科員，復於 82 年 2 月 20 日調升薦任第六職等一般民政職系課員，經依其所具 79 年全國性公務人員高等考試及格資格，依法得敘薦任第六職等本俸一般，因未超過該職等本俸最高級俸級，故再採其曾任軍職上尉以上相當薦任年資四年提敘俸給四級，核敘薦任第六職等本俸五級 445 俸點，與本件有別，自難

援引比照。

四、又依後備軍人轉任公職考試比敘條例施行細則第十條規定，軍職年資之比敘有其資格條件限制（如時間之限制、不得超過轉任職等本俸最高俸級等），原告所具軍職年資因不合比敘規定，於起訴書狀理由三稱上開施行細則實質內容已侵害到憲法第七條保障中華民國人民在法律上一律平等之權一節，純屬個人之見解，顯不足採。又上開施行細則為委任立法，具有補充母法之效力乃原告所不爭，考試院為明示適用之時間，乃有第五項之增列，故並無原告所稱子法超越母法，命令牴觸法律之情事。五、綜上所述，考試院八三考台訴決字第○二一號再訴願決定，於法並無不合，爰依行政訴訟法第十六條規定，提出答辯如上，並請駁回原告之訴等語。

理　　由

按民國83年2月25日公布之司法院大法官會議決釋字第338號解釋：「主管機關對公務人員任用資格審查，認為不合格或降低原擬任之官等者，於其憲法所保障服公職之權利有重大影響，公務員如有不服，得依法提起訴願及行政訴訟，業經本院釋字第323號解釋釋示在案。其對審定之級俸如有爭執，依同一意旨，自亦得提起訴願及行政訴訟。行政法院57年判字第414號及59年判字第400號判例應不再援用。本院上開解釋，應予補充。」本案係原告不服銓敘部就其任用案所為之審定，依上開解釋意旨，自得提起訴願、再訴願及行政訴訟，合先敘明。復按考試院69年12月11日修正發布之後備軍人轉任公職考試比敘條例施行細則第十條第一項第二款規定：「在69年6月29日『陸海空軍軍官士官任官條例』公布日及以後任職由軍職轉任者為‧‧‧‧（四）中校具有薦任或分類職位公務人員第八職等、第九職等任用資格者，轉任薦任或第八職等、第九職等職務‧‧‧‧」暨同條第二項規定：「‧‧‧‧軍職年資，經任官有案者，轉任公務人員或分類職位公務人員相當職務時，均得依公務人員俸給法或分類職位公務人員俸給法規定，自起敘俸級（階）比敘，並得按每滿一年提高一

級（階），但均不得超過擬任職務職等最高俸級（階）……」另按考試院 77 年 1 月 11 日修正發布之同條例施行細則第 10 條規定「‥‥四、中校具有薦任任用資格者，轉任薦任第八職等、第九職等職務‥‥。本條規定限適用於民國 76 年 1 月 16 日公務人員任用法、俸給法施行後之轉任人員。」卷查：本件原告參加民國 66 年特種考試國防部行政及技術人員乙等人事行政人員考試及格，曾任軍職中校（民國 68 年 1 月至 69 年 8 月）年資一年餘，其於 69 年 9 月轉任南投縣政府人事室五等人事行政五級職科員，70 年 9 月調任該縣政府五等經建行政五級職技士，均經前台灣省委任職公務員銓敘委託審查委員會審定合格實授，核敘第五職等本俸五階 370 俸點，歷至 78 年考績晉級委任第五職等年功俸四級 430 俸點。79 年 12 月調升該縣政府薦任第六職等經建行政職系課員，80 年 2 月復調任該縣政府薦任第六職等一般民政職系科員，亦均經被告審定合格實授。其後原告參加 80 年考績考列乙等，81 年考績考列甲等，晉敘薦任第六職等年功俸一級 460 俸點。嗣於 82 年 9 月經調升該縣政府薦任第七職等至第八職等一般民政職系股長職務，案經送請被告審查。被告以原告係於 69 年 9 月轉任公職，無法依本院 77 年 1 月 11 日修正發布之後備軍人轉任公職考試比敘條例施行細則第 10 條第 1 項第四款規定，以其中校軍職逕予比敘薦任第八職等，又因原告任職已敘至薦任第六職等年功俸級，超過本俸最高級，故其中校年資亦無法再行提敘俸級，乃依原告原敘俸級，審定為准予權理，核敘薦任第六職等年功俸一級 460 俸點。揆諸首揭規定，洵無違誤。原告訴稱：依行政院 69 年 12 月 11 日修正發布之後備軍人轉任公職考試比敘條例施行細則第 10 條第 1 項第 2 款第 4 目「中校具有薦任或分類職位公務人員第八職等、第九職等任用資格者，轉任薦任或第八職等、第九職等職務」之規定，原告應審定為薦任第八職等合格實授，被告濫權從新從嚴解釋本案為公務人員之調升，應依考試院 77 年 1 月 11 日新修正後備軍人轉任公職比敘條例施行細則第十條第五項規定，76 年 1 月 16 日以後轉任公職之後備軍人

第十一頁　共十二頁

方可依新法辦理比敘，有違憲法第7條、第172條及中央法規標準法第18條之規定，與另案胡弘振之審定結果不同，顯違公平、正義與合理云云。然查：考試院77年1月11日新修正後備軍人轉任公職考試比敘條例施行細則第十條第五項規定，係依後備軍人轉任公職考試比敘條例第六條之授權所訂定之委任立法，函送立法院核備在案，此項委任立法有補充母法之效力，其既明定76年1月16日以後轉任公職之後備軍人方可依新法辦理比敘。自含有廢除、禁止76年1月16日以前轉任公職之後備軍人依新法辦理比敘之規定意旨，原告既係76年1月16日以前之69年9月轉任公職，被告禁止其依新法辦理比敘，自無違反中央法規標準法第18條規定之情形，而原告自承此次修正，係依中央法規標準法第20條第1項第2項「因有關法規之修正或廢止而配合修正者」之規定，完全是配合76年1月16日公務人員任用、俸給法之施行而修正，則該項修正，實無違背憲法第七條、第172條規定之情事，原告所訴，委無足取。又另案後備軍人胡弘振任用案，係因胡弘振參加69年全國性公務人員普通考試及79年全國性公務人員高等考試及格，及上尉四年年資提敘俸級，核敘為薦任第六職等本俸五級445俸點。與原告未取得全國性公務人員高普考試及格之純為公務人員之調升情形不同，自難援引比照，亦無違背公平、正義與合理之情形。從而原告所訴各節，均不足採。一再訴願決定，遞予維持原處分，均無不合，原告起訴意旨，難認有理，應予駁回。

據上論結，本件原告之訴為無理由，爰依行政訴訟法第26條後段，判決如主文。

中華民國八十三年五月二十四日

（本聲請書其餘附件略）

第十二頁　共十二頁

陳 情 書

受文者：如行文單位

發文日期：中華民國九十三年十二月四日
發文字號：少字第 93036 號
速別：最速件
密等及解密條件：
附件：

主旨：92 年公務人員特種考試身心障礙人員考試榜示後，行政院人事行政局，考選部無法提供 85(88)年至 90 年間之公務人員特種考試身心障礙人員考試之未錄取考生，總平均 50 分以上未有一科零分之落榜考生名冊，推介各機關參考遴用為聘僱人員，本人現向臺灣省政府主席陳情是否將另案函請行政院人事行政局、考選部，應考人(上開考生)持有考選部核發之成績單又符合上開應考人分數資料，行政院各部署局行處、臺灣省政府、台北市政府、高雄市政府、各縣市政府、是否可將依身心障礙之工友(技工)聘僱人員資格（如附件)辦理。 請　查照。

說明：

正本：行政院院長電子信箱小組、 行政院各部署局行處、 行政院人事行政局、 考選部、 臺灣省政府 、 台北市政府 、 高雄市政府 、 各縣市政府
副本：行政院院長 、臺灣省政府主席
劉少奇 E-Mail：gogo23001010@yahoo.com.tw

陳情人：劉少奇 E-mail：gogo23001010@yahoo.com.tw

附件　　略

行政院人事行政局 書函

地址：台北市濟南路一段二之二號十樓
傳真：（02）2397-9744
承辦人：曾逸群
電話：（02）2397-9298 轉 327
E-mail:Gtseng@cpa.gov.tw>Gtseng@cpa.gov.tw

受文者：劉少奇君

速別：最速件
密等及解密條件
發文日期：中華民國 93 年 12 月 2 日
發文字號：局力字第 09300364521 號
附件：如主旨（請至本局附件下載區下載 http://serv-out.cpa.gov.tw/od/）

主旨：台端陳請提供 85 年至 90 年間公務人員特種考試身心障礙人員考試總平均 50 分以上，未有一科 0 分之落榜考生之相關資料，推介各機關參考遴用一案，檢送本局民國 93 年 11 月 8 日局力字第 0930034467 號書函供參，復請　查照。

說明：依據「行政院院長電子信箱小組」民國 93 年 11 月 10 日、15 日、19 日、29 日傳送台端電子郵件辦理。

正本：洪筱蘭君（jojo20061231@yahoo.com.tw）、
劉少奇君（gogo23001010@yahoo.com.tw）、
葉公超君（gogo691010@ yahoo.com.tw）
副本：行政院院長電子信箱小組

附錄 1：文書處理手冊

中華民國 74 年 12 月 24 日
行政院臺 74 文字第 23076 號函修正附件 13
中華民國 78 年 9 月 27 日
行政院臺 78 秘字第 25146 號函修正三十四之(六)
中華民國 78 年 12 月 1 日
行政院臺 78 秘字第 30177 號函修正二十三之(二)之 1
中華民國 79 年 n 月 2 日
行政院臺 79 秘字第 31735 號函修正附件 13、14
中華民國 82 年 8 月 6 日
行政院臺 82 秘字第 2831 號函修正八十四暨附件 2、3、4、7、8、10、11、12、15、16、17、18、20、21、22
中華民國 87 年 3 月 26 日
行政院臺 87 秘字第 12598 號函修正文書處理部分
中華民國 89 年 8 月 16 日
行政院臺 89 秘字第 24413 號函修正文書處理部分
中華民國 90 年 2 月 13 日
行政院臺 90 秘字第 008871 號函修正八十一
中華民國 93 年 1 月 8 日
行政院院臺秘字第 0930080052-C 號函修正文書處理部分
中華民國 93 年 6 月 29 日行
政院院臺秘字第 0930086517 號函修正文書處理部分
中華民國 93 年 12 月 1 日
行政院院臺秘字第 0930091795 號函修正文書處理部分
中華民國 99 年 1 月 22 日
行政院院臺秘字第 0990091522 號函修正

壹、總述

一、**本手冊所稱文書，指處理公務或與公務有關，**不論其形式或性質如何之一切資料。凡機關與機關或機關與人民柱來之公文書，機關內部通行之文書，以及公文以外之文書而與公務

有關者，均包括在內。

二、**文書製作應採由左至右之橫行格式**。

三、**檢察機關之起訴書、行政機關之訴願決定書**、外交機關之對外文書、僑務機關與海外僑胞、僑團間往來之文書、軍事機關部隊有關作戰及情報所需之特定文書或其他適用特定業務性質之文書等，除法律別有規定者外，均得依據需要自行規定其文書之格式，並應遵守由左至右之橫行格式原則。

四、**本手冊所稱文書處理，指文書自收文或交辦起至發文、歸檔止之全部流程**，分為下列步・驟：

(一)收文處理：簽收、拆・驗、分文、編號、登錄、傳遞。

(二)文件簽辦：擬辦、送會、陳核、核定。

(三)文稿擬判：擬稿、會稿、核稿、判行。

(四)發文處理：繕印、校對、蓋印及簽著、編號、登錄、封發、送達。

(五)歸檔處理：依檔案法及其相關規定辦理。

關於文書之簡化、保密、流程管理、文書用具及處理標準等事項，均依本手冊之規定為之。

五、**機關公文以電子文件行之者**，其交換機制、電子認證及中文碼傳送原則等，依機關公文電子交換作業辦法及「文書及檔案管理電腦化作業規範」辦理。

六、**機關公文以電子文件處理者**，其資訊安全管理措施，應依「行政院及所屬各機關資訊安全管理要點」及「行政院及所屬各機關資訊安全管理規範 J 等安全規範辦理。各機關如有其他特殊需求，得依需要自行訂定相關規範。

七、**機關對人民、法人或其他非法人團體之文書以電子文件行之者**，應依機關公文傳真作業辦法及機關公文電子交換作業辦

法辦理。

八、**機關公文得採線上簽核**，將公文之處理以電子方式在安全之網路作業環境下，採用電子認證、權限控管或其他安全管制措施，並在確保電子文件之可認證性下，進行線上傳遞、簽核工作。各機關實施公文線上簽核採電子認證者，應依「文書及檔案管理電腦化作業規範」辦理。

九、**各機關之文書處理電子化作業**，應與檔案管理結合，並依行政院訂定之相關規定辦理；對適合電子交換之公文，應以電子交換行之”

十、**文書除稿本外，必要時得視其性質及適用範圍**，區分為正本、副本、抄本(件)、影印本或譯本。**正本及副本**，均用規定公文紙繕印，蓋用印信或章戳；以電子文件行之者，得不蓋用印信或章戳，並應附加電子簽章。**抄本(件)及譯本**，無須加蓋機關印信或章戳。抄本(件)、影印本及譯本，其文面應分別標示「抄本(件)」、「影印本」及「譯本」。

十一、**各機關為實施分層負責，逐級授權**，依中央行政機關組織基準法第8條第2項規定，得就授權範圍訂定分層負責明細表。

十二、**各層決定之案件，其對外行文所用名義，應分別規定**。凡性質以用本機關為宜者，雖可授權第2層或第3層決定，仍以機關名義行文。凡性質以用單位名義為宜者，可由單位主管逕行決定，並以該單位名義行文。

十三、**依分層負責之規定處理文書**，如遇特別案件，必須為緊急之處理時，次一層主管得依其職掌，先行處理，再補陳核判。

十四、**第2層、第3層直接處理之案件**，必要時得敘明「來(受)

文機關」、「案由」及「處理情形」、「發文日期字號」等，定期列表陳報首長核閱。下級機關被授權處理之案件，亦得比照此項方式辦理。

貳、公文製作

十五、公文程式之類別說明如下：

(一)公文分為「令」、「呈」、「咨」、「函」、「公告」、「其他公文」6 種：

1、令：公布法律、發布法規命令、解釋性規定與裁量基準之行政規則及人事命令時使用。

2、呈：對總統有所呈請或報告時使用。

3、咨：總統與立法院、監察院公文往復時使用。

4、函：各機關處理公務有下列情形之一時使用：

(1)上級機關對所屬下級機關有所指示、交辦、批復時。

(2)下級機關對上級機關有所請求或報告時。

(3)同級機關或不相隸屬機關間行文時。

(4)民眾與機關間之申請或答復時。

5、公告：各機關就主管業務或依據法令規定，向公眾或特定之對象宣布周知時使用。

6、其他公文：其他因辦理公務需要之文書，例如：

(1)書函：

甲、於公務未決階段需要磋商、徵詢意見或通報時使用。

乙、代替過去之便函、備忘錄、簡便行文表，其適用範圍較函為廣泛，舉凡答復簡單案情，寄送普通

文件、書刊，或為一般聯繫、查詢等事項行文時均可使用，其性質不如函之正式性。

(2)開會通知單：召集會議時使用**(格式如附件1，見頁348)**。

(3)公務電話紀錄：凡公務上聯繫、洽詢、通知等可以電話簡單正確說明之事項，經通話後，發(受)話人如認有必要，可將通話紀錄作成 2 份，以 1 份送達受(發)話人簽收，雙方附卷，以供查考**(格式如附件2，見頁349)**。

(4)手令或手諭：機關長官對所屬有所指示或交辦時使用。

(5)簽：承辦人員就職掌事項，或下級機關首長對上級機關首長有所陳述、請示、請求、建議時使用。

(6)報告：公務用報告如調查報告、研究報告、評估報告等；或機關所屬人員就個人事務有所陳請時使用。

(7)箋函或便箋：以個人或單位名義於洽商或回復公務時使用(箋函作法舉例見附錄 3)。

(8)聘書：聘用人員時使用。

(9)證明書：對人、事、物之證明時使用。

(10)證書或執照：對個人或團體依法令規定取得特定資格時使用。

(11)契約書：當事人雙方意思表示一致，成立契約關係時使用。

(12)提案：對會議提出報告或討論事項時使用。

(13)紀錄：記錄會議經過、決議或結論時使用。

(14)節略：對上級人員略述事情之大要，亦稱綱要。起首用「敬陳者」，末署「職稱、姓名」

(15)說帖：詳述機關掌理業務辦理情形，請相關機關或部門予以支持時使用。

(16)定型化表單。

(二)上述各類公文屬發文通報周知性質者，以登載機關電子公布欄為原則；另公務上不須正式行文之會商、聯繫、洽詢、通知、傳閱、表報、資料蒐集等，得以發送電子郵遞方式處理。

十六、公文製作一般原則如下：

(一)文字使用應儘量明白曉暢，詞意清晰，以達到公文程式條例第 8 條所規定「簡、淺、明、確」之要求，其作業要求：

1、正確：文字敘述和重要事項記述，應避免錯誤和遺漏，內容主題應避免偏差、歪曲。切忌主觀、偏見。

2、清晰：文義清楚、肯定。

3、簡明：用語簡練，詞句曉暢，分段確實，主題鮮明。

4、迅速：自蒐集資料，整理分析，至提出結論，應在一定時間內完成。

5、整潔：文稿均應保持整潔，字體力求端正。

6、一致：機關內部各單位撰擬文稿，文字用語、結構格式應力求一致，同一案情的處理方法不可前後矛盾。

7、完整：對於每一文件，應作深入廣泛之研究，從各種角度、立場考慮問題，與相關單位協調聯繫。所提意見或辦法，應力求周詳具體、適切可行，並備齊各種必需之文件，構成完整之幕僚作業，以供上級採擇。

(二)擬稿注意事項如下：

1、擬稿須條理分明，其措詞以切實、誠懇、簡明扼要為準，所有模稜空泛之詞、陳腐套語、地方俗語、與公務無關者等，均應避免。

2、引敘來文或法令條文，以扼要摘敘足供參證為度，不宜僅以「云云照敘」，自圖省事，如必須提供全文，應以電子文件、抄件或影印附送。

3、敘述事實或引述人名、地名、物名、日期、數字、法規條文及有關解釋等，應詳加核對，避免錯漏。

4、各種名稱如非習用有素，不宜省文縮寫，如遇譯文且關係重要者，請以括弧加註原文，以資對照。

5、文稿表示意見，應以負責態度，或提出具體意見供受文者抉擇，不得僅作層轉手續，或用「可否照准」、「究應如何辦理」等空吉敷衍。

6、擬稿以一文一事為原則，來文如係一文數事者，得分為數文答復。

7、引敘原文其直接語氣均應改為間接語氣，如「貴」「鈞」等應改為「○○」「本」「該」等。

8、簽宜載明年月日及單位。

9、擬辦復文或轉行之稿件，應敘入來文機關之發文日期及字號，俾便查考。

10、案件如已分行其他機關者，應於文末敘明，以免重複行文。

11、文稿中多個機關名稱同時出現時，按照既定機關順序，由左至右依序排列。

12、字跡請力求清晰，不得潦草，如有添註塗改，應於添改處蓋章。

13、文稿分項或分條撰擬時，應分別冠以數字。上下左右空隙，力求勻稱，機關全銜、受文者、本文等應採用較大字體，以資醒目。

14、文稿有 2 頁以上者應裝訂妥當，並於騎縫處蓋(印)騎縫章或職名章，同時於每頁之下緣加註頁碼。

(三)分段要領如下：

1、「主旨」：

(1)為全文精要，以說明行文目的與期望，應力求具體扼要

(2)「主旨」不分項，文字緊接段名冒號之下書寫。

2、「說明」：

(1)當案情必須就事實、來源或理由，作較詳細之敘述，無法於「主旨」內容納時，用本段說明。本段段名，可因公文內容改用「經過」、「原因」等名稱。

(2)如無項次，文字緊接段名冒號之右書寫；如分項條列，應另列縮格書寫。

3、「辦法」：

(1)向受文者提出之具體要求無法在「主旨」內簡述時，用本段列舉。本段段名，可因公文內容改用「建議」、「請求」、「擬辦」、「核示事項」等名稱。

(2)其分項條列內容過於繁雜、或含有表格型態時，應編列為附件。

4、「主旨」、「說明」、「辦法」3 段，得靈活運用，可用 1 段完成者，不必勉強湊成 2 段、3 段。

(四)製作公文，應遵守以下全形、半形字形標準之規定：

1、分項標號：應另列縮格以全形書寫為一、二、三、……，(一)、(二)、(三)……，1、2、3、……，(1)、(2)、(3)；但其中“( )”以半型為之**(格式如附件 3，見頁 350)**

2、內文：

(1)中文字體及併同於中文中使用之標點符號應以全形為之。

(2)阿拉伯數字、外文字母以及併同於外文中使用之標點符號應以半形為之。

十七、公文結構及作法說明如下：

(一)令：

1、公布法律、發布法規命令、解釋性規定與裁量基準之行政規則：

(1)令文可不分段，敘述時動詞一律在前，例如：

甲、訂定「○○○施行細則」。

乙、修正「○○○辦法」第○條條文。

丙、廢止「○○○辦法」。

(2)多種法律之制定或廢止，同時公布時，可併入同一令文處理；法規命令之發布，亦同。

(3)公、發布應以刊登政府公報或新聞紙方式為之，並得於機關電子公布欄公布；必要時，並以公文分行各機關。

2、人事命令：

(1)人事命令：任免、遷調、獎懲。

(2)人事命令格式由人事主管機關訂定，並應遵守由左至右之橫行格式原則。

(二)函：

1、行政機關之一般公文以「函」為主，函的結構，採用「主旨」、「說明」、「辦法」3段式。

2、行政規則以函檢發，多種規則同時檢發，可併入同一函內處理；其方式以公文分行或登載政府公報或機關電子公布欄。但應發布之行政規則，依本點(一)1、所定法規

命令之發布程序辦理。

(三)公告：

1、公告之結構分為「主旨」、「依據」、「公告事項」(或說明)3段，段名之上不冠數字，分段數應加以活用，可用「主旨」一段完成者，不必勉強湊成2段、3段。

2、公告分段要領：

(1)「主旨」應扼要敘述，公告之目的和要求，其文字緊接段名冒號之下書寫。公告登載時，得用較大字體簡明標示公告之目的，不署機關首長職稱、姓名。

(2)「依據」應將公告事件之原由敘明，引據有關法規及條文名稱或機關來函，非必要不敘來文日期、字號。有2項以上「依據」者，每項應冠數字，並分項條列，另列低格書寫。

(3)「公告事項」(或說明)應將公告內容分項條列，冠以數字，另列低格書寫。使層次分明，清晰醒目。公告內容僅就「主旨」補充說明事實經過或理由者，改用「說明」為段名。公告如另有附件、附表、簡章、簡則等文件時，僅註明參閱「某某文件」，公告事項內不必重複敘述”

3、一般工程招標或標購物品等公告，得用定型化格式處理，免用3段式。

4、公告得張貼於機關之公布欄、電子公布欄，或利用報刊等大眾傳播工具廣為宣布。如需他機關處理者，得另行檢送。

(四)其他公文：

1、書函之結構及文字用語比照「函」之規定。

2、定型化表單之格式由各機關自行訂定，並應遵守由左至

右之橫行格式原則。

十八、公文用語規定如下：

(一)期望及目的用語，得視需要酌用「請」、「希」、「查照」、「鑒核」或「核示」、「備查」、「照辦」、「辦理見復」、「轉行照辦」等。

(二)准‧駁性、建議性、採擇性、判斷性之公文用語，必須明確肯定。

(三)直接稱謂用語：

1、有隸屬關係之機關：上級對下級稱「貴」；下級對上級稱「鈞」；自稱「本」。

2、對無隸屬關係之機關：上級稱「大」；平行稱「貴」；自稱「本」。

3、對機關首長間：上級對下級稱「貴」；自稱「本」；下級對上級稱「鈞長」，自稱「本」。

4、機關(或首長)對屬員稱「台端」。

5、機關對人民稱「先生」、「女士」或通稱「君」、「台端」；對團體稱「貴」，自稱「本」。

6、行文數機關或單位時，如於文內同時提及，可通稱為「貴機關」或「貴單位」。

(四)間接稱謂用語：

1、對機關、團體稱「全銜」或「簡銜」，如一再提及，必要時得稱「該」；對職員稱「職稱」。

2、對個人一律稱「先生」「女士」或「君」。

十九、簽、稿之撰擬說明如下：

(一)簽稿之一般原則：

1、性質：

(1)簽為處理公務表達意見，以供上級瞭解案情、並作抉擇之依據，分為下列 2 種：

甲、機關內部單位簽辦案件：依分層授權規定核決，簽末不必敘明陳某某長官字樣。

乙、下級機關首長對直屬上級機關首長之「簽」，文末得用敬陳○○長官字樣。

(2)「稿」為公文之草本，依各機關規定程序核判後發出。

2、擬辦方式：

(1)先簽後稿：

甲、制定、訂定、修正、廢止法令案件。

乙、有關政策性或重大興革案件。

丙、牽涉較廣，會商未獲結論案件。

丁、擬提決策會議討論案件。

戊、重要人事案件。

己、其他性質重要必須先行簽請核定案件。

(2)簽稿併陳：

甲、文稿內容須另為說明或對以往處理情形須酌加析述之案件。

乙、依法准駁，但案情特殊須加說明之案件。

丙、須限時辦發不及先行請示之案件。

(3)以稿代簽為一般案情簡單，或例行承轉之案件。

(二)簽之撰擬：

1、款式：

(1)先簽後稿：簽應按「主旨」、「說明」、「擬辦」3 段式辦理。

(2)簽稿併陳：如案情簡單，可不分段，以條列式簽擬。

(3)一般存參或案情簡單之文件，得於原件文中空白處簽擬。

2、撰擬要領：

(1)「主旨」：扼要敘述，概括「簽」之整個目的與擬辦，不分項，一段完成。

(2)「說明」：對案情之來源、經過與有關法規或前案，以及處理方法之分析等，作簡要之敘述，並視需要分項條列。

(3)「擬辦」：為「簽」之重點所在，應針對案情，提出具體處理意見，或解決問題之方案。意見較多時分項條列

(4)「簽」之各段應截然劃分，「說明」一段不提擬辦意見「擬辦」一段不重複「說明」

3、本手冊所訂「簽」之作法舉例，下級機關首長對直屬上級機關首長行文時應一致採用，至各機關內部單位簽辦案件得參照自行規定。

(三)稿之撰擬：

1、草擬公文按文別應採之結構撰擬。

2、撰擬要領：

(1)按行文事項之性質選用公文名稱，如「令」、「函」「書函」、「公告」等。

(2)一案須辦數文時，請參考下列原則辦理：

甲、設有幕僚長之機關，分由機關首長及幕僚長署名之發文，分稿擬辦。

乙、一文之受文者有數機關時，內容大同小異者，同稿併敘，將不同文字列出，並註明某處文字針對某機關；內容小同大異者，用同一稿面分擬，如以電子方式處理者，可用數稿。

(3)「函」之正文，除按規定結構撰擬外，並請注意下列事項：

甲、訂有辦理或復文期限者，請在「主旨」內敘明。

乙、承轉公文，請摘敘來文要點，不宜在「稿」內書：

「照錄原文，敘至某處」字樣，來文過長仍請儘量摘敘，無法摘敘時，可照規定列為附件。

丙、概括之期望語「請核示」、「請查照」、「請照辦」等，列入「主旨」，不在「辦法」段內重複；至具體詳細要求有所作為時，請列入「辦法」段內。

丁、「說明」、「辦法」分項條列時，每項表達一意。

戊、文末首長簽署、敘稿時，為簡化起見，首長職銜之後可僅書「姓」，名字則以「○○」表示。

己、須以副本分行者，請在「副本 J 項下列明；如要求副本收受者作為時，則請在「說明」段內列明。

庚、如有附件，得在文內敘述附件名稱及份數；正、副本檢附附件不同時，應於文內分別敘述附件名稱及份數。

參、處理程序

二十、文書處理程序一般原則如下：

(一)各機關處理文書，應明確劃分各經辦單位之權責，以期密切配合。

(二)各機關文書之處理，其方式、手續、流程、文字、用語等，應力求簡明。

(三)各機關之文書作業，均應按照同一程序集中於文書單位處理。惟機關之組織單位不在同一處所及以電子文件行之者，不在此限。

(四)各機關應指定適當人員負責辦理收發文及分文工作；收發電報、傳真、電子交換及機密文件，並應指定專人處理。

(五)文書處理，應隨到隨辦、隨辦隨送，不得積壓。

(六)各機關得視實際需要，採用收發文同號。

(七)文書須記載年、月、日，配合流程管理，得註明時間；文書中記載年份，一律以國曆為準，惟外文或譯件，得採用西元紀年。

(八)文書處理過程中之有關人員，均應於文面適當位置蓋章或簽名，並註明時間(例如 11 月 8 日 16 時，得縮記為 1108/1600)，以明責任。簽名必須清晰，以能辨明為何人所簽。

(九)各機關在辦公時間外，遇有公文收受，應由值日人員按照值日及值夜規則之規定辦理。

(十)機關內部各單位間文書之傳遞，均應視業務繁簡及辦公室分布情形，設置送文簿或以電子方式簽收為憑。

(十一)組織龐大所屬單位較多而分散辦公之機關，應設立公文交換中心，定時集中交換，以加速公文之傳遞。

(十二)機關因業務需求，得將公文登載於電子公布欄，並得輔以電子郵遞告知，不另行文；登載電子公布欄之公文應註明登載期限，超過期限者，應自電子公布欄專區移除。

(十三)各機關對於其他機關電子公布欄所登載之資訊，應視內容性質自行下載使用並為必要之處理。收文方對發文方告知登載電子公布欄之訊息，應依其訊息擷取相關資料，並為妥適處理。

(十四)人民、法人或其他非法人團體於參加政府機關公文電子交換作業時，應符合機關公文電子交換作業辦法、「文書及檔案管理電腦化作業規範」及相關規定。

二十一、文書處理流程圖示如下：

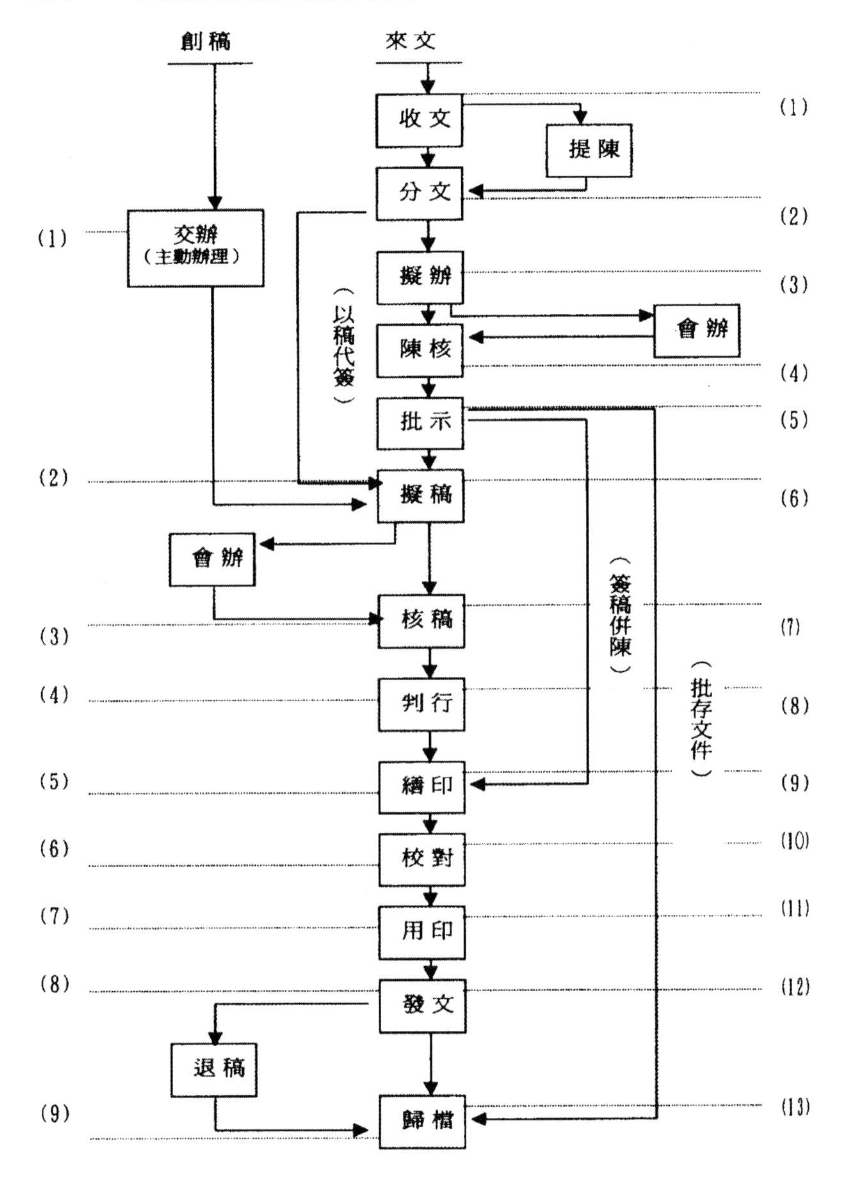

肆、收文處理

二十二、簽收應注意事項如下：

(一)外收發人員收到公文或函電，除普通郵遞信件外，應先將送件人所持之送文簿或清單逐一查對點收，並就原簿、單，註明收到時間蓋戳退還；如無送文簿、單，應填給送件回單。機關如未設外收發單位者，應指定專人辦理。

(二)外收發人員收到之文件應登錄於外收文簿，其係急要文件、機密件、電報或附有現金、票據等者，應隨收隨送總收文人員，其餘普通文件應依性質定時彙送。文件封套上指定收件人姓名者，應另用送文簿登錄，並比照上述文件性質，隨時或按時送達。

(三)來人持同文件須面洽者，應先以電話與承辦單位接洽，如有必要再引至承辦單位，其所持文件應囑承辦單位補辦收文手續。

(四)收件應注意封口是否完整，如有破損或折閱痕跡，應當面會同送件人於送件簿、單上，註明退還或拒收。

(五)電子交換收文人員應注意傳遞交換之電子文件、儲存電子檔、確認發文單位，及檢查附件與文件有否疏漏或被竄改。

二十三、拆．驗應注意事項如下：

(一)總收文人員收到文件拆封後，除無須登錄者外，如為機密件或書明親啟字樣之文件，應於登錄後，送由機關首長指定之機密件處理人員或收件人收折；如為普通文

件，應即點驗來文及附件名稱、數量是否相符，如有錯誤或短缺，除將原封套保留註明外，應以電話或書面向原發文機關查詢。

(二)應檢視文內之發文日期與送達日期或封套郵戳日期是否相稱，如相隔時日較長時，應在文面註明收到日期。

(三)公文附件如屬現金、有價證券、貴重或大宗物品，應先送出納單位或承辦單位點收保管，並於文內附件右側簽章證明。

(四)附件應不與公文分離為原則，由總收文人員裝訂於文後隨文附送；附件較多或不便裝訂者，應裝袋附於文後，並書明○○號附件字樣。

(五)附件未到而公文先到者，應俟附件到齊後再分辦；公文如為急要文件，可先送承辦單位簽辦，其附件如逾正常時間未寄到時，應速洽詢。

(六)來文如屬訴願案、訴訟案、人民陳情案或申請案等，且有封套者，其封套應釘附於文後，以備查考；郵寄公文之封套所貼郵票，不得剪除。

(七)來文如有誤投，應退還原發文機關；其有時間性者得代為轉送，並通知原發文機關。

(八)機密文件經機關首長指定之處理人員拆封後，如須送總收文登錄掛號者，應在原封套加註「本件陳奉親拆」或「本件由○○○單位拆封」，以資識別。

二十四、分文應注意事項如下：

(一)總收文人員收到來文經拆驗後，應彙送分文人員辦理分文。如係電子交換、傳真、電報或外文文電，應按程序收文分辦。

(二)分文人員應視公文之時間性、重要性，依本機關之組織與職掌，認定承辦單位並由各機關規定適當位置加蓋單位戳後，依序迅確分辦；對來文未區分等級而認定內容確係急要者，應加蓋戳記，以提高承辦人員之注意。

(三)來文內容涉及 2 個單位以上者，應以來文所敘業務較多或首項業務之主辦單位為主辦單位，於收辦後再行會辦或協調分辦。

(四)來文屬急要文件或案情重大者，應先提陳核閱，然後再照批示分送承辦單位，如認有及時分送必要者，應同時影印分送。

(五)機關首長或單位主管交下之公文，分文時應於公文上加註「○○○交下」戳記。

二十五、編號、登錄應注意事項如下：

(一)來文完成分文手續後即在來文正面適當位置標示收文日期及編號，並將來文機關、文號、附件及案由摘要登錄於總收文登記表，分送承辦單位；急要公文應提前編號登錄分送。

(二)總收文登記表之格式，得視機關實際之需要自行製作。

(三)總收文號按年順序編號，年度中間如遇機關首長更動時，其編號仍應持續，不另更換。

(四)每日下班 2 小時前送達總收文人員之文件，應於當日編號登錄分送承辦單位。

(五)機密件應由機關首長指定之處理人員向總收文人員洽取總收文號填入該文件，並在總收文登記表案由欄內註明密不錄由。

(六)承辦單位因故遺失業經收文編號之公文，經原發文機關

補發後要求補辦收文手續時，仍應沿用原收文日期及原收文號。

(七)電子交換收文人員於檢視來文無誤後，應收文登錄，並將相關電子檔與收文號連結。

二十六、傳遞應注意事項如下：

(一)在機關內傳遞屬於絕對機密、極機密文件、急要文件或附有大量現金、高額有價證券及貴重物品之公文，應由承辦人員親自持送。

(二)內部傳遞文件以下列各種為限：

1、各機關本於職權所訂定之內部文件。

2、文書單位收受之外來文件。

3、各主辦單位問核擬核會之文件。

4、經辦結外發之文件。

5、機關首長交辦之文件。

(三)文件之遞送除急要文件應隨到隨送外，普通件以每日上下午分批遞送為原則。

二十七、單位收發應注意事項如下：

(一)各機關內部單位應視業務需要，指定專人擔任單位收發，並應與文書主管單位及公文稽催單位保持密切聯繫，單位收發以設置 1 級為限。

(二)單位收發人員收到文書主管單位送來之文件，經點收並登錄後，立即送請主管(或副主管)批示或依其授權分送承辦人員。

(三)承辦單位收受之文件，認為非屬本單位承辦者，應敘明理由經單位主管核閱後，即時由單位收發退回分文人員改分，或逕行移送其他單位承辦並通知分文人員；受移

單位如有意見，應即簽明理由陳請首長裁定，不得再行移還，以免輾轉延誤。

(四)未經文書單位收文之文件，應登錄送由文書主管單位補辦收文登錄手續。

(五)會辦之文件，受會單位應視同速件，並依收發文程序辦理。

(六)經發文或核定存查之文件，應銷號。

伍、文書核擬

二十八、擬辦文書應注意事項如下：

(一)對於單位收發送交之文書，或根據工作分配須辦理者，承辦人員應即行擬辦，並將辦理情形登錄於公文電腦系統或記載於公文登記簿，以備查詢。

(二)機關首長或單位主管對主管業務認有辦理文書之必要者，得以手諭或口頭指定承辦人員擬辦。

(三)負責主辦某項業務之人員，對其職責範圍內之事件，認為必須以文書宣達意見或查詢事項時，得自行擬辦。

(四)承辦人員對於文書之擬辦，應查明全案經過，依據法令作切實簡明之簽註。依法令規定必須先經會議決定者，應按規定提會處理。法令已有明文規定者，依規定擬稿送核，無法令規定而有慣例者依慣例。適用法令時，依法律優於命令、後法優於前法、特別法優於普通法、後令優於前令及下級機關之命令不得牴觸上級機關之命令等原則處理。

(五)處理案件，須先經查詢、統計、核算、考驗、籌備、設計等手續者，應先完成此項手續，如非短時間所能完成

時，宜先將原由向對方說明。

(六)承辦人員對本案原有文卷或有關資料，應詳予查閱，以為擬辦處理之依據或參考。此項文卷或資料，必要時應摘要附送主管，作為核決之參考。

(七)簽具意見，應力求簡明具體，不得模稜兩可，或晦澀不清，尤應避免未擬意見而僅用「陳核」或「請示」等字樣，以圖規避責任。

(八)重要或特殊案件，承辦人員不能擬具處理意見時，應敘明案情簽請核示或當面請示後，再行簽辦。

(九)母須答復或辦理之普通文件，得視必要敘明案情簽請存查。

(十)承辦人員擬辦案件，應依輕重緩急，急要者提前擬辦，其他亦應依序辦理，並均於規定時限完成，不得積壓。

(十一)承辦人員對於來文或簽擬意見，如情節較繁或文字較長者，宜摘提要點，或於適當處作必要之註記，以利核閱

(十二)承辦人員對於來文之附件，有抽存待辦之必要者，應於來文上書明「附件抽存」字樣，並簽名或蓋章，附件除書籍等另有指定單位保管者外，應於用畢後歸檔。

二十九、應先協調會商之文書，應注意事項如下：

(一凡案件與其他機關或單位之業務有關者，應儘量會商。

(二)會商方式，應依問題之繁簡難易及案件之輕重緩急，於下列各款斟酌選用之：

1、以電話商詢或面洽，必要時並記錄備查。

2、以簽稿送會有關單位。其送會單位較多者，宜採用簽稿會核單**(格式如附件4，見頁351)**，並視案情需要決定採

順會或並會方式，會銜公文採用會銜公文會辦單**(格式如附件5，見頁352)**。

3、提例會討論。

4、約集有關單位人員定期舉行會議商討。

5、臨時約集有關人員小組會商。

6、自行持稿送會。

7、以書函洽商**(書函作法舉例見附錄3)**。

(三)組織單位較多之機關，應定期舉行會報，涉及2個單位以上需會商之案件，可在會報中提出，經決定作成紀錄後，辦稿時註明「已提○年○月○日會報決定」字樣，不再一一送會。

三十、陳核應注意事項如下：

(一)文件經承辦人員擬辦後，應即分別按其性質，用公文夾遞送主管人員核決，如與其他單位有關者並應先行會商或送會。

(二)文書之核決，於稿面適當位置簽名或蓋章辦理，其權責區分如下：

1、初核者係承辦人員之直接主管。

2、覆核者係承辦人員直接主管之上級核稿者。

3、會核者係與本案有關之主管人員(如無必要則免送會)

4、決定者係依分層負責規定之最後決定人。

(三)承辦人員對於承辦文件如未簽擬意見，應交還重擬，再行陳核。

(四)承辦人員擬有2種以上意見備供採擇者，主管或首長應明確擇定1種或另批處理方式，不可作模稜兩可之批示。

三十一、承辦人員於辦稿時，請參考範例(見附錄3)，分別填列

下列各點：

(一)「文別」：按照公文程式條例之類別及有關規定填列。

(二)「速別」：係指希望受文機關辦理之速別。應確實考量案件性質，填列「最速件」、「速件」或「普通件」。

(三)「密等及解密條件或保密期限」：填「絕對機密」、「極機密」、「機密」、「密」，解密條件或保密期限於其後以括弧註記。如非機密件，則不必填列。

(四)「附件」：請註明內容名稱、媒體型式、數量及其他有關字樣。

(五)「正本」或「副本」：分別逐一書明全銜，或以明確之總稱概括表示；其地址非眾所周知者，請註明。機關內部得以加發「抄本(件)」之方式處理。

(六)「承辦單位」：於稿面適當位置註明承辦單位之名稱。

(七)「承辦人員」‘由承辦人員於稿面適當位置簽名或蓋章，並註明辦稿之年月日及時間。

(八)「收文日期字號」：於稿面適當位置列明「收文日期字號」，如數件併辦者，應將各件之收文號一併填入(各件收文亦一併附於文稿之後)　。

(九)「分類號」及「保存年限」：於稿面適當位置列明，並參照相關檔案法規之規定填列。

(十)下列特殊處理事項，由承辦人員斟酌情形，於稿面適當處予以註明：

1、刊登電子公布欄、公報或通訊。

2、登報或公告，註明刊登報名、位置、字體大小、日期或揭示地點。

3、有時間性之文件，指明繕印發出或送達時間。

4、會銜稿件，書明各會銜機關抽存之份數。

5、發後補判或先發後會之註明。

6、指定寄遞方法或投遞人，並按公文內容、性質，選取電子交換方式。

7、指定公文收受人員或拆封之人員。

8、為提升公務溝通效率，承辦人員得於文稿中述明聯絡方式。

9、其他。

(十一)承辦人員辦稿時，處理附件之注意事項：

1、附件請檢點清楚，隨稿附送。

2、附件有 2 種以上時，請分別標以附件 1、附件 2、⋯⋯⋯。

3、附件除附卷者外，如係隨文附送，辦稿時，用「檢送」「檢附」等字樣。

4、如需以原本發出，而原本僅 1 份時，請註明：「原本隨文發出，抄本或影印本存卷」。

5、如需以電子文件、抄本或影印本發出，辦稿時請書「附電子檔」、「抄送」或「檢送○○影印本」等字樣，並註明「原本存眷，另以電子檔、抄本或影印本發出」。

6、發文附件宜儘量用電子文件。

7、附件如不及或不能隨稿附送時，請註明「封發時，附件請向承辦人員或某某洽取」字樣。

8、附件除隨文發出外，如尚有需要時，請註明「附件請多繕○○份，送○○○」。

9、有時間性之公文，其附件不及隨文送出者，請註明「文先發，附件另送」，並與發文單位聯繫，洽知發文號碼，備於補送附件時註明。

(十二)承辦人員其他注意事項：

1、緊急事項請先以電話洽辦，隨即補具公文。

2、各機關如有請示案件，按其性質請主管單位研提意見。

3、簽稿送請核判如須附送參考資料或檔案且數量較多時，除標明附件號數外，並將重要處斜摺，露出上端或加籤條，以利查閱。

4、公文書或附件如係屬發文通報周知或需要收文機關轉發者，以登載於電子公布欄為原則，附件以電子文件方式處理，避免層層轉送。

5、登載於電子公布欄之資訊，如對某些特定對象有所影響，或需其有所作為者，可另以書函或結合電子目錄服務之電子郵遞方式，告知前述訊息，以利其配合辦理。訊息中需明確告知登載之位址及內容概要。

6、承辦人員對適宜長期對外宣告之公文或其相關附件資料，應洽網站管理人員長期登載。

7、來文內有極顯明之錯誤字句，應電洽改正，或於抄發時在文旁改正，如摘敘入稿，則請逕行改正或避免錯誤之字句。

三十二、核稿應注意事項如下：

(一)核稿人員對案情不甚明瞭時，可隨時洽詢承辦人員，或以電話詢問，避免用簽條往返，以節省時間及手續。

(二)核稿時如有修改，應注意勿將原來之字句塗抹，僅加勾勒，從旁添註，對於文稿之機密性、時間性、重要性或重要關鍵文字，認為不當而更改時必須簽章，以示負責。

(三)上級主管對於下級簽擬或經辦之稿件，認為不當者，應就原稿批示或更改，不宜輕易發回重擬。

三十三、會稿應注意事項如下：

(一)凡先簽後稿之案件已於擬辦時會核者，如稿內所敘與會核時並無出入，應不再送會，以節省時間及手續。

(二)各單位於其他單位送會之簽稿，如有意見應即提出，如未提出意見，一經會簽，即認為同意，應共同負責。

(三)會稿單位對於文稿有不同意見時，應由主辦單位綜合修改後，再送決定，會銜者亦同。

(四)非政策性之緊急文稿，為爭取時效，得先發後會。

三十四、閱稿應注意事項如下：

(一)簽稿是否相符。

(二)前後案情是否連貫。

(三)有關單位已否會洽。

(四)程式、數字、名稱、標點符號及引用法規條文等是否正確。

(五)文字是否通順。

(六)措詞是否恰當。

(七)有無錯別字。

(八)對於文稿內容如有不同意見，應洽商主管單位或承辦人員改定，或加簽陳請長官核示，不宜逕行批改。

三十五、判行應注意事項如下：

(一)文稿之判行按分層負責之規定辦理。

(二)宜注意每一文稿之內容，各單位間文稿有無矛盾、重複及不符等情形。

(三)對陳判之文稿，應明確批示。同意發文，批示「發」；認為無繕發必要尚須考慮者，宜作「不發」或「緩發」之批示。

(四)重要文稿之陳判，應由主辦人員或單位主管親自遞送。

(五)決行時，如有疑義，應即召集承辦人員及核稿人員研議，即時決定明確批示。

三十六、回稿、清稿應注意事預如下：

(一)稿件於送會或陳判過程中，如改動較多或較為重大，或有其他原因者，會核或核決人員宜回稿，將稿件退回原承辦人員閱後，再行送繕。

(二)文稿增刪修改過多者，應送還原承辦人員清稿。清稿後應將原稿附於清稿之後，再陳核判。其已會核會簽者，不必再會核簽。

三十七、使用公文夾應注意事項如下：

(一)文書之陳核、陳判等過程中，均應使用公文夾(格式如附件 6)，並以公文夾顏色做為機關內部傳送速度之區分。

(二)公文夾用較厚且較堅韌之紙張印製，機密件公文應用特製之機密件袋。

(三)公文夾之正面標明承辦人員之單位。

(四)公文夾區分如下，各機關並得視實際需要自行訂定：

1、最速件用紅色。

2、速件用藍色。

3、普通件用白色。

4、機密件用黃色或特製之機密件袋。

(五)公文夾之應用，必須與夾內文書之性質相稱，最速件之使用比例應予適當之控制。

(六)各機關公文夾之尺寸及封面格式應依下列規定辦理：

1、尺寸：公文夾未摺疊前之尺寸，以長 x 寬為 56x40 公分，四邊留 3 公分由外向內摺邊，摺疊後長x竟為 50x34 公分

為原則。

2、封面格式：公文夾正中間標明「(機關)公文夾」，中間下方標示「承辦單位」，左上角預留透明可插式空間，以標示會核單位或視需要加註其他例如「提前核閱 J 或「即刻繕發」等訊息，如標明「速別」者，所標明之「速別」須與公文夾顏色規定相符。

陸、發文處理

三十八、繕印應注意事項如下：

(一)各機關文書單位之分繕人員收到判行待發之文稿，應注意稿件之緩急並詳閱文稿上之批註後登錄交繕。

(二)分繕人員收到待發之文稿如認為所註明發出之期限急迫，預計無法依限辦妥者，應向承辦單位洽商改訂，並在稿面註明，以明責任。

(三)凡機密性及重要性之文稿，應指定專人負責繕印。

(四)分配繕印之文件，應以當日繕印竣事為原則。

(五)繕印人員對交繕之文稿，如認其不合程式或發現原稿有錯誤或可疑之處時，應先請示主管或向承辦人員查詢洽請改正後再行繕印。

(六)各機關對外行文，應一律使用統一規格之公文紙**(格式如附件7，見頁 354)**，其版面包括字型、字體大小及行距等，得參考「政府文書格式參考規範」辦理。

(七)繕印人員對文件內之金額、數字、人名、地名、日期或較重要之辭句不得因繕打錯誤而任意添註、塗改及挖補。

(八)繕印文件宜力求避免獨字成行，獨行成頁。遇有畸零字數或單行時，宜儘可能緊湊。

(九)繕印公文遇有未編訂發文字號之文稿，儘量先提取發文字號。

(十)繕印人員遇行文單位兼有電子交換及非電子交換之文稿時，均應送請校對。

三十九、校對應注意事項如下：

(一)公文繕印完畢後應由校對人員負責校對，校對人員應注意繕印公文之格式、內容、標點符號與原稿是否相符。

(二)機密及重要文件，應指定專人負責校對。

(三)校對人員發現繕印之文件有錯誤時，應退回改正；不影響全文意旨者，得於改正後在改正處加蓋校對章；其以電子文件行之者，該電子檔須一併改正。

(四)校對人員如發現原稿有疑義，或有明顯誤漏之處，或機密文書未註記解密條件或保密期限者，應洽承辦人員予以改正；文內之有關數字、人名、地名及時間等應特加注意校對。

(五)公文校對完畢，應先檢查受文單位是否相符及附件是否齊全後，於原稿註記校對人員章，並於登錄後送監印人員蓋印。

(六)重要公文及重要法案經校對人員校對後，宜送請承辦人員複校後再送發。

(七)校對人員遇行文單位兼有電子交換及非電子交換之文稿時，應於校對無誤後，將非電子交換公文附於文稿內，循發文程序作業。

四十、蓋印及簽署應注意事項如下：

(一)各機關任何文件，非經機關首長或依分層負責規定授權各層主管判發者，不得蓋用印信。

(二)監印人員如發現原稿未經判行或有其他錯誤，應即退送補判或更正後再蓋印。

(三)監印人員於待發文件檢點無誤後，依下列規定蓋用印信：

1、發布令、公告、派令、任免令、獎懲令、考績通知書、聘書、訴願決定書、授權狀、獎狀、褒揚令、證明書、執照、契約書、證券、匾額及其他依法規定應蓋用印信之文件，均蓋用機關印信及首長職銜簽字章。

2、呈：用機關首長全銜、姓名，蓋職章。

3、函‘上行文著機關首長職銜、姓名，蓋職章。平行文蓋職銜簽字章或職章。下行文蓋職銜簽字章。

4、書函、開會通知單、移文單及一般事務性之通知、聯繫、洽辦等公文，蓋用機關或承辦單位條戳。

5、機關內部單位主管依分層負責之授權，逕行處理事項，對外行文時，由單位主管署名，蓋單位主管職章或蓋條戳。

6、機關首長出缺由代理人代理首長職務時，其機關公文應由首長署名者，由代理人署名。機關首長因故不能視事，由代理人代行首長職務時，其機關公文，除署首長姓名註明不能視事事由外，應由代行人附署職銜、姓名於後，並加註代行二字。機關內部單位基於授權行文，得比照辦理。

7、會銜公文如係發布命令應蓋機關印信，其餘蓋機關首長職銜簽字章。

(四)一般公文蓋用機關印信之位置，以在首頁右側偏上方空白處用印為原則，簽署使用之章戳位置則於全文最後。

(五)公文及原稿用紙在 2 頁以上者，其．騎縫處均應蓋(印)

騎縫章。

(六)附件以不蓋用印信為原則，但有規定須蓋用印信者，依其規定。

(七)副本之蓋印與正本同，抄本(件)及譯本不必蓋印，但應分別標示「抄本(件)」或「譯本」。

(八)文件經蓋印後，由監印人員在原稿加蓋監印人員章，送由發文單位辦理發文手續。

(九)不辦文稿之文件，如需蓋用印信時，應先由申請人填具「蓋用印信申請表」，其格式由機關自訂，惟內容應包括申請人簽章、蓋用印信之文別、受文者、主旨、用途、份數及蓋用日期等項目，陳奉核定後，始予蓋用印信。

(十)監印人員應備置印信蓋用登記表，對已核定需蓋印之文件，應予登錄並載明(發)文字號，申請表應妥為保存，以備查考。登記表及蓋用印信申請表，於新舊任交接時，應隨同印信專案移交。

(十一)監印人員對行文單位兼有電子交換及非電子交換之文稿，應核對其清單無誤後，方得於非電子交換公文蓋印，並循發文程序作業。

四十一、編號、登錄應注意事項如下：

(一)總發文人員對持發之公文，應詳加檢查核對，如有漏蓋印信、附件不全或受文單位不符者應分別退還補辦。

(二)持發之文件，應按其性質依序編列發文字號及註明發文日期，如係機密件或有時間性之文件，應分別標明，以引起受文機關注意。

(三)發文代字應冠以承辦單位之代字，承辦單位如為不固定機關或軍事機構，得另以代字編定統一代號使用，此項

代字均以於每年開始預為編定為原則，以便統一使用。總發文字號每年更易 1 次，年度中間如遇機關首長更動時，其編號仍應持續不另更換。

(四)文號 11 碼，前 3 碼為年度，中間 7 碼為流水號，最後 1 碼為支號，其中支號係供作雙稿、多稿公文用。

(五)機密文件應由機關首長指定之人員處理，發文時先向總發文人員洽取發文字號填入文中自行封發，並在總發文登記表案由欄內註明密不錄由，或以代碼或代名表示。

(六)各機關之總發文登記格式，得視實際需要，自行決定。公文經編號發文後應依序加以登錄。

(七)發文後之稿件，如承辦單位註明有先發後會或發後補判者，應退還承辦單位自行處理。

四十二、封發應注意事項如下：

(一)經編號待發之公文，應由專人負責複檢附件是否齊全，文與封是否相符後再封固，並標明速別，登錄後送外收發人員遞送。

(二)同一受文機關之公文，除最速件得提前封發外，其餘普通件得併封發出，並在封套**(格式如附件8，見頁 355)**上註明文號件數。

(三)機密件、最速件或開會通知應於封套上加蓋戳記；機密件應另加外封套，以重保密。

(四)發文附件應由總發文人員隨文封發；如為現金、票據、有價證券或貴重物品，應由承辦單位檢齊封固書明名稱、數量，並在封口加蓋經辦人員印章隨同公文送交總發文人員辦理封發。

(五)凡體積較大數量過多之附件需另寄者，應在公文附件項

下註明附件另寄，並應在附件封面書明某字號之附件，該公文及附件應同時付郵。

四十三、送達或付郵應注意事項如下：

(一)公文之送達或付郵由外收發人員統一辦理。

(二)送達公文及附件，除特殊情形經陳奉核准者外，應直接送達受文之機關。

(三)交換傳遞之公文，應填具送文簿或公文傳遞清單按規定時間、地點集中交換。

(四)傳送之公文，應填具送文簿或公文傳遞清單書明送出時間，派專差送達。

(五)郵遞公文應依其性質分別填送郵遞清單付郵，郵資及收執應另備登記表登錄，以為郵費報銷之依據。

(六)人事命令、證件、有價證券、訴願文件及機密件等均應以掛號郵件寄發。

(七)機關內部各單位送發之文件，應以有關公務者為限，由單位收發人員登錄送文簿送交外收發人員遞送。

(八)送發之電報，由電務人員登錄後逕行送發。

(九)外收發人員應隨時注意登錄有關機關及人員之通訊地址，以便文件之投送。

(十)公文封發後，由承辦人員自送時，應由該承辦人員簽章，並自行送達受文單位。

四十四、歸檔應注意事項如下：

(一)文書之歸檔，應依相關檔案法規辦理。

(二)收文經批存者，應區分永久保存或定期保存年限，由單位收發登錄後，得依各機關公文處理程序辦理歸檔。

(三)發文後之原稿件，除承辦單位註明發後補判、發後補會

者應退承辦單位自行辦理後送檔案管理單位點收歸檔外，其餘稿件應隨同總發文登記表送檔案管理單位簽收歸檔。

(四)簽稿應原件合併歸檔，若一簽多次辦稿，得影印附卷，並註明原簽所在文號。

柒、文書簡化

四十五、減少文書數量應注意事項如下：

(一)各級機關本於其職掌範圍規定處理之事項，除法令規定及性質重要者外，不必報備。

(二)無轉行或答復必要之文書或例行准予備查之案件，應逕予存查。

(三)無機密性之通案，應於電子公布欄公布，並得登載於公報、公告或其他公務性刊物，以代替行文，下級機關應即照辦，毋庸逐級函轉。

(四)同一機關之內部各單位，必須以書面洽辦公務者，應以書函或便箋行之，或將原文影印分送會簽，並儘量利用電子方式處理。

(五)各機關自其他機關電子公布欄所擷取之資訊，可直接利用機關內部網路轉登或辦理，無須另外行文。

(六)接到之副本，如僅為通知性質，不須辦理，亦無其他意見者，不必行文答復。

(七)內容簡單毋須書面行文者，可用電話接洽。

(八)機關團體首長到任就職，地址、電話變動、年度發文代字號，或其他一般性通報周知事項，應登載電子公布欄。

(九)上級交下級核議之文件，如在同一地區，可將原件發交

下級機關，下級機關即於原件上簽註意見送還。不在同一地區者，可用交辦(議)案件通知單**(作法舉例見附錄3)**為之。

(十)凡造送各種報表，除必須備文附送者外，一律由主辦單位逕行送發。

(十一)屬機關內部通報性質之公文，得利用機關內部網路，以登載或以電子郵遞方式告知；其採電子郵遞方式者，須確認相關收受人員必能獲知該項訊息。

(十二)上級機關公報或通訊刊載之文件，下級機關應即照辦，毋庸逐級函轉。如須行文催辦，祇錄該案所登公報或通訊之期數、頁數、發文日期、字號及主旨，以便檢查。

(十三)設有廣播電臺之機關，得視公文內容可以利用廣播播送者，予以播送。受文機關應指定人員予以記錄，作為正式公文處理。

四十六、文書處理採用簡便或定型化方式應注意事項如下：

(一)已行文之事項，逾期未復，須催辦、催繳、催復、催報、催發、催查者，用催辦案件通知單**(作法舉例見附錄3)**。

(二)不屬於本機關主管業務或職權範圍之來文，可逕以移文單**(作法舉例見附錄3)**移送主管機關，不必退還。

(三)不同機關之來文，案由相同其答復同者，應併辦一稿，分知各來文機關。

(四)凡發往甲機關之文稿已經發出，又須以同樣文稿發往乙機關時，應將原案調出，加簽說明，擬照發乙機關，經陳奉核可後，即送請文書單位繕發，不必重行辦稿。

(五)召集會議宜用開會通知單或以電話通知。

(六)借支、請假、出差、請購等例行事項，得用表格填報，或利用機關內部網路，不另用簽。

(七)人事任免等例行案件，宜用定型稿。

(八)各機關交辦文件，宜指示原則，附式舉例說明；審核下級機關陳送報表或附件時，除重大錯誤發還更正外，應即就原案改正並告知，以免公文往返。

四十七、簡化文書手續應注意事項如下：

(一)外收發與內收發非屬必要，應合併辦理。

(二)定期報表、私誼交際文電及其他不涉及公務之文件，均不必辦理收發文登錄，可另用送件簿(單)遞送。

(三)編號登錄之簡化：

1、除總收發應摘由登錄外，其他歷程中只記文號，不必錄由，並可經機關內部網路，傳送有關單位。

2、公文書應一文一號，總收發文所編號碼，應在本機關內統一應用。

3、各機關應視實際情形，採用收發文同號，使文號更趨簡化。

4、收發文編號使用之代字，應以適用為度，勿疊床架屋，徒增累贅。

5、電報發文應以 4 位阿拉伯數字代表月日(如 6 月 18 日為 0618)。

(四)文稿核會之簡化：

1、上一層級已於擬辦時核可者，其文稿內容如無變更，應由次一層級代判，不必再送上級判行，較急要者，得先行判發再補陳核閱。

2、急要文書，高級主管人員應儘量自行辦稿，以節省核轉

之時問及手續。

3、一人兼任本機關內數項職務者，其核稿以 1 次為限。

4、彙存或彙辦之案件，可由承辦人員就首次來件簽明必須彙存或彙辦之理由，陳送核批後，續收之同案件，即逕由承辦人員註明彙存或彙辦。

5、利用業務會報商討涉及 2 個單位以上之案件，經作成決定後再辦，以減少公文簽會手續。

6、會商或會稿儘量以電話或當面行之。

7、案件如屬本單位主辦，但有會知其他單位之必要者，應於辦稿後送會，或如係其他機關則以副本抄送。其須事先徵求其他機關或單位意見，以為辦稿之依據者，應先送會。

8、會議紀錄及交代案等類似案件，其內容廣泛，須送會 3 個以上單位者，得影印若干份，同時分送各有關單位，以免依次會簽，稽延時日。

9、特急文件需會辦者，應逕行面洽，儘量避免登錄遞送承轉等手續。

(五)行文之簡化：

1、緊急公文得不依層級之限制，越級行文。

2、各機關內部單位接洽其職掌範圍內之事項或依分層負責之事項，對其他機關或其他機關之內部單位，得直接行文，不必由機關對機關行文。

四十八、文書有分行之必要者儘量利用副本，避免重複辦稿。使用副本應注意事項如下：

(一)受理之案件，主體機關或通案分行之機關用正本，其餘有關聯或預計將有同樣詢問之機關用副本。

(二)收到其他機關來文，一時未能函復，須向其他機關查詢者，可將查詢行文之副本抄送來文機關。

(三)副本除知會外，尚須收受副本機關處理者，得於文內加敘請就某一事項予以處理之字樣。

(四)因緊急情況越級行文時，得以副本抄送其直屬上級或下級機關。

(五)附件以正本為限，如需附送副本收受機關或單位，應在「副本」項內之機關或單位名稱右側註明「含附件」或「含○○附件」。

(六)已抄送副本之機關單位，如其後續來文，內容已在前送副本中列明者，不必答復。

捌、文書保密

四十九、機密文書區分為國家機密文書及一般公務機密文書。各機關處理機密文書，除依國家機密保護法與其施行細則及其他法規外，依本手冊辦理。

五十、國家機密文書區分為「絕對機密」、「極機密」、「機密」；一般公務機密文書列為「密」等級。不同等級之機密文書合併使用或處理時，以其中最高之等級為機密等級。

五十一、一般公務機密，指本機關持有或保管之資訊，除國家機密外，依法令或契約有保密義務者。

五十二、各機關應就其主管業務，依第 49 點第 2 項各法規所定事項，於必要之最小範圍內，分別詳定應保密事項之具體範圍。

五十三、核定機密文書之機密等級、保密期限、解密條件等，應依相關保密法規辦理。

五十四、凡委託其他公民營機構或個人研究、設計、發展、試驗、採購、生產、營繕、銷售或保管文件，涉及機密事項，其文書處理規定如下：

(一)各機關人員於其職掌或業務範圍內，凡以契約委託其他公民營機構(廠商)或個人產製之機密文書，應要求受託者先行採取保密措施，並送交委託單位，由權責長官核定機密等級、保密期限或解密條件，並通知受託者。

(二)凡因委託契約需要，而必須提供受託者機密文書時，應繕造清冊送交受託者專人執據簽收；並得檢查該機密文書之管理與運用情形，以保障機密文書不遭轉用或洩漏。

(三)為使受託者瞭解並配合採取保密措施，委託單位應要求簽訂「保密契約」或於主契約中規範「保密義務條款」，明定業經標示為機密之文書，縱使契約終止或解除，非經解密，受託者仍應採取保密措施。

五十五、各機關應指定專責人員負責辦理機密文書折封、分文、繕校、蓋印、封發、歸檔，以及機密公文電子交換等事項，並儘可能實施隔離作業。

五十六、機密文書之簽擬、陳核(判)，應由業務主管或其指定之人員處理，並應儘量減少處理人員層級及程序。

五十七、各機關承辦人員處理一般文書，應審核鑑定是否具保密價值，如確有保密必要，應即改作機密文書處理。如為他機關來文，得依本手冊機密等級變更或解密程序，建議來文機關變更密等及解密條件或保密期限。機關內部行政流程如有保密必要時，於文書核擬過程中採取保密措施即可。

五十八、一般公務機密文書之知悉、持有、使用或複製，除辦

理該機密業務者外，以經單位主管以上人員同意者為限。前項單位主管以上人員，於有下列情形之一者，得不同意：

(一)有事實足認有洩密之虞。

(二)無知悉、持有、使用或複製機密文書之必要。

五十九、處理機密文書應注意事項如下：

(一)收受機密文書時，應先詳細檢查封口有無異狀後，並依內封。

套記載情形完成登錄，受文者為機關或機關首長者，應送機關首長或其指定人員放封；受文者為其他人員者，逕送各該人員本人啟封；另啟封人員，應核對其內容及附件。

(二)機密文書之收發處理，以專設文簿或電子檔登記為原則，並加註機密等級。如採混合方式，登記資料不得顯示機密之名稱或內容。

(三)機密文書用印時，屬「絕對機密」、「極機密」者，由承辦人員持柱辦理。監印人員僅憑機關首長簽著用印，不得閱覽其內容。屬「機密」、「密」者之用印，得由繕校人員持往辦理。

(四)「絕對機密」、「極機密」文書之封發，由承辦人員監督辦理。「機密」、「密」則由指定之繕校、收發人員辦理。

(五)使用電腦設備處理機密公文時，對於簽入資訊系統所需之帳號及密碼應建立安全管理機制並不得使其暴露於他人可見之狀態，有關公文交換所需之簽章加密等相關電子憑證亦需妥善保存。

六十、保密期限或解除機密條件之標示，應以括弧標示於機密等級之右。其解密條件如下：

(一)本件於公布時解密。

(二)本件至某年某月某日解密。

(三)附件抽存後解密(適用於附件已完成機密等級及解密條件標示者)

(四)其他(其他特別條件或另行檢討後辦理解密)機密等級標示位置，依國家機密保護法施行細則第 17 條規定辦理。

六十一、經核定機密等級、解密條件之文書，屬彙編性質者，應於文書首頁說明保密要求事項。

六十二、機密文書之傳遞方式如下：

(一)分文(交辦)、陳核(判)、送會、送繕、退稿、歸檔等流程，除「絕對機密」及「極機密」應由承辦人員親自持送外，其餘非由承辦人員傳遞時，應密封交遞。傳送一般公務機密文書應交指定專責人員或承辦人員親自簽收。

(二)在機關外傳遞，屬於國家機密之「絕對機密」或「極機密」者，由承辦人員或指定人員傳遞，必要時得派武裝人員或便衣人員護送。屬「機密」者，由承辦人員或指定人員傳遞，或以外交郵袋或雙掛號函件傳遞。「密」等級者，須切實密封後按一般人工傳遞方式辦理。

(三)如因機關業務特性，機密文書須採電子方式處理者，應使用經專責機關鑑定相符機密等級保密機制，並依相關規定辦理

六十三、機密文書對外發文時，應封裝於雙封套內，封套之紙質，須不能透視且不易破裂。內封套正面適當位置處加蓋機密等級，並加密封，封口及接縫處須加貼薄棉紙或膠帶並加蓋「密」字戳記；外封套不得標示機密等級或其他足以顯示內容之註記。

體積及數量龐大之機密文件，無法以前述方式封裝者，應作適當之掩護措施。

六十四、**辦理機密文書之簽擬稿、繕印打字時之廢件**，或誤繕誤印之廢紙及複寫紙等，應由承辦人員即時銷毀之。不能即時銷毀時，應視同複製品，依國家機密保護法第 18 條規定保護之。

六十五、**機密文書之承辦人員，應隨時與收發及文書主管人員協調聯繫**，處理重要之機密案件時，並應洽詢經機關首長指定之保密業務主管人員意見，採取必要之保密措施。

六十六、**機密文書如非必要，應儘量免用或減少副本。**

六十七、**機密文書非經權責主管人員核准，不得攜出辦公處所。**

六十八、**機密文書應存放於具安全防護功能之箱櫃**，並裝置密鎖，保管人員必須經常檢查。

六十九、**會議使用之機密文書資料應編號分發，會議結束當場收回**；與會人員如需留用時，應經主席核准並辦理借用簽收。

七　十、**各機關凡經核定機密等級之文書**，不論其性質屬研究報告、會議資料、業務統計、各式簽擬文稿等，均應依檔案法及相關規定辦理。

七十一、**納入檔案管理之機密文書，應隨時或定期查核**，其須變更機密等級或解密者，應即按規定辦理變更或解密手續。

七十二、**處理文書機密等級之變更或解密，其權責劃分如下：**

(一)機密等級變更或解密，由承辦人員辦理。

(二)國家機密之變更或解密，依國家機密保護法第 10 條第 1 項規定為之。

(三)一般公務機密文書，由原核定機關權責主管核定之。

(四)機密文書原核定機關因組識裁併或職掌調整，致該機密事項非其管轄者，相關保護作業由承受其業務之機關辦

理；無承受業務機關者，由原核定機關之上級機關或主管機關為之。

七十三、文書機密等級之變更及解密程序規定如下：

(一)機密文書未標示保密期限或解除機密條件者：

1、原核定機關承辦人員應依據檔案管理單位定期清查機密檔案之通知或依其他機關來文建議，將原案卷調出審查。

2、原核定機關經檢討機密文書需變更機密等級或已無繼續保密必要時，應填具「機密文書機密等級變更或註銷處理意見表」**(格式如附件9，見頁 356)**及「機密文書機密等級變更或註銷通知單」**(作法舉例見附錄3)**，陳奉核定後，通知前曾受領該機密文件之受文機關依規定辦理機密等級變更或註銷程序。

3、原受文機關經主動檢討機密文書需變更機密等級或已無繼續保密必要時，應填具「機密文書機密等級變更或註銷建議單」**(作法舉例見附錄3)**，陳奉核定後，建議原核定機關依規定辦理機密等級變更或註銷程序。

4、原核定機關經核定或依原核定機關通知機密等級變更或註銷者，應將原案春封面及文件上原有機密等級之標示以雙線劃去，並於明顯處浮貼已列明資料經登記人簽章之紀錄單(戳)**(格式如附件10，見頁 357)**。

(二)機密文書已標示保密期限或解除機密條件者，其保密期限已屆或條件成就時應依標示辦理變更或解密，由檔案管理單位會商業務承辦單位依(一)4 規定辦理。

(三)機密案件經解密後應照普通案件放置保管。非經解密者，不得銷毀，解密後，其銷毀方式，須依檔案法及相關規定辦理。

七十四、保管機密文書人員調離職務時，應將所保管之機密文

書，逐項列冊點交單位主管或其指定人員。

七十五、各機關對於機密文書之處理，應指定專人會同檔案、資訊、通信、政風等業務承辦人員，實施查核。

七十六、一般保密事項規定如下：

(一)各機關員工對於本機關任何文書，除經特許公開者外，應遵守公務員服務法第 4 條之規定，絕對保守機密，不得洩漏。

(二)文書之處理，不得隨意散置或出示他人。

(三)各級人員經辦案件，無論何時，不得以職務上之秘密作私人談話資料。非經辦人員不得查詢業務範圍以外之公務事件。

(四)文書之核判、會簽、會稿時，不得假手本機關以外之人員，更不得交與本案有關之當事人。

(五)文書放置時，應置於公文夾內，以防止被他人窺視。

(六)下班或臨時離開辦公室時，應將公文收藏於辦公桌抽屜或公文櫃內並即加鎖。

(七)各機關就其主管業務發表新聞時，應指定專人統一辦理。

(八)職務上不應知悉或不應持有之公文資料，不得探悉或持有。因職務而持有之機密文件，應保存於辦公處所，並隨時檢查，無繼續保存之必要者，應繳還原發單位；無法繳回者應銷毀之。

(九)私人日記、通信、撰文及著作，其內容不得涉及機密及依法應保密事項。

(十)發現他人涉有危害保密之虞時，應加勸告，其不聽勸告或已發生洩密情事者，應立即向長官報告。

(十一)承辦機密文書人員，發現承辦或保管之機密文件已洩漏、遺失或判斷可能洩漏、遺失時，應即報告所屬主

管查明處理。

玖、文書流程管理

七十七、**公文處理應重視時效及品質**，全面全程實施管制，促使公文依限辦結。公文處理之權責劃分、時限、管制、計算標準、稽催、檢核、教育與宣導、時效統計等相關作業，除法令別有規定者外，依文書流程管理相關規定辦理。

七十八、**各類公文之處理時限基準如下：**

(一)一般公文：

1、最 速 件：1日(但緊急公文仍須依個案需要之時限內完成)

2、速　　件：3日。

3、普 通 件：6日。

4、限期公文：

(1)來文或依其他規定訂有期限之公文，應依其規定期限辦理。

(2)來文訂有期限者，如受文機關收文時已逾文中所訂期限者，該文得以普通件處理時限辦理。

(3)變更來文所訂期限者，須聯繫來文機關確認。

5、涉及政策、法令或需多方會辦、分辦，且需30日以上方可辦結之複雜案件，得申請為專案管制案件。

6、專案管制案件或其他特殊性案件之處理時限，各機關得視事實需要自行訂定。

(二)立法委員質詢案件：依據立法院職權行使法及「行政院及所屬各機關辦理答復立法委員質詢案件處理原則」規定辦理。

(三)監察案件：依據「監察院糾正及調查案件追蹤管制作業注意事項」規定辦理。

(四)人民申請案件：應按其性質，區分類別、項目，分定處

理時限，予以管制。

(五)人民陳情案件：依據行政程序法第 7 章及行政院暨所屬各機關處理人民陳情案件要點之規定辦理。

(六)訴願案件：應依訴願法之規定辦理。一般公文來文之處理速別與公文性質不符者，得經由收文單位之主管或指定之授權人員核定後，調整來文處理速別。

七十九、各類公文處理時限之計算標準如下：

(一)公文處理時限，除限期公文、專案管制案件、訴願案件、人民申請案件外，均不含假日。

(二)一般公文發文使用日數：

1、一般公文自收文次日或交辦日起至發文日止，所需日數和除假日。

2、限期公文於來文所訂或規定期限內辦結，未超過 6 日者，以實際處理日數計算，超過 6 日者，以 6 日計算；逾越來文所訂或規定期限辦結，以實際處理日數計算。

(三)專案管制案件、立法委員質詢案件、監察案件、人民申請案件、人民陳情案件、訴願案件之計算基準，於規定處理時限內辦結者列為「依限辦結」，超過規定處理時限辦結者列為「逾限辦結」

(四)處理時限以時為計算基準者，自收文之時起算；以半日為計算基準者，以收文次日起算，但收文當日辦結者，以半日計算。

八十、公文登錄、催辦及銷號規定如下：

(一)各機關對所收之公文，應按收文號予以登錄管制；其相關登錄及催辦格式，由各機關視需要自行規定。

(二)文書單位或單位收發人員應逐日檢查公文處理紀錄，對屆辦理期限之案件，並應提醒承辦人員並陳報單位主

管；對已逾期而未申請展期之案件，或送會逾時者，應予催辦。

(三)經簽擬核定之公文，應於發文或辦結後予以銷號；惟應繼續辦理或尚未結案者，仍應繼續管制。

八十一、各機關對於文書流程管理之各項作業應確實管制。

公文管制區分為以文管制及以案管制：

(一)一般公文視案情、重要性採取以案管制或以文管制。

(二)限期案件、專案管制案件、立法委員質詢案件、監察案件、人民申請案件、人民陳情案件、訴願案件或其他指定案件等，原則上須以案管制。

八十二、各機關對公文處理時效，應定期檢討分析，簽報機關首長核閱。

拾、文書用具及處理標準

八十三、各機關處理文書，應儘量採用性能及品質優良之用具，以增進文書處理效率。

八十四、各機關印信及公文電子交換所需章戳應依印信條例、印信製發啟用管理換發及廢舊印信繳銷辦法、機關公文電子交換作業辦法等有關規定辦理外，其餘因處理文書需要章戳，得依照下列規定自行刻製，分交各有關單位或人員妥善使用之：

(一)條戳‘木質或用橡皮刻製，以長方形為原則，用正楷或宋體字，由左至右，刻機關(單位)全銜。於書函、閉會通知單、移文單、建議單、通知單、催辦單等用之。

(二)簽字章：木質或用橡皮刻製，依機關首長、副首長及幕僚長等之簽名由左至右刻製，對外行文時用之。

(三)鋼印：鋼製、圓形，由左至右，刻鑄機關全銜（並得刻

鑄機關全銜之英文名稱），其圓周直徑以不超過 5 公分為限，於職員證、證書、證春等證明文件上用之。

(四)校對章：用篆體、隸書或正楷刻製，由左至右，刻機關全銜或簡稱，並加「校對章」字樣，於文書改正時用之。

(五)騎縫章：款式與校對章同，並加騎縫標示字樣，於公文、附件或契約黏連處用之。

(六)附件章：款式與校對章同，並加「附件章」字樣，於公文之附件上蓋用之。

(七)收件章：用橡皮刻製、由左至右刻機關全銜，並加「收件章」字樣，並附日期及時間，於收受文件時用之。

(八)職名章：以正楷或隸書，由左至右，刻製職稱、姓名。

(九)電子文件章：由左至右，於收發電子文件時蓋用之。

八十五、**機關印信章戳**，除印信應由首長指定監印人員負責保管外，章戳亦應指定專人負責保管，如有遺失或冒用情事，應由保管人員負完全責任。

八十六、**機關公文電子交換作業使用之智慧卡**正卡及讀卡機應指定專人負責保管使用，智慧卡副卡則由單位主管另指定專人保管，上述設備如有遺失或損毀，應依相關規定程序辦理申請補發。

八十七、**各機關公文用紙之質料、尺度及格式**，除下列原則外，並應依附件所列規定辦理：

(一)質料：70~80GSM(g/m2)以上米色(白色)模造紙或再生紙。

(二)尺度：採國家標準總號五號用紙尺度 A4。

(三)格式：依附件所列。

八十八、**各機關所使用之各種表簿格式**，得視實際需要參照國家標準及國產紙張標準自行規定印製，並應遵守由左至右之橫行格式原則。

附：公文用紙格式

附件 1、開會通知單用紙格式

2.5公分　　檔　　號：
保存年限：

（機關全銜）開會通知單

（郵遞區號）
（地址）
受文者：

發文日期：
發文字號：
速別：
密等及解密條件或保密期限：
附件：

開會事由：
開會時間：
開會地點：
主持人：
聯絡人及電話：

出席者：
列席者：
副本：
備註：
（蓋章戳）

裝　訂　線

1.5公分　1公分　2.5公分

說明：
一、本格式以A470磅以上模造紙或再生紙製作。
二、依據「公文程式條例」，如以電子交換方式行之，得不蓋用印信。

2.5公分

附件 2、電話紀錄用紙格式

2.5公分

（全銜）公務電話紀錄

協調事項	
發（受）話人 通話內容	
發話人 單位 職稱 姓名	
受話人 單位 職稱 姓名	
通話時間	
備註	

裝訂線

1.5公分　1公分　2.5公分

說明：

一、本格式以A470磅以上模造紙或再生紙印製。

二、裝訂成冊後另將下列文字印刷於封面內頁：

（一）各機關間凡公務上聯繫、洽詢、通知等可以簡單正確說明的事項，均可使用本紀錄。

（二）本紀錄應由發話人認有必要時，複寫2份，以1份送達受話人。

（三）本紀錄發話、受話雙方均應附卷存檔，以供查考。

2.5公分

附件 3、分項標號書寫格式舉例

一、依據中華民國89年8月16日院頒「文書處理手冊」第80點第1項有關一般公文處理時限規定：

（一）一般公文：

１、最速件：1日。

２、速件：3日。

３、普通件：6日。

４、限期公文：

（１）來文或依其他規定訂有期限之公文，應依其規定期限辦理。

（２）來文訂有期限者，如受文機關收文時已逾文中所訂期限者，該文得以普通件處理時限辦理。

（３）變更來文所訂期限者，須聯繫來文機關確認。

５、涉及政策、法令或需多方會辦、分辦，且需30日以上方可辦結之複雜案件，得申請爲專案管制案件。

６、專案管制案件或其他特殊性案件之處理時限，各機關得視事實需要自行訂定。

分項標號，應另列縮格以全形書寫。“()”以半形為之。

阿拉伯數字、外文字母以及併同於外文中使用之標點符號應以半形為之。

附件 4、簽稿會核單

2.5公分

（機關全銜）簽稿會核單

案情摘要				
主辦單位		總收文號		
受會單位	會核意見及簽章		收會時間	會畢時間

裝　訂　線

1.5公分　1公分　2.5公分

說明：

一、本格式以A470磅以上模造紙或再生紙印製。

二、中間分隔之多少及寬窄可視需要自行調整。

三、各單位送請會核文件，除仍依照向例在簽、稿上註明：「會○○單位」外，送會單位較多時，請填列本單，置於簽稿之上隨同附送。

四、送會文件經受會單位會核後，請有關承辦人員及主管人員在本單內填列意見並簽名或蓋章。

五、本單「收會時間」欄由受會單位填註：「會畢時間」欄由主辦單位填註，受會單位有2個以上時，僅填最後1個單位的會畢時間。

2.5公分

附件 5、會銜公文會辦單

2.5公分

（機關全銜）會銜（文別）會辦單

主辦單位：

機關 類別	主辦機關	會辦機關	會辦機關
機關名稱			
收發文日期及字號			
承辦			
會辦			
審核			
決行			

1.5公分　1公分　2.5公分

裝　訂　線

說明：

一、規定事項涉及2以上機關權責之法規命令，其報院發布及送立法院查照，主辦機關均應與有關機關會銜辦理，列銜次序以主辦機關在前，會辦機關在後。

二、2以上機關會銜發布法規命令，由主辦機關依會銜機關多寡，擬妥同式發布令有關函稿所需份數，於判行後，備函送受會機關判行，並由最後受會機關按發文所需份數繕印、填註發文字號（不填發文日期）用印依會稿順序，逆退其他受會機關填註發文字號（不填發文日期）用印，依序退由主辦機關用印並填註發文日期、文號封發，並將原稿1份分送受會機關存檔。

三、本格式以A470磅以上模造紙或再生紙印製。

四、各機關得視會銜機關之多寡自行調整印製。

2.5公分

附件 6、公文夾

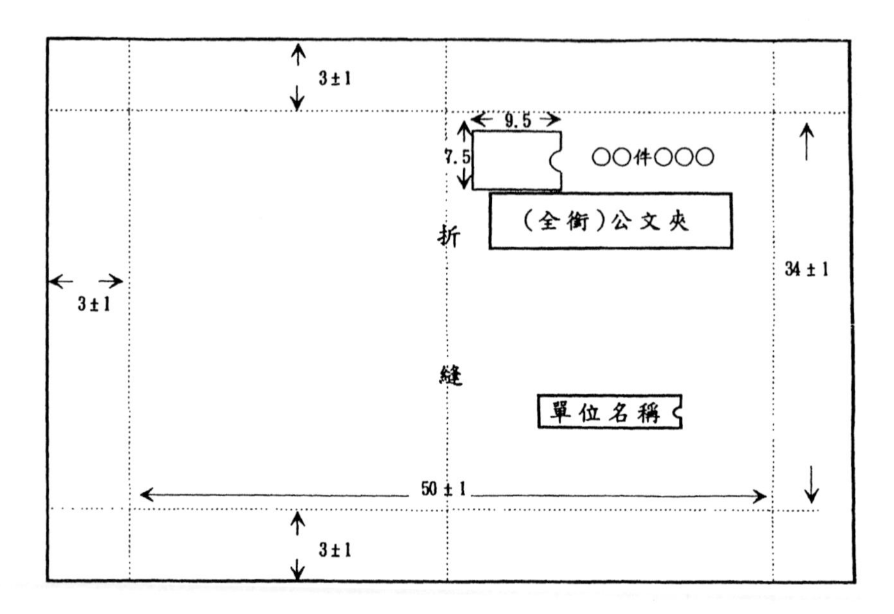

註：四邊虛線表示由外向內摺邊

公文夾內面左頁印說明及注意事項，其式如下：

說明及注意事項：
一、公文夾專供機關內各單位遞送文件之用。
二、公文夾上須填明單位名稱。
三、公文夾顏色用途區分如下，各機關並得視實際需要自行訂定：
　(一)紅色－用於最速件
　(二)藍色－用於速件
　(三)白色－用於普通件
　(四)黃色－用於機密件
四、會簽會核時限如下：
　(一)最速件　1小時
　(二)速　件　2小時
　(三)普通件　4小時
五、會簽、會核應依次傳遞。

附件 7、公文紙格式

2.5公分

檔　號：
保存年限：

（機 關 全 銜）　（文別）

（會銜公文機關排序：主辦機關、會辦機關）

地址：（會銜公文列主辦機關，令、公告不須此項）
聯絡方式：（會銜公文列主辦機關，令、公告不須此項）

（郵遞區號）
（地址）
受文者：（令、公告不須此項）

發文日期：
發文字號：（會銜公文機關排序：主辦機關、會辦機關）
速別：（令、公告不須此項）
密等及解密條件或保密期限：（令、公告不須此項）
附件：（令不須此項）

裝

（本文）（令：不分段
公告：主旨、依據、公告事項3段式
函、書函等：主旨、說明、辦法3段式）

2.5公分

正本：（令、公告不須此項）
副本：（含附件者註明：含附件或含○○附件）

訂

（蓋章戳）

1.5公分　1公分

（會銜公文：按機關排序蓋用機關首長簽字章
令：蓋用機關印信、機關首長簽字章
公告：蓋用機關印信、機關首長簽字章
函：上行文－署機關首長職銜蓋職章
　平、下行文—機關首長簽字章
書函、一般事務性之通知等：蓋機關（單位）條戳）

線

說明：
一、本格式以A470磅以上模造紙或再生紙製作。
二、依據「公文程式條例」，如以電子交換方式行之，得不蓋用印信。
三、一般公文蓋用機關印信之位置，以在首頁中間偏右上方空白處用印爲原則，署使用之章戳位置則於全文最後。

2.5公分

附件 8、公文封套

公文封信封規格

一、信封尺寸：（容許誤差±2公厘）

(一)大型信封－長353 公厘 × 寬 250 公厘

(二)中型信封－長230 公厘 × 寬 160 公厘（內件公文２等份摺疊）

(三)小型信封－長230 公厘 × 寬 115 公厘（內件公文３等份摺疊）

二、紙質：

(一) 大型信封採用 100 磅以上模造紙、再生紙，避免使用深色紙。

(二) 中、小型信封採用80磅以上模造紙、再生紙，避免使用深色紙。

三、製作規定：

(一) 大型信封封口在信封右側，中、小型信封封口在信封上側。

(二) 中、小型信封可採透明口洞式，其口洞應以高透明且不反光、無靜電之玻璃紙保護，開窗口位置及大小如下圖：

1.口洞大小：長100公厘 × 寬45公厘。

2.口洞位置：距信封上緣 50 公厘，距信封左緣 23 公厘。

3.信封下緣起20公厘為條碼噴讀區,請保留空白;勿印製其他圖樣。

4.郵票黏貼位置應規範於信封右上角區域。

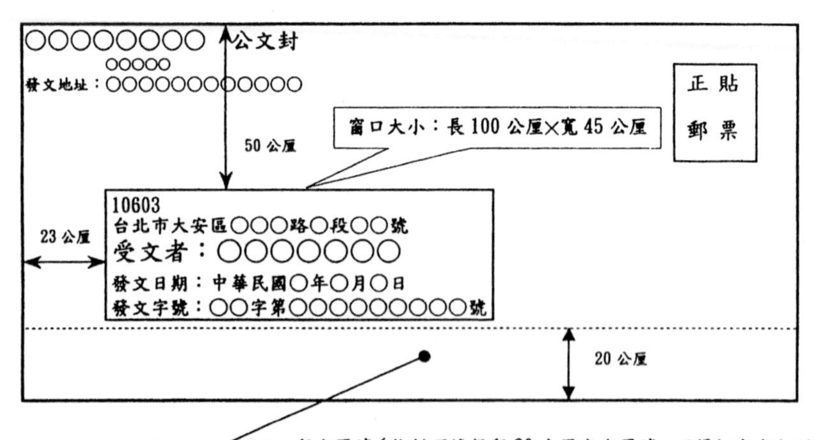

附件 9、機密文書機密等級變更或註銷處理意見表

（機關全銜）　機密文書機密等級變更或註銷處理意見表						
檔號						
原機密案件	日期		文號		文別	
案由						
受文機關						
抄送副本機關						
原機密等級						
新機密等級或註銷						
變更機密等級理由						
備考						
陳核						

裝訂線

說明：

一、已辦之機密文書資料，已失保密時效，或因有關機關之建議，其機密等級應予註銷或變更者，先提出審查後，填此表陳核。

二、國家機密之變更或解密者，依「國家機密保護法」第10條第1項規定為之。一般公務機密文書，由原核定主管核定之。

附件 10、機密文書機密等級變更或註銷紀錄單

<table>
<tr><td colspan="4">（機關全銜）　機密文書機密等級變更或註銷紀錄單</td></tr>
<tr><td rowspan="2">通知機關
（原機密案件核定機關）</td><td rowspan="2"></td><td>發文日期</td><td></td></tr>
<tr><td>發文字號</td><td></td></tr>
<tr><td rowspan="2">原機密案件</td><td>發文日期</td><td colspan="2"></td></tr>
<tr><td>發文字號</td><td colspan="2"></td></tr>
<tr><td>新等級或註銷</td><td colspan="3"></td></tr>
<tr><td>登記人</td><td colspan="3">（職稱）
（姓名）
（日期）</td></tr>
</table>

裝　訂　線

說明：

一、機密文書機密等級奉准變更或註銷時先調出原卷核對。

二、將原案封面或公文紙上所標機密等級以雙線劃去，再於明顯處浮貼已列明資料經登記人簽章之紀錄單。

三、原案照變更之等級或非機密文件保管。

附錄2、行政機關公文製作表解

行政機關公文製作表解：基本要求　簡淺明確
1.正確　2.清晰　3.簡明　4.迅速
5.整潔　6.一致　7.完整　8.周詳

一、公文類別與結構

（一）公文類別

1.令：
⑴公布法律、發布法規命令、解釋性規定與裁量基準之行政規則：可不分段
⑵發布法規命令及人事命令：格式由人事主管機關訂定
⑶蓋用機關印信

2.呈：限對　總統使用

3.咨：總統與立法院、監察院間使用

4.函：
⑴上級機關對下級機關
⑵下級機關對上級機關
⑶同級或不隸屬機關
⑷民眾與機關間

5.公告：
⑴向公眾或特別對象宣布
⑵張貼公布欄（蓋機關印信）
⑶利用報刊等傳播
⑷得用表格處理
⑸登報公告免署職稱姓名

6.其他公文：書函、開會通知單、公務電話紀錄、手令或手諭、簽、報告、箋函或便箋、聘書、證明書、證書或執照、契約書、提案、紀錄、節略、說帖、定型化表單

（二）公文結構：

1.主旨：
⑴全文精要說明目的與期望語
⑵力求具體扼要
⑶不分段一項完成
⑷能用主旨 1 段完成的勿分割為 2 段 3 段
⑸定有辦理或復文期限的須敘明

2.說明：
⑴敘述事實來源經過或理由勿重複期望語（如請核示請查照等）
⑵只摘述來文要點
⑶提出處理方法分析（簽）
⑷視內容改稱「經過」「原因」
⑸公告用改為「依據」指出法條或機關名稱
⑹須列明副本收受者的作為、附件名稱份數

3.辦法：
⑴提出具體要求或處理意見勿重複期望語
⑵視內容改稱「建議」「請求」「擬辦」「核示事項」
⑶公告改為「公告事項」或「說明」
⑷3 段式內容擁然劃分避免重複

（三）注意事項：
一文、一事、一項、一意、條列、次序：採一字（符號）一碼為原則

二、公文用語與用字

（一）稱謂用：

1.上級對下級 — 稱「貴」
2.下級對上級 — 稱「鈞」「鈞長」「大」（無隸屬）
3.機關或首長對屬員 — 稱「臺端」
4.間接對機關團體 — 稱「全銜」或「簡銜」必要時稱「該」
5.間接對機關職員 — 稱「職稱」
6.機關對人民 — 稱「先生」「女士」或通稱「臺端」「君」
7.平行 — 稱「貴」
8.自稱 — 稱「本」
9.行文數機關或單位時，如於文內同時提及 — 通稱「貴機關」或「貴單位」

（二）期望用：視需要酌用
「希」
「請」
「查照」
「照辦」
「辦理見復」
「核示」、「鑒核」
「請轉行照辦」
「轉行」、「轉告」

（三）統一用字（語）：
公布
身分
占有
徵稅
帳目
牴觸
計畫、策劃
雇員、僱用
聲請（對法院）、申請（對機關）
關於
紀錄、記錄
領事館
蒐集
儘量
貫徹、澈底
設機關、置人員
第九十八條、第一百條、第一百十八條
製定（法律）、訂定（命令）

（四）注意事項：
1.使用標點符號
2.避免艱深費解無意義模稜兩可
3.肯定堅定互相尊重
4.阿拉伯字註明承辦月日時分
5.法條條文序數不用大寫
6.司法審判文書另訂實施

公文改革目的：
發揮溝通意見功能 普遍提高行政效率

附錄3：公文作法舉例

發布令作法舉例

檔　　號：
保存年限：

行政院　令

發文日期：中華民國00年00月00日
發文字號：○○字第0000000000號

裝

印信位置

訂

修正「臺灣地區與大陸地區人民關係條例施行細則」部分條文。

線

附修正「臺灣地區與大陸地區人民關係條例施行細則」部分條文

院　長　○　○　○

函稿蓋章戳參考範例

檔　　號：
保存年限：

裝　訂　線

行政院　函

地址：000臺北市〇〇路000號
聯絡方式：(承辦人、電話、傳真、e-mail)

受文者：

發文日期：中華民國00年00月00日
發文字號：〇〇字第0000000000號
速別：最速件
密等及解密條件或保密期限：
附件：

印信位置
（限：令、
公告使用）

主旨：為杜流弊，節省公帑，各項營繕工程，應依法公開招標，並不得變更設計及追加預算，請　轉知所屬機關學校照辦。

說明：
一、依本院00年00月00日第〇〇次會議決議辦理。
二、據查目前各級機關學校對營繕工程仍有未按規定公開招標之情事，或施工期間變更原設計，以及一再請求追加預算，致弊端叢生，浪費公帑。

辦法：
一、各機關學校對營繕工程應依法公開招標，並按「政府採購法」及相關法令辦理。
二、各單位之工程應將施工圖、設計圖、契約書、結構圖、會議紀錄等工程資料，報請上級單位審核，非經核准，不得變更原設計及追加預算。

正本：臺灣省政府、福建省政府、臺北市政府、高雄市政府
副本：行政院主計處、行政院秘書處
抄本：〇〇〇

院長　〇　〇　〇

會辦單位：

第　層決行

承辦單位　　會辦單位　　決行

註記：簽署原則由左而右，由上而下簽

打字〇〇〇　校對〇〇〇　監印〇〇〇　發文〇〇〇

說明：有關檔號、保存年限、收文日期、收文字號、承辦單位、簽名、批示、會稿單位、繕打、校對、監印、電子公文交換機制及其他安全控管等項目，由各機關於空白處自行規定填寫位置。

條碼位置
流水號位置

公文用印及蓋章戳參考範例

檔　號：
保存年限：

行政院　函（稿）

地址：000臺北市○○路000號
聯絡方式：(承辦人、電話、傳真、e-mail）

100
臺北市○○區○○○路○段000號
受文者：臺北市政府

發文日期：中華民國00年00月00日
發文字號：○○字第0000000000號
速別：最速件
密等及解密條件或保密期限：
附件：

裝

主旨：為杜流弊，節省公帑，各項營繕工程，應依法公開招標，並不得變更設計及追加預算，請　轉知所屬機關學校照辦。

說明：

一、依本院00年00月00日第○○次會議決議辦理。

二、據查目前各級機關學校對營繕工程仍有未按規定公開招標之情事，或施工期間變更原設計，以及一再請求追加預算，致弊端叢生，浪費公帑。

訂

辦法：

一、各機關學校對營繕工程應依法公開招標，並按「政府採購法」及相關法令辦理。

二、各單位之工程應將施工圖、設計圖、契約書、結構圖、會議紀錄等工程資料，報請上級單位審核，非經核准，不得變更原設計及追加預算。

線

正本：臺灣省政府、福建省政府、臺北市政府、高雄市政府
副本：行政院主計處、行政院秘書處

院長　○　○　○

會辦單位：

第　層決行

承辦單位		會辦單位		決行	
科員○　○　○	0703 0800	科員○　○　○	0723 1100	副　秘　書　長	0723 1425
	0723 0810		0723 1105	秘　　書　　長	0723 1455
	0723 0815		0723 1110	副　　市　　長	0723 1555
	0723 0915			市長○　○　○	0723 1610
	0723 0945				
局長○　○　○	0723 1000				

註記：簽署原則由左而右，由上而下簽

說明：有關檔號、保存年限、收文日期、收文字號、承辦單位、簽名、批示、會稿單位、繕打、校對、監印、電子公文交換機制及其他安全控管等項目，由各機關於空白處自行規定填寫位置。

2 段式函作法舉例（平行文）

檔　號：
保存年限：

行政院　函

地址：000臺北市〇〇路000號
聯絡方式：(承辦人、電話、傳真、e-mail)

100
臺北市〇〇區〇〇〇路〇段000號
受文者：立法院

發文日期：中華民國00年00月00日
發文字號：〇〇字第0000000000號
速別：最速件
密等及解密條件或保密期限：
附件：如文

裝
訂
線

主旨：函送「公文程式條例」第〇條、第〇條、第〇條修正草案及「中央法規標準法」第〇條修正草案，請　查照審議。

說明：

一、鑒於國際間交往日愈密切，文書資料來往頻繁，歐美文字都是由左至右橫式排列，國內目前直式書寫如遇引用外文或阿拉伯數字時，往往形成扞格。為與國際接軌，並兼顧電腦作業平臺屬性，使公文制作更具便利性，進而提升公文處理效率，爰擬具「公文程式條例」第〇條、第〇條、第〇條修正草案及「中央法規標準法」第〇條修正草案。

二、經提本年00月00日本院第0000次會議決議：「通過，送請立法院審議。」

三、檢送「公文程式條例」第〇條、第〇條、第〇條修正草案及「中央法規標準法」第〇條修正草案條文對照表（含總說明）各3份。

正本：立法院
副本：

院長　〇　〇　〇

2 段式函作法舉例（下行文）

檔　號：
保存年限：

臺北市政府　函

地址：　000臺北市〇〇路000號
聯絡方式：(承辦人、電話、傳真、e-mail

100
臺北市〇〇區〇〇〇路〇段000號
受文者：臺北市政府工務局

發文日期：中華民國00年00月00日
發文字號：〇〇字第0000000000號
速別：最速件
密等及解密條件或保密期限：
附件：

主旨：「臺北市環境美化會報設置要點」自00年00月00日廢止，請　查照。

說明：依據本府人事處案陳貴局00年00月00日〇字第000000000號函辦理。

正本：臺北市政府工務局
副本：臺北市政府工務局公園路燈管理處

市長　〇　〇　〇

裝
訂
線

2 段式函作法舉例（上行文）

檔　　號：
保存年限：

臺北市松山區公所　函

地址：　000臺北市○○路000號
聯絡方式：(承辦人、電話、傳真、e-mail)

100
臺北市○○區○○○路○段000號
受文者：臺北市政府

發文日期：中華民國00年00月00日
發文字號：○○字第0000000000號
速別：最速件
密等及解密條件或保密期限：
附件：名冊5份

裝

主旨：檢陳本公所00年下期公文處理合於獎勵之主任秘書以上人員名冊5份，請　核獎。

訂

說明：

線

一、依　鈞府00年00月00日00字第0000000000號函辦理。

二、其他人員俟按權責核定後再行報備。

正本：臺北市政府
副本：

區　長　○　○　○（蓋職章）

會銜函作法舉例

檔　　號：
保存年限：

外交部、財政部、經濟部　函

地址：　000臺北市○○路000號
聯絡方式：(承辦人、電話、傳真、e-mail)

100
臺北市○○區○○○路○段000號
受文者：行政院

裝

發文日期：中華民國00年00月00日
發文字號：○○字第0000000000號
　　　　　○○字第0000000000號
　　　　　○○字第0000000000號
速別：最速件
密等及解密條件或保密期限：

訂

附件：「加強中約暨中沙友好關係方案」3份

主旨：檢送「加強中約暨中沙友好關係方案」，請　核備。

說明：

線

一、為進一步加強我國與約旦暨沙烏地阿拉伯兩王國之友好關係，本財政部○部長、本經濟部○部長、○次長及本外交部○部長、○次長、○司長於○年○月○日在外交部舉行會議，經依照中約雙方會商決定之項目及○部長訪問沙國所建議之事項，逐項縝密商討，擬定「加強中約暨中沙友好關係方案」1種，並決定由主辦單位負責籌劃，迅付實施。

二、附前述方案一式3份。

正本：行政院
副本：

部　長　○　○　○（蓋職章）
部　長　○　○　○（蓋職章）
部　長　○　○　○（蓋職章）

書函作法舉例

檔　號：
保存年限：

臺北市○○國民中學　書函

地址：　000臺北市○○路000號
聯絡方式：(承辦人、電話、傳真、e-mail)

100
臺北市○○區○○○路○段000號
受文者：臺北市市立動物園

發文日期：中華民國00年00月00日
發文字號：○○字第0000000000號
速別：
密等及解密條件或保密期限：
附件：

主旨：本校○年級學生計00人，訂於00年00月00日前往貴園參觀，屆時請派員、指導，請　查照。

說明：本案本校聯絡人：○○○，電話：(00) 0000-0000。

正本：臺北市市立動物園
副本：臺北市政府教育局

(臺北市○○國民中學條戳)

裝
訂
線

箋函作法舉例

○○（稱謂）提稱語：

為匯集本會近年研究發展成果，特依本會核心業務規劃「2010台灣」、「政府改造」、「政府績效評估」、「電子化政府」及「知識型政府」等5項主題發行「優質台灣創新政府」系列叢書，以增進各界對政府運作實務之瞭解。

本系列叢書分3階段出版，及至93年2月「知識型政府」出版，本系列叢書終告完成。其中「2010台灣」、「政府改造」、「政府績效評估」及「電子化政府」業已送請指正，謹奉上「知識型政府」一書，尚祈　惠予指教。耑此

順頌

勛綏

（自稱語）○○○　　　　　　　　敬啟

00年00月00日

交辦（議）案件通知單作法舉例

檔　號：
保存年限：

行政院　交辦（議）案件通知單

地址：　000臺北市○○路000號
聯絡方式：(承辦人、電話、傳真、e-mail)

裝
訂
線

100
臺北市○○區○○○路○段000號
受文者：行政院人事行政局

發文日期：中華民國00年00月00日
發文字號：○○字第0000000000號
速別：
密等及解密條件或保密期限：
附件：檢附原函暨附件影本1份

主旨：審計部函院，為該部審核本院海岸巡防署00年度送審會計報告及憑證，核有須請釋「事務管理規則」第178條及「公務人員因公傷殘死亡慰問金發給辦法」規定適用疑義一案，奉交　貴機關研提意見，並請於文到10日內見復。

正本：交通部、行政院主計處、行政院人事行政局
副本：

（行政院秘書處條戳）

催辦案件通知單作法舉例

檔　　號：
保存年限：

行政院　催辦案件通知單

地址：　000臺北市○○路000號
聯絡方式：(承辦人、電話、傳真、e-mail)

100
臺北市○○區○○○路○段000號
受文者：行政院人事行政局

發文日期：中華民國00年00月00日
發文字號：○○字第0000000000號
速別：最速件
密等及解密條件或保密期限：
附件：

裝

訂

線

主旨：審計部函院，為該部審核本院海岸巡防署00年度送審會計報告及憑證，核有須請釋「事務管理規則」第178條及「公務人員因公傷殘死亡慰問金發給辦法」規定適用疑義一案，已於00年00月00日以院臺秘議字第0000000000號交議案件通知單交　貴機關研提意見，請剋日見復，請　查照。

正本：交通部、行政院人事行政局
副本：

（行政院秘書處條戳）

移文單作法舉例

檔　號：
保存年限：

行政院秘書處　移文單

地址：　000臺北市○○路000號
聯絡方式：(承辦人、電話、傳真、e-mail)

100
臺北市○○區○○○路○段000號

受文者：行政院研究發展考核委員會

發文日期：中華民國00年00月00日
發文字號：○○字第0000000000號
速別：
密等及解密條件或保密期限：
附件：如文

裝

訂

主旨：財政部00年00月00日台財總字第0000000000號函，有關該部金融局請釋「執照證書類」得否配合00年00月00日組織改制為金融監督管理委員會時再一併修正一案，因案屬　貴管，移請　卓辦。

線

正本：行政院研究發展考核委員會
副本：

（行政院秘書處條戳）

機密文書機密等級變更或註銷建議單作法舉例

裝

訂

線

檔　　號：
保存年限：

（機關全銜）機密文書機密等級變更(或註銷)建議單

地址：　000臺北市〇〇路000號
聯絡方式：(承辦人、電話、傳真、e-mail)

100
臺北市〇〇區〇〇〇路〇段000號
受文者：

發文日期：中華民國00年00月00日
發文字號：〇〇字第0000000000號
速別：最速件
密等及解密條件或保密期限：密（註銷後解密）
附件：

主旨：有關（來文機關）00年00月00日〇〇字第0000000000號（文別），建請惠予（變更或註銷）其機密等級。

說明：有關前述文號之（案由）一案，原為(原機密等級)，因（建議再分類理由），建請惠予（建議再分類等級）。

正本：〇〇〇、〇〇〇、〇〇〇
副本：〇〇〇、〇〇〇

（條戳）

機密文書機密等級變更或註銷通知單作法舉例

檔　號：
保存年限：

（機關全銜）機密文書機密等級變更(或註銷)通知單

地址：　000臺北市○○路000號
聯絡方式：(承辦人、電話、傳真、e-mail)

100
臺北市○○區○○○路○段000號

受文者：

發文日期：中華民國00年00月00日
發文字號：○○字第0000000000號
速別：最速件
密等及解密條件或保密期限：
附件：

主旨：（原發文機關）00年00月00日政院字第0000000000號（文別），有關（案由）一案原為（原機密等級），請惠予（變更為新機密等級或註銷）。

正本：○○○、○○○、○○○
副本：○○○、○○○

（條戳）

裝
訂
線

簽作法舉例（下級機關首長對上級機關首長用）

檔　　號：
保存年限：

簽　於（機關或單位）

主旨：○○部為亞洲開發銀行請撥付亞洲蔬菜研究發展中心補助新臺幣00元，擬准動支本年度第二預備金，簽請核示。

說明：○○部函為○○銀行以亞洲開發銀行請自該行B帳戶我國繳付本國幣股本內支付亞洲蔬菜研究發展中心新臺幣00元，業已先行墊撥，上項亞洲蔬菜研究發展中心補助費，本年度未列預算，既由○○銀行墊付，請准在00年度第二預備金項下撥還歸墊。又本案事關涉外重要案件，特專案簽辦。

擬辦：擬准照○○部所請在本年度中央政府總預算第二預備金項下動支。

敬陳

副○長
○　長

○　○　○（蓋　章）
（日期及時間）
會辦單位：

第　　層決行		
承辦單位	會辦單位	決行

註記：簽署原則由左而右，由上而下簽。

裝　訂　線

簽作法舉例（機關內簽用）

檔　號：
保存年限：

簽稿併陳

簽　於　資訊管理處

主旨：辦理推動公文橫式書寫資訊作業研習營，簽請　核示。

說明：

一、依據「公文橫式書寫資訊作業實施計畫」第 5 點實施方式暨推動時程之(三)辦理。

二、擬訂於 93 年 7 月 14、15 日假公文交換G2B2C服務中心辦理 2 場次研習營，如奉核可，擬函請各部會、縣市政府派員參加，謹附稿，敬請

核判

裝　訂　線

公告作法舉例（登報用）

檔　　號：
保存年限：

內政部　公告

發文日期：中華民國00年00月00日
發文字號：〇〇字第0000000000號

主旨：公告民國00年出生的役男應辦理身家調查。

依據：徵兵規則

公告事項：

一、民國00年出生的男子，本年已屆徵兵年齡，依法應接受徵兵處理。

二、請該徵兵及齡男子或戶長依照戶籍所在地（　鄉、鎮、市、區）公所公告的時間、地點及手續，前往辦理申報登記。

裝

訂

線

本例說明：免署機關首長職銜、姓名

紙本發文範例 — 一般公文封

檔　　號：
保存年限：

裝

訂

線

行政院研究發展考核委員會　開會通知單

受文者：

發文日期：中華民國 93 年 7 月 8 日
發文字號：會訊字第 0930015999 號
速別：最速件
密等及解密條件或保密期限：普通
附件：議程資料

開會事由：推動公文橫式書寫資訊作業研習會議。

開會時間：中華民國 93 年 7 月 15 日星期四

開會地點：公文G2B2C資訊服務中心(台北市東興路 57 號 3 樓)

主持人：何處長全德

聯絡人及電話：嚴分析師榆 02-23419066 轉 813

出席者：總統府第二局、行政院秘書處、立法院秘書處、司法院秘書處、考試院秘書處、監察院秘書處、行政院各部會行處局署暨省市政府、各縣市政府

列席者：檔案管理局、本會資訊管理處、公文 G2B2C 資訊服務中心、資訊工業策進會電子商務研究所、傑印資訊股份有限公司、精融網路科技股份有限公司、敦陽科技股份有限公司

副本：

備註：

（蓋章戳）

紙本發文範例－公文封開窗口

檔　　號：
保存年限：

裝

行政院研究發展考核委員會　開會通知單

（郵遞區號）
（地址）
受文者：

發文日期：中華民國93年7月8日
發文字號：會訊字第0930015999號
速別：最速件
密等及解密條件或保密期限：普通
附件：議程資料

開會事由：推動公文橫式書寫資訊作業研習會議。

開會時間：中華民國93年7月15日星期四

開會地點：公文G2B2C資訊服務中心（台北市東興路57號3樓）

主持人：何處長全德

聯絡人及電話：嚴分析師榆02-23419066轉813

出席者：總統府第二局、行政院秘書處、立法院秘書處、司法院秘書處、考試院秘書處、監察院秘書處、行政院各部會行處局署暨省市政府、各縣市政府

訂

列席者：檔案管理局、本會資訊管理處、公文G2B2C資訊服務中心、資訊工業策進會電子商務研究所、傑印資訊股份有限公司、精融網路科技股份有限公司、敦陽科技股份有限公司

副本：

備註：

（蓋章戳）

線

第一頁　共一頁

（本別）電子發文範例

裝

訂

線

行政院研究發展考核委員會　函

地址：台北市中正區濟南路一段 2-2 號 6 樓
聯絡方式：02-23942165

受文者：

發文日期：中華民國 93 年 7 月 8 日
發文字號：會訊字第 0930015999 號
速別：最速件
密等及解密條件或保密期限：普通
附件：議程資料

主旨：本會訂於本(93)年 7 月 14、15 日分梯次辦理「推動公文橫式書寫資訊作業研習營」，惠請派員參加，請　查照。

說明：

一、依據「公文橫式書寫資訊作業實施計畫」第五點實施方式暨推動時程之（三）辦理。

二、檢附本次研習營議程資料詳如附，請　貴機關依規定梯次指派文書、檔案主管人員及研考、資訊主辦人員各一名，至電子化公文入口網 (http://www.good.nat.gov.tw) 最新消息中，點選「推動公文橫式書寫資訊作業研習營」，填寫報名資料。

正本：總統府第二局、行政院秘書處、立法院秘書處、司法院秘書處、考試院秘書處、監察院秘書處、行政院各部會行處局署暨省市政府、各縣市政府

副本：檔案管理局、本會資訊管理處、公文 G2B2C 資訊服務中心、資訊工業策進會電子商務研究所、傑印資訊股份有限公司、精融網路科技股份有限公司、敦陽科技股份有限公司（均含附件）

附錄4：機關公文傳真作業辦法

中華民國82年4月7日行政院（82）台秘字第08641號令
訂定發布全文15條

第 1 條　本辦法依公文程式條例第十二條之一訂定之。

第 2 條　機關公文傳真作業，除法律另有規定外，依本辦法之規定。但總統府及立法、司法、考試、監察四院另有規定者，從其規定。

本辦法之規定，於公營事業機構及公立學校適用之。

第 3 條　本辦法所稱傳真，係指送方將文件資料，以電話等通訊設備，透過電信網路傳輸，受方於其通訊設備上，即可收受該文件資料影印本之傳達方式。

第 4 條　各機關應指定單位或指派適當人員，負責辦理公文傳真作業。

第 5 條　傳真之公文，以公文程式條例第二條第一項第四款及第六款所定之公文為限。但左列公文，非經核准不得傳真：

一、機密性公文。

二、受文者為人民、法人或非法人團體之公文。

三、附件為大宗文卷、書籍、照（圖）片，或超過八開以上圖表之公文。

四、其他因傳真可能影響正確性之公文。

第 6 條　各機關對於內容涉及重要事項，須迅予處理之公文，得以先行傳真，事後應即補送原件之方式處理，並於文面註明。

第 7 條　承辦人員對於擬傳真之公文，應於公文原稿適當位置註明；並依規定程序陳核、繕校、蓋用印信或簽署及編號登記後始得傳真。

第 8 條　公文傳真應以原件為之；如係影印本，應經核准，其附件亦同。

第 9 條　公文傳真作業發文程序如左：

一、登錄傳真公文登記表（簿），記載受文者、發文字號、案由、傳送日期、時間、頁數及承辦單位（人員）等。

二、加蓋傳真作業辦理人員名章，於公文末頁適當位置。

三、撥通受方傳真電話，確認接收者身分後，開始傳真。

四、傳畢再通話對照傳真頁數無誤，文面加蓋傳真文件戳，附原稿歸檔。

第 10 條　受文單位傳真作業辦理人員收到傳真公文時，應於文面加蓋機關全銜之傳真收文章，註明頁數及加蓋騎縫章，並按收文程序辦理。

前項傳真公文，如有頁數不全或其他有關問題，傳真作業辦理人員應通知發文單位補正。

第 11 條　各機關收受傳真公文用紙之質料及規格，均應照規定標準使用。

第 12 條　各機關因處理傳真公文需要之章戳，得自行刻用之。

第 13 條　各機關為配合實際業務需要，得依本辦法及有關規定，訂定公文傳真作業要點。

第 14 條　傳真公文之保管、保密及其他未盡事宜，依事務管理規則及其手冊等有關規定辦理。

第 15 條　本辦法自發布日施行。

附錄5：機關公文電子交換作業辦法

中華民國83年6月3日行政院（83）台秘字第1991號令訂定發布全文15條
中華民國88年6月14日行政院（88）台秘字第23294號令修正發布第5～9條條文

第　1 條　本辦法依公文程式條例第十二條之一訂定之。

第　2 條　機關公文電子交換作業，依本辦法之規定。但總統府及立法、司法、考試、監察四院另有規定者，從其規定。

第　3 條　本辦法所稱電子交換，係指將文件資料透過電腦系統及電信網路，予以傳遞收受者。

第　4 條　各機關對於適合電子交換之機關公文，於設備、人員能配合時，應以電子交換行之。

第　5 條　機關公文以電子交換行之者，得不蓋用印信或簽署，並得採由左而右之橫行格式製作。

第　6 條　各機關應由文書單位負責辦理機關公文電子交換作業。但依公文性質、行文對象及時效，有適當控管程序者，不在此限。

第　7 條　機關公文電子交換作業發文處理程序及應注意事項如下：

一、公文於電子交換前應列印全文，並校對無誤後做為抄件。

二、發文作業人員應輸入識別碼、通行碼或其他識別方式，於電腦系統確認相符後，始可進行發文作業。

三、檢視電腦系統已發送之訊息。
四、行文單位兼有電子交換及非電子交換者，應列示其清單，以資識別。
五、電子交換後，得於公文原稿加蓋「已電子交換」戳記，並將抄件併同原稿退件或歸檔。
六、透過電子交換之公文，至遲應於次日在電腦系統檢視發送結果，並為必要之處理。發文機關得視需要，將所傳遞公文及發送紀錄予以存證。

第一項第五款之章戳，由各機關自行刊刻。

第 8 條　機關公文電子交換作業收文處理程序及應注意事項如下：

一、收文作業人員應輸入識別碼、通行碼或其他識別方式，於電腦系統確認相符後，即時或定時進行收文作業。
二、列印收受之公文，同時由收文方之電腦系統加印頁碼及騎縫標識，並得由收文方標明電子公文，按收文處理作業程序辦理。
三、來文誤送或疏漏者，通知原發文機關另為處理。

第 9 條　機關公文電子交換之收、發文程序，應採電子認證方式處理，並得視需要增加其他安全管制措施。

第 10 條　機關公文電子交換之管理事項，由行政院指定機關辦理。

第 11 條　各機關辦理機關公文電子交換事宜，其電腦化作業應依行政院訂頒之相關規定行之。

第 12 條　各機關為配合實際業務需要，得依本辦法及有關規定，自行訂定機關公文電子交換作業要點。

第 13 條　受文者為人民之機關公文，以電子交換行之者，得不適用第六條至第八條之規定，由各機關依其業務需要另定之。

第 14 條　本辦法之規定，於公營事業機構及公立學校準用之。

第 15 條　本辦法自發布日施行。

（法律規章以原條文爲準）

附錄6：檔案法

中華民國88年12月15日總統華總1義字第
8800297480號令制定公布全文30條

第一章 總 則

第 1 條 為健全政府機關檔案管理，促進檔案開放與運用，發揮檔案功能，特制定本法。

本法未規定者，適用其他法令規定。

第 2 條 本法用詞，定義如下：

一、政府機關：指中央及地方各級機關（以下簡稱各機關）。

二、檔案：指各機關依照管理程序，而歸檔管理之文字或非文字資料及其附件。

三、國家檔案：指具有永久保存價值，而移歸檔案中央主管機關管理之檔案。

四、機關檔案：指由各機關自行管理之檔案。第 3 條 關於檔案事項，由行政院所設之專責檔案中央主管機關掌理之。檔案中央主管機關未設立前，由行政院指定所屬機關辦理之。

前項檔案中央主管機關，最遲應於本法公布後二年內設立。

檔案中央主管機關之組織，以法律定之。

檔案中央主管機關設立國家檔案管理委員會，負責檔

案之判定、分類、保存期限及其他爭議事項之審議。

第 4 條　各機關管理檔案，應設置或指定專責單位或人員，並編列年度計畫及預算。

第 5 條　檔案非經該管機關依法核准，不得運往國外。

第二章　管　理

第 6 條　檔案管理以統一規劃、集中管理為原則。

檔案中有可供陳列鑑賞、研究、保存、教化世俗之器物，得交有關機構保管之。

第 7 條　檔案管理作業，包括下列各款事項：

一、點收。

二、立案。

三、編目。

四、保管。

五、檢調。

六、清理。

七、安全維護。

八、其他檔案管理作業及相關設施事項。

第 8 條　檔案應依檔案中央主管機關規定之分類系統及編目規則分類編案、編製目錄。

各機關應將機關檔案目錄定期送交檔案中央主管機關。

檔案中央主管機關應彙整國家檔案目錄及機關檔案目錄定期公布之，並附目錄使用說明。

檔案中央主管機關應設置研究部門，加強檔案整理與

研究，並編輯出版檔案資料。

第 9 條 檔案得採微縮或其他方式儲存管理，其實施辦法，由檔案中央主管機關定之。
依前項辦法儲存之紀錄經管理該檔案之機關確認者，視同原檔案。其複製品經管理該檔案機關確認者，推定其為真正。

第 10 條 檔案之保存年限，應依其性質及價值，區分為永久保存或定期保存。

第 11 條 永久保存之機關檔案，應移轉檔案中央主管機關管理。其移轉辦法，由檔案中央主管機關擬訂，報請行政院核定之。

第 12 條 定期保存之檔案未逾法定保存年限或未依法定程序，不得銷毀。
各機關銷毀檔案，應先制定銷毀計畫及銷毀之檔案目錄，送交檔案中央主管機關審核。
經檔案中央主管機關核准銷毀之檔案，必要時，應先經電子儲存，始得銷毀。
機關檔案保存年限及銷毀辦法，由檔案中央主管機關擬訂，報請行政院核定之。

第 13 條 公務員於職務移交或離職時，應將其職務上掌管之檔案連同辦理移交，並應保持完整，不得隱匿、銷毀或藉故遺失。
前項規定，於民營事業企業機構移轉公營，或公營移轉民營者，均適用之。

第 14 條 私人或團體所有之文件或資料，具有永久保存價值者，檔案中央主管機關得接受捐贈、受託保管或收購之。

捐贈前項文件或資料者，得予獎勵，獎勵辦法由檔案中央主管機關定之。

第15條 私人或團體所有之文字或非文字資料，各機關認為有保存之必要者，得請提供，以微縮或其他複製方式編為檔案。

第16條 機密檔案之管理方法，由檔案中央主管機關報請行政院定之。

第三章 應 用

第17條 申請閱覽、抄錄或複製檔案，應以書面敘明理由為之，各機關非有法律依據不得拒絕。

第18條 檔案有下列情形之一者，各機關得拒絕前條之申請：

一、有關國家機密者。

二、有關犯罪資料者。

三、有關工商秘密者。

四、有關學識技能檢定及資格審查之資料者。

五、有關人事及薪資資料者。

六、依法令或契約有保密之義務者。

七、其他為維護公共利益或第3人之正當權益者。

第19條 各機關對於第17條申請案件之准駁，應自受理之日起30日內，以書面通知申請人。其駁回申請者，並應敘明理由。

第20條 閱覽或抄錄檔案應於各機關指定之時間、處所為之，並不得有下列行為：

一、添註、塗改、更換、抽取、圈點或污損檔案。

二、拆散已裝訂完成之檔案。

三、以其他方法破壞檔案或變更檔案內容。

第21條　申請閱覽、抄錄或複製檔案經核准者，各機關得依檔案中央主管機關所定標準收取費用。

第22條　國家檔案至遲應於三十年內開放應用，其有特殊情形者，得經立法院同意，延長期限。

第四章罰則

第23條　違反第五條規定，未經核准將檔案運往國外者，處2年以下有期徒刑、拘役或科或併科新臺幣五萬元以下罰金。

前項未遂犯罰之。

第24條　明知不應銷毀之檔案而銷毀者，處2年以下有期徒刑、拘役或科或併科新臺幣5萬元以下罰金。

違反第12條　之銷毀程序而銷毀檔案者，亦同。

違反第13條　之規定者，亦同。

第25條　以第9條微縮或其他方式儲存之紀錄及其複製品，關於刑法偽造文書印文罪章之罪及該章以外各罪，以文書論。

第26條　違反第20條規定者，各機關得停止其閱覽或抄錄。其涉及刑事責任者，移送該管檢察機關偵辦。

第五章　附則

第27條　本法公布施行後，各機關之檔案管理，與本法及依本

法發布之命令規定不相符合者，各機關應於檔案中央主管機關指定期限內調整之。

第 28條　公立學校及公營事業機構準用本法之規定。

第 29條　本法施行細則，由檔案中央主管機關定之。

第 30條　本法施行日期，由行政院定之。

（法律規章以原條文爲準）

附錄7：檔案法施行細則

90.12.12 檔案管理局令：訂定

第 1 條　本細則依檔案法(以下簡稱本法)第 29 條規定訂定之。

第 2 條　本法第二條第二款所稱文字或非文字資料及其附件，指各機關處理公務或

因公務而產生之各類紀錄資料及其附件，包括各機關所持有或保管之文書、圖片、紀錄、照片、錄影(音)、微縮片、電腦處理資料等，可供聽、讀、閱覽或藉助科技得以閱覽或理解之文書或物品。

第 3 條　各機關管理檔案，應依本法第四條規定，並參照檔案中央主管機關訂定之機關檔案管理單位及人員配置基準，設置或指定專責單位或人員。

第 4 條　各機關依本法第五條規定，經該管機關核准，將檔案運往國外者，應先以微縮、電子或其他方式儲存，並經管理該檔案機關首長核定。

前項檔案如屬永久保存之機關檔案，並應經檔案中央主管機關同意。

第 5 條　各機關依本法第六條第二項規定，將檔案中之器物交有關機構保管時，應訂定書面契約或作成紀錄存查。

第 6 條　本法第七條第一款至第七款所定檔案管理作業事項用詞，定義如下：

一、點收：指檔案管理單位或人員將辦畢歸檔之案件，予以清點受領。
二、立案：指就檔案之性質及案情，歸入適當類目，並建立簡要案名。
三、編目：指就檔案之內容及形式特徵，依檔案編目規範著錄整理後，製成檔案目錄。
四、保管：指將檔案依序整理完竣，以原件裝訂或併採微縮、電子或其他方式儲存後，分置妥善存放。
五、檢調：指機關內或機關間因業務需要，提出檔案借調或調用申請，由檔案管理人員依權責長官之核定，檢取檔案提供參閱。
六、清理：指依檔案目錄逐案核對，將逾保存年限之檔案或已屆移轉年限之永久保存檔案，分別辦理銷毀或移轉，或為其他必要之處理。
七、安全維護：指為維護檔案安全及完整，避免檔案受損、變質、消滅、失竊等，而採行之防護及對已受損檔案進行之修護。

第 7 條　各機關辦理本法第七條所定檔案點收、保管及檢調作業規範，由檔案中央主管機關定之。

第 8 條　各機關檔案管理單位至少每年應辦理檔案清理一次。

第 9 條　各機關設置檔案典藏場所及設備，應參照檔案中央主管機關訂定之檔案庫房設施基準等相關規定辦理。

各機關管理維護檔案，應參照檔案中央主管機關訂定之檔案保存技術規範等相關規定，防止蟲、鼠、水、火、煙、光、熱、塵、污、黴、菌、盜及震等之損壞。

第 10 條　各機關依本法第八條規定編製之檔案目錄，應符合檔案中央主管機關訂定之檔案分類編案規範及檔案編目

規範，並按季依下列規定，送交檔案中央主管機關備查：

一、中央一、二級機關，均由各該機關送交。

二、中央三級以下機關，均層報由上級中央二級機關彙整送交。

三、省政府、省諮議會、直轄市政府、直轄市議會、縣(市)政府及縣(市)議會，均由各該機關送交。

四、直轄市政府所屬各機關，均層報由直轄市政府彙整送交。

五、縣(市)政府所屬各機關及其他各地方機關，均層報由縣(市)政府彙整送交。

前項第一款所定中央一級機關如下：

一、國民大會。

二、總統府。

三、行政院。

四、立法院。

五、司法院。

六、考試院。

七、監察院。

八、國家安全會議。

第一項檔案目錄之編製及送交，應以電子方式為之；其格式及實施期程，由檔案中央主管機關定之。

第 11 條　檔案中央主管機關依本法第八條第三項規定彙整之國家檔案目錄及機關檔案目錄，應按季依下列方式之一公布：

一、刊載於政府公報或其他出版品。

二、利用電信網路傳送或其他方式供公眾線上查詢。

三、提供公開閱覽、抄錄或複製。

四、其他足以供公眾得知之方式。

第 12 條　各機關對於本法施行前未屆滿保存年限之檔案，應於施行後 3 年內完成檔案回溯編目建檔。但有特殊情形報經檔案中央主管機關同意者，不在此限。

前項編目應用軟體，由檔案中央主管機關設計提供。

第 13 條　各機關檔案有下列情形之一者，應辦理檔案保存價值鑑定；檔案中央主管機關因受贈、受託保管或收購私人或團體所有珍貴文書認有必要者，亦同：

一、因修訂檔案保存年限區分表，認有必要者。

二、辦理檔案銷毀、移轉或應用產生疑義或發生爭議者。

三、檔案因年代久遠而難以判定其保存年限者。

檔案中央主管機關就管有之國家檔案，至少每 10 年應辦理保存價值鑑定一次。

檔案保存價值鑑定規範，由檔案中央主管機關定之。

第 14 條　公營事業機構移轉民營時，其永久保存之檔案應移轉檔案中央主管機關，定期保存之檔案應報請該機構主管機關處理。

第 15 條　機關裁撤時，其永久保存之檔案應移轉檔案中央主管機關，定期保存之檔

案應移交上級主管機關或其指定之機關，或依規定辦理銷毀。

機關改組時，其所有檔案應移交至業務承接機關。

機關部分業務移撥他機關時，其有關之檔案應併同移交。

第 16 條　各機關依本法第 15 條規定請求私人或團體提供資料，應以書面載明下列事項：

一、請求依據。

二、請求目的。

三、複製方式。

四、授權使用範圍。

五、歸還日期。

第 17 條　依本法第 17 條規定申請閱覽、抄錄或複製檔案，以案件或案卷為單位。

檔案內容含有本法第十八條各款所定限制應用之事項者，應僅就其他部分提供之。

檔案應用，以提供複製品為原則；有使用原件之必要者，應於申請時記載其事由。

第 18 條　申請閱覽、抄錄或複製檔案者，應載明下列事項：

一、申請人之姓名、出生年月日、電話、住(居)所、身分證明文件字號。如係法人或其他設有管理人或代表人之團體，其名稱、事務所或營業所及管理人或代表人之姓名、出生年月日、電話、住(居)所。

二、有代理人者，其姓名、出生年月日、電話、住(居)所、身分證明文件字號；如係意定代理者，並應提出委任書；如係法定代理者，應敘明其關係。

三、申請項目。

四、檔案名稱或內容要旨。

五、檔號。

六、申請目的。

七、有使用檔案原件之必要者，其事由。

八、申請日期。

前項申請，得以書面通訊方式為之；其經電子簽章憑證機構認證後，亦得以電子傳遞方式為之。

第 19 條 各機關對於前條申請案件，認其不合規定程式或資料不全者，應通知申請人於七日內補正；屆期不補正或不能補正者，得駁回其申請。

本法第十九條所定之三十日，於前項情形，自申請人補正之日起算。

第 20 條 本法第十九條所定之書面通知，除駁回申請者外，應載明下列事項：

一、核准應用檔案之意旨。

二、檔案應用方式、時間及處所。

三、檔案應用注意事項及收費標準。

四、應攜帶相關證明文件。

申請人依第十八條第二項規定，以電子傳遞方式申請應用檔案或於申請書上註明電子傳遞位址者，前項通知書，得以電子傳遞方式為之。

第 21 條 為因應檔案開放應用業務之需要，各機關應設置閱覽、抄錄及複製之處所，並提供必要之設備。

第 22 條 抄錄或複製檔案，如涉及著作權事項，應依著作權法及其相關規定辦理。

第 23 條 本法第二十二條所定國家檔案之開放應用，應依本法及檔案中央主管機關所定之國家檔案開放應用要點辦理。

國家檔案因有特殊情形，無法依本法第二十二條規定於三十由及擬延長開放之期限，由檔案中央主管機關報請行政院核轉立法院同意。

前項三十年期限之計算，以案卷為單位，並以該檔案文件產生日最晚者為準。

第 24 條　各機關檔案管理單位應定期列表，統計歸檔、立案、編目、保管、檢調應用及清理等檔案管理情形。

第 25 條　各機關辦理檔案管理資訊化作業，應依檔案中央主管機關及相關主管機關之規定，使用檔案中央主管機關建置之全國檔案資訊系統或自行建置檔案管理系統。

第 26 條　各機關因應業務需要訂定檔案管理作業有關規定時，應將該規定送交檔案中央主管機關備查。

第 27 條　中央二級機關及直轄市、縣(市)政府對於所屬機關檔案管理情形，應定期辦理考評及獎懲。

檔案中央主管機關應對各機關檔案管理作業，實施必要之輔導、訓練及評鑑；經評鑑績優者，得予獎勵，並公開表揚。

第 28 條　本細則自本法施行之日施行。

（法律規章以原條文爲準）

附錄8：國家機密保護法

中華民國92年2月6日總統華總一義字第09200019320號令制定公布全文41條

中華民國92年9月26日行政院院臺法字第0920051385號令發布定自92年10月1日施行

第1章　總　則

第 1 條　為建立國家機密保護制度，確保國家安全及利益，特制定本法。

第 2 條　本法所稱國家機密，指為確保國家安全或利益而有保密之必要，對政府機關持有或保管之資訊，經依本法核定機密等級者。

第 3 條　本法所稱機關，指中央與地方各級機關及其所屬機構暨依法令或受委託辦理公務之民間團體或個人。

第 4 條　國家機密等級區分如下：

一、絕對機密適用於洩漏後足以使國家安全或利益遭受非常重大損害之事項。

二、極機密適用於洩漏後足以使國家安全或利益遭受重大損害之事項。

三、機密適用於洩漏後足以使國家安全或利益遭受損害之事項。

第 5 條　國家機密之核定，應於必要之最小範圍內為之。

核定國家機密，不得基於下列目的為之：

一、為隱瞞違法或行政疏失。

二、為限制或妨礙事業之公平競爭。

三、為掩飾特定之自然人、法人、團體或機關(構)之不名譽行為。

四、為拒絕或遲延提供應公開之政府資訊。

第 6 條　各機關之人員於其職掌或業務範圍內，有應屬國家機密之事項時，應按其機密程度擬訂等級，先行採取保密措施，並即報請核定；有核定權責人員，應於接獲報請後三十日內核定之。

第2章　國家機密之核定與變更

第 7 條　國家機密之核定權責如下：

一、絕對機密由下列人員親自核定：

(一)總統、行政院院長或經其授權之部會級首長。

(二)戰時，編階中將以上各級部隊主官或主管及部長授權之相關人員。

二、極機密由下列人員親自核定：

(一)前款所列之人員或經其授權之主管人員。

(二)立法院、司法院、考試院及監察院院長。

(三)國家安全會議秘書長、國家安全局局長。

(四)國防部部長、外交部部長、行政院大陸委員會主任委員或經其授權之主管人員。

(五)戰時，編階少將以上各級部隊主官或主管及部長授權之相關人員。

三、機密由下列人員親自核定：

(一)前二款所列之人員或經其授權之主管人員。

(二)中央各院之部會及同等級之行、處、局、署等機關首長。

(三)駐外機關首長；無駐外機關首長者，經其上級機關授權之主管人員。

(四)戰時，編階中校以上各級部隊主官或主管及部長授權之相關人員。

前項人員因故不能執行職務時，由其職務代理人代行核定之。

第 8 條　國家機密之核定，應注意其相關之準備文件、草稿等資料有無一併核定之必要。

第 9 條　國家機密事項涉及其他機關業務者，於核定前應會商該其他機關。

第 10 條　國家機密等級核定後，原核定機關或其上級機關有核定權責人員得依職權或依申請，就實際狀況適時註銷、解除機密或變更其等級，並通知有關機關。

個人或團體依前項規定申請者，以其所爭取之權利或法律上利益因國家機密之核定而受損害或有損害之虞為限。

依第一項規定申請而被駁回者，得依法提起行政救濟。

第 11 條　核定國家機密等級時，應併予核定其保密期限或解除機密之條件。

前項保密期限之核定，於絕對機密，不得逾三十年；於極機密，不得逾二十年；於機密，不得逾十年。其期限自核定之日起算。

國家機密依前條變更機密等級者，其保密期限仍自原核定日起算。

國家機密核定解除機密之條件而未核定保密期限者，其解除機密之條件逾第二項最長期限未成就時，視為於期限屆滿時已成就。

保密期限或解除機密之條件有延長或變更之必要時，應由原核定機關報請其上級機關有核定權責人員為之。延長之期限不得逾原核定期限，並以二次為限。

國家機密至遲應於三十年內開放應用，其有特殊情形者，得經立法院同意延長其開放應用期限。

前項之延長或變更，應通知有關機關。

第 12 條　涉及國家安全情報來源或管道之國家機密，應永久保密，不適用前條及檔案法第二十二條之規定。

前項國家機密之核定權責，依第七條之規定。

第3章　國家機密之維護

第 13 條　國家機密經核定後，應即明確標示其等級及保密期限或解除機密之條件。

第 14 條　國家機密之知悉、持有或使用，除辦理該機密事項業務者外，以經原核定機關或其上級機關有核定權責人員以書面授權或核准者為限。

第 15 條　國家機密之收發、傳遞、使用、持有、保管、複製及移交，應依其等級分別管制；遇有緊急情形或洩密時，應即報告機關長官，妥適處理並採取必要之保護措施。

國家機密經解除機密後始得依法銷毀。

絕對機密不得複製。

第 16 條　國家機密因戰爭、暴動或事變之緊急情形，非予銷毀無法保護時，得由保管機關首長或其授權人員銷毀後，向上級機關陳報。

第 17 條　不同等級之國家機密合併使用或處理時，以其中最高之等級為機密等級。

第 18 條　國家機密之複製物，應照原件之等級及保密期限或解除機密之條件加以註明，並標明複製物字樣及編號；其原件應標明複製物件數及存置處所。

前項複製物應視同原件，依本法規定保護之。

複製物無繼續使用之必要時，應即銷毀之。

第 19 條　國家機密之資料及檔案，其存置場所或區域，得禁止或限制人員或物品進出，並為其他必要之管制措施。

第 20 條　各機關對國家機密之維護應隨時或定期查核，並應指派專責人員辦理國家機密之維護事項。

第 21 條　其他機關需使用國家機密者，應經原核定機關同意。

第 22 條　立法院依法行使職權涉及國家機密者，非經解除機密，不得提供或答復。

但其以秘密會議或不公開方式行之者，得於指定場所依規定提供閱覽或答復。

前項閱覽及答復辦法，由立法院訂之。

第 23 條　依前二條或其他法律規定提供、答復或陳述國家機密時，應先敘明機密等級及應行保密之範圍。

第 24 條　各機關對其他機關或人員所提供、答復或陳述之國家機密，以辦理該機密人員為限，得知悉、持有或使用，並應按該國家機密核定等級處理及保密。

監察院、各級法院、公務員懲戒委員會、檢察機關、軍法機關辦理案件，對其他機關或人員所提供、答復

或陳述之國家機密，應另訂保密作業辦法；其辦法，由監察院、司法院、法務部及國防部於本法公布六個月內分別依本法訂之。

第 25 條　法院、檢察機關受理之案件涉及國家機密時，其程序不公開之。

法官、檢察官於辦理前項案件時，如認對質或詰問有洩漏國家機密之虞者，得依職權或聲請拒絕或限制之。

第 26 條　下列人員出境，應經其(原)服務機關或委託機關首長或其授權之人核准：

一、國家機密核定人員。

二、辦理國家機密事項業務人員。

三、前二款退、離職或移交國家機密未滿三年之人員。

前項第三款之期間，國家機密核定機關得視情形縮短或延長之。

第4章　國家機密之解除

第 27 條　國家機密於核定之保密期限屆滿時，自動解除機密。

解除機密之條件逾保密期限未成就者，視為於期限屆滿時已成就，亦自動解除機密。

第 28 條　國家機密核定之解除條件成就者，除前條第二項規定外，由原核定機關或其上級機關有核定權責人員核定後解除機密。

第 29 條　國家機密於保密期限屆滿前或解除機密之條件成就前，已無保密之必要者，原核定機關或其上級機關有核定權責人員應即為解除機密之核定。

第 30 條　前二條情形，如國家機密事項涉及其他機關業務者，於解除機密之核定前，應會商該他機關。

第 31 條　國家機密解除後，原核定機關應將解除之意旨公告，並應通知有關機關。

前項情形，原核定機關及有關機關應在國家機密之原件或複製物上為解除機密之標示或為必要之解密措施。

前項情形，原核定機關及有關機關應在國家機密之原件或複製物上為解除機密之標示或為必要之解密措施。

第5章　罰則

第 32 條　洩漏或交付經依本法核定之國家機密者，處一年以上七年以下有期徒刑。

因過失犯前項之罪者，處二年以下有期徒刑、拘役或科或併科新臺幣二十萬元以下罰金。

第一項之未遂犯罰之。

第 33 條　洩漏或交付依第六條規定報請核定國家機密之事項者，處五年以下有期徒刑。

因過失犯前項之罪者，處一年以下有期徒刑、拘役或科或併科新臺幣十萬元以下罰金。

第一項之未遂犯罰之。

第 34 條　刺探或收集經依本法核定之國家機密者，處五年以下有期徒刑。

刺探或收集依第六條規定報請核定國家機密之事項者，處三年以下有期徒刑。

前二項之未遂犯罰之。

第 35 條　毀棄、損壞或隱匿經依本法核定之國家機密，或致令不堪用者，處五年以下有期徒刑，得併科新臺幣三十萬元以下罰金。
因過失毀棄、損壞或遺失經依本法核定之國家機密者，處一年以下有期徒刑、拘役或新臺幣十萬元以下罰金。

第 36 條　違反第二十六條第一項規定未經核准而擅自出境或逾越核准地區者，處二年以下有期徒刑、拘役或科或併科新臺幣二十萬元以下罰金。

第 37 條　犯本章之罪，其他法律有較重處罰之規定者，從其規定。

第 38 條　公務員違反本法規定者，應按其情節輕重，依法予以懲戒或懲處。

第6章　附則

第 39 條　本法施行前，依其他法令核定之國家機密，應於本法施行後二年內，依本法重新核定，其保密期限溯自原先核定之日起算；屆滿二年尚未重新核定者，自屆滿之日起，視為解除機密，依第三十一條規定辦理。

第 40 條　本法施行細則，由行政院定之。

第 41 條　本法施行日期，由行政院定之。

（法律規章以原條文爲準）

附錄9：國家機密保護法施行細則

中華民國92年9月26日行政院院臺法字第0920044825號令訂定發布全文36條；並自國家機密保護法施行之日施行

第 1 條　本細則依國家機密保護法（以下簡稱本法）第四十條規定訂定之。

第 2 條　本法所定國家機密之範圍如下：

一、軍事計畫、武器系統或軍事行動。

二、外國政府之國防、政治或經濟資訊。

三、情報組織及其活動。

四、政府通信、資訊之保密技術、設備或設施。

五、外交或大陸事務。

六、科技或經濟事務。

七、其他為確保國家安全或利益而有保密之必要者。

第 3 條　本法第二條所稱資訊，指政府機關於職權範圍內作成或取得而存在於文書、圖畫、照片、磁碟、磁帶、光碟片、微縮片、積體電路晶片等媒介物及其他得以讀、看、聽或以技術、輔助方法理解之任何紀錄內之訊息。

第 4 條　本法第三條所稱機構，指實（試）驗、研究、文教、醫療、軍事及特種基金管理等機構。

第 5 條　本法第四條第一款所稱非常重大損害，指有下列各款情形之一：

一、造成他國或其他武裝勢力，以戰爭、軍事力量或

武裝行為敵對我國。

二、使軍事作戰遭受全面挫敗。

三、造成全國性之暴動。

四、中斷我國與邦交國之外交關係或重要友好國家之實質關係。

五、喪失我國在重要國際組織會籍。

六、其他造成戰爭、內亂、外交或實質關係重大變故，或危害國家生存之情形。

第 6 條　本法第四條第二款所稱重大損害，指有下列各款情形之一：

一、中斷或破壞我國與他國軍事交流、軍事合作或軍事協定之推展。

二、使單一軍（兵）種或作戰區聯合作戰遭受挫敗。

三、危害從事或協助從事情報工作人員之身家安全，或中斷、破壞情報組織之運作。

四、使政府通信、資訊之保密技術、設備、設施遭受破解或破壞。

五、中斷或破壞與大陸地區、香港或澳門之協議或談判。

六、嚴重不利影響我國與邦交國之外交關係或友好國家之實質關係。

七、破壞我國在重要國際組織享有之會員地位或重大權益。

八、破壞洽談中之建交案、條約案、協定案或加入國際組織案。

九、中斷或破壞我國與他國經貿之諮商、協議、談判或合作事項。

十、其他使國家安全或利益相關政務發展產生嚴重影響之情形。

第 7 條　本法第四條第三款所稱損害，指有下列各款情形之一：

一、有利他國或減損我國情報蒐集、研析、處理或運用。

二、減損整體國防武力，或破壞建軍備戰工作推展。

三、使作戰部隊、重要軍事設施或主要武器裝備之安全遭受損害。

四、不利影響與大陸地區、香港或澳門之交流活動。

五、不利影響與邦交國之外交關係或友好國家之實質關係。

六、妨礙洽談中之建交案、條約案、協定案、諮商案、合作案或加入國際組織案。

七、其他使國家安全或利益相關政務發展產生影響之情形。

第 8 條　本法第六條所定先行採取保密措施，應由擬訂機密等級人員自擬訂時起，採取本法第十三條至第二十六條規定之保密措施。

本法第六條所定有核定權責人員，於接獲報請核定三十日內未核定者，原採取保密措施之事項應即解除保密措施，依一般非機密事項處理。

第 9 條　國家機密原核定機關因組織裁併或職掌調整，致該國家機密事項非其管轄者，相關保護作業由承受其業務之機關辦理；無承受業務機關者，由原核定機關之上級機關或主管機關為之。

第 10 條　本法第七條第一項第一款第二目、第二款第五目及第三款第四目所定部長，為國防部長。

本法第七條第一項第二款第一目、第四目及第三款第一目、第三目所定主管人員，為本機關所屬幕僚主管、機關首長及編階中將以上之部隊主官。

本法第七條第一項第三款第三目所定駐外機關，包括駐外使領館、代表處（團）、辦事處；所定駐外機關首長，為政府派駐該國（地）之最高代表。

本法第七條第一項規定之授權，應以書面為之；其被授權對象、範圍及期間，以必要之最小程度為限，且被授權對象不得再為授權。

第 11 條　國家機密之核定，應留存書面或電磁紀錄。

第 12 條　本法第八條所定國家機密相關之準備文件、草稿等資料，應依其內容分別核定不同機密等級。但與國家機密事項有合併使用或處理之必要者，應核定為同一機密等級。

第 13 條　國家機密或其解除之核定，依本法第九條或第三十條規定應於核定前會商其他機關者，其會商程序及內容，均應作成書面紀錄附卷。

前項會商，就應否核定、核定等級及應否解密等事項發生爭議時，由共同上級機關決定；無共同上級機關時，由各該上級機關協議定之。

第 14 條　本法第十條第一項所定國家機密等級之變更，由原機密等級與擬變更機密等級二者中較高機密等級之有核定權責人員核定。

依本法第十條第一項規定申請變更機密等級者，應向原核定機關為之。

依本法第十條第一項規定申請解除國家機密或變更其等級者，有核定權責人員應於接獲申請後三十日內核定；戰時，於十日內核定之。

本法第十條第一項所定註銷、解除國家機密或變更其等級之作業程序，應按異動前後較高之機密等級先行採取保密措施。

第 15 條　依本法第十一條第五項後段規定送請立法院同意延長國家機密開放應用期限者，應於期限屆滿六個月前送達立法院。立法院於期限屆滿時仍未為同意之決議者，該國家機密應即解除。

第 16 條　本法第十二條第一項所稱涉及國家安全情報來源或管道之國家機密，指從事或協助從事國家安全情報工作之組織或人員，及足資辨別從事或協助從事國家安全情報工作之組織或人員之相關資訊。

第 17 條　本法第十三條所定國家機密等級之標示，其位置如下：

一、直書單頁或活頁文書、照相底片及所製成之照片，於每張左上角標示；加裝封面或封套時，並於封面或封套左上角標示。

二、橫書活頁文書，於每頁頂端標示；裝訂成冊時，應於封面外頁及封底外面上端標示。

三、錄音片（帶）、影片（帶）或其他電磁紀錄片（帶），於本片（帶）及封套標題下或其他易於識別之處標示，並於播放或放映開始及終結時，聲明其機密等級。

四、地圖、照相圖或圖表，於每張正反面下端標示。

五、物品，於明顯處或另加卡片標示。但有保管安全之虞者，得另擇定適當位置標示。

機密資料含有外國文字，而以外國文字標示機密等級者，須加註中文譯名標示。

本法第十三條所定國家機密保密期限或解除機密條件之標示，應以括弧標示於機密等級之下。

國家機密之變更或解除，應於變更或解除生效後，將該國家機密原有機密等級、保密期限或解除機密之條件以雙線劃除，並於左右兩側或其他明顯之處，註記下列各款事項：

一、解除機密或變更後之新機密等級、保密期限及解除機密之條件。

二、生效日期。

三、核准之機關名稱及文號。

四、登記人姓名及所屬機關名稱。

國家機密複製物之標示，應與原件相同。

第 18 條　國家機密送達受文機關時，收發人員應依內封套記載情形登記，並依下列規定處理：

一、受文者為機關或機關首長者，送機關首長或其指定人員啟封。

二、受文者為其他人員者，逕送各該人員本人啟封。

第 19 條　國家機密之收發處理，以專設文簿或電子檔登記為原則，並加註機密等級。如採混合方式，登註資料不得顯示國家機密之名稱或內容。

第 20 條　擬辦國家機密事項，須與機關內有關單位會辦時，其會辦程序及內容，應作成書面紀錄附卷。

第 21 條　國家機密之傳遞方式如下：

一、在機關內相互傳遞，屬於絕對機密及極機密者，由承辦人員親自持送。

二、在機關外傳遞，屬於絕對機密或極機密者，由承辦人員或指定人員傳遞，必要時得派武裝人員或便衣人員護送。屬於機密者，由承辦人員或指定人員傳遞，或以外交郵袋或雙掛號函件傳遞。

依前項第二款規定，由承辦人員或指定人員傳遞者，事先應作緊急情形之銷毀準備。國家機密非由承辦人員親自持送傳遞者，應密封交遞。

以電子通信工具傳遞國家機密者，應以加裝政府權責主管機關核發或認可之通信、資訊保密裝備或加密技術傳遞。

第 22 條　國家機密文書用印，由承辦人員親自持往辦理。監印人憑主管簽署用印，不得閱覽其內容。

第 23 條　國家機密之封發方式如下：

一、「絕對機密」及「極機密」之封發，由承辦人員監督辦理。

二、國家機密應封裝於雙封套內，內封套左上角加蓋機密等級，並加密封，外封套應有適當厚度，內、外封套均註明收（發）文地址、收（發）文者及發文字號。但外封套不得標示機密等級或其他足以顯示內容之註記。

三、體積及數量龐大之機密物品，不能以前款方式封裝者，應作適當之掩護措施。

第 24 條　依本法第十六條規定銷毀國家機密者，應於緊急情形終結後七日內，將銷毀之國家機密名稱、數量與銷毀之時間、地點、方式及銷毀人姓名等資料以書面陳報上級機關；銷毀機關非該國家機密核定機關者，並應同時以書面通知核定機關。

前項所稱上級機關，於直轄市政府，為行政院；於縣（市）政府，為中央各該主管機關；於鄉（鎮、市）公所，為縣政府。

第一項銷毀之國家機密，其屬檔案法規定之檔案者，應即通知檔案中央主管機關。

第 25 條　本法第十八條所定國家機密之複製物，其複製，應先經原核定機關或其上級機關有核定權責人員以書面授權或核准。

第 26 條　國家機密必須印刷或以其他方法複製時，應派員監督製作。印製時使用之模具、底稿或其他物品及產生之半成品、廢棄品等，內含足資辨識國家機密資訊者，印製完成後應即銷毀，不能即時銷毀時，應視同複製物，依本法第十八條規定保護之。

依本法第十八條第三項規定銷毀複製物，不經解密程序。但應以書面紀錄附於國家機密原件。

第 27 條　會議議事範圍涉及國家機密者，應事先核定機密等級，並由主席或指定人員在會議開始及終結時口頭宣布。

前項機密會議，未經主席或該國家機密核定人員許可，不得抄錄、攝影、錄音及以其他方式保存會議內容或對外傳輸現場影音；其經許可所為之產製物，為國家機密原件，應與會議核列同一機密等級。

第一項機密會議之議場，得禁止或限制人員、物品進出，並為其他必要之管制措施。絕對機密及極機密會議議場，應於周圍適當地區，佈置人員擔任警衛任務。

第 28 條　國家機密之保管方式如下：

一、國家機密應保管於辦公處所；其有攜離必要者，須經機關首長或其授權之主管人員核准。

二、國家機密檔案應與非國家機密檔案隔離，依機密等級分別保管。

三、國家機密應存放於保險箱或其他具安全防護功能之金屬箱櫃，並裝置密鎖。

四、國家機密為電子資料檔案者，應以儲存於磁（光）碟帶、片方式，依前三款規定保管；其直接儲存於資訊系統者，須將資料以政府權責主管機關認可之加密技術處理，該資訊系統並不得與外界連線。

第 29 條　保管國家機密人員調離職務時，應將所保管之國家機密，逐項列冊點交機關首長指定之人員或檔案管理單位主管。

第 30 條　原核定機關依本法第二十一條規定為使用國家機密之同意或不同意，應以書面為之，並註明同意使用之內容、範圍、目的或不同意之理由。

原核定機關於有下列情形之一時，得不同意：

一、有具體理由足以說明須使用國家機密之機關使用後，將使國家安全或利益遭受損害。

二、須使用國家機密之機關無法提出具體理由，說明其使用必要性。

三、須使用國家機密之機關得以其他方式達到相同之目的。

第 31 條　本法第二十四條第二項所定軍法機關，包括各級軍事法院及軍事檢察署。

本法第二十五條第一項所定法院、檢察機關，包括各級軍事法院、軍事檢察署；第二項所定法官、檢察官，包括軍事審判官、軍事檢察官。

第 32 條　本法第二十六條第一項各款所定人員，包括於本法施

行前，依其他法令核定或辦理國家機密事項業務，且該國家機密已依本法第三十九條規定重新核定者。

本法第二十六條第一項各款所定人員出境，應於出境二十日前檢具出境行程、所到國家或地區、從事活動及會晤之人員等書面資料，向（原）服務機關或委託機關提出申請，由該機關審酌申請人之涉密、守密程度等相關事由後據以准駁，並將審核結果於申請人提出申請後十日內以書面通知之。但申請人為機關首長，或現任職原服務機關或委託機關之上級機關者，其申請應向上級機關提出，並由該上級機關首長或其授權人員予以准駁。

依本法第二十六條第一項規定應經核准始得出境之人員，其（原）服務機關或委託機關應於本法施行後三個月內，繕具名冊及管制期間送交入出境管理機關，並通知當事人；有異動時，並應於異動後七日內，通知入出境管理機關及當事人。但機關另有出境管制規定者，依其規定。

第 33 條　國家機密依本法第二十七條規定自動解除者，無須經原核定機關或其上級機關之核定或通知，該機密即自動解除。

前項情形，原核定機關得將解除之意旨公告。

第 34 條　依本法第二十八條或本法第二十九條規定解除國家機密者，有核定權責人員應於接獲報請後十日內核定之。

第 35 條　第三十三條第二項及本法第三十一條第一項所定公告，得登載於政府公報、新聞紙、機關網站或以其他公眾得以周知之方式為之。

第 36 條　本細則自本法施行之日施行。

（法律規章以原條文為準）

附錄10：考古題民國65～72年高、特考公文試題答案

1.擬臺灣省政府教育廳覆教育部函：為提倡勤檢淳樸、遵守法紀之社會風氣，遂炤一部頒「輔導青少年有關事項」之規定，擬訂「臺灣省政府教育廳輔導青少年實施辦法草案」，覆請鑒核。（65 年高考）

檔號：
保存年限：

臺灣省政府教育廳函

地址：南投中興新村光華路 00 號
傳真：04-0000-0000
聯絡人：○○○
聯絡電話：04-0000-0000 轉234

受文者：教育部

發文日期：中華民國 65 年 07 月 12 日
發文字號：○○○字第 00000002 號
速別：最速件
密等及解密條件或保密期限：普通
附件：

主旨：擬定「臺灣省政府教育廳輔導青少年實施辦佚草案」，覆請鑒核。請查照。

說明：

一、爲提倡勤儉淳樸、遵守法紀之社會風氣，謹依鈞部 00 年 0 月 0 日 0 字第 0 號函頒『輔導青少年有關事項』之規定，擬訂「臺灣省政府教育廳輔導青少年實施辦法草案」一種。

二、附上述草案一式三份。

廳長○○○

2.擬臺北市政府致所屬各機關學校函，訂頒『臺北市政府嚴禁所屬公務人員賭博冶遊執行要點』，希轉知所屬照辦。（65 年普考））

檔號：
保存年限：

臺北市政府函

地址：100-08 臺北市市府路1號
傳真：02-0000-0000
聯絡人：○○○
聯絡電話：02-2720-8889

受文者：本府所屬各機關學校
發文日期：中華民國 00 年 00 月 00 日
發文字號：○○○第 0000000 號
速別：最速件
密等及解密條件或保密期限：普通

主旨：訂頒「臺北市政府嚴禁所屬公教人員賭博冶遊執行要點」乙種（如附件），希轉知所屬照辦。

說明：

一、公教人員賭博冶遊早經明令禁止，然尚有部份人員陽奉陰違，敗壞政治及教育風氣至鉅。

二、爲貫徹蔣院長指示，有效杜絕上述不良風氣，特訂頒「嚴禁公教人員賭博冶遊執行要點」。

三、附「臺北市政府嚴禁所屬公教人員賭博冶遊執行要點」一份。

市長○○○

3.擬財政部致國內各銀行函：注意改進櫃臺業務，尤以款項收支，更不可疏忽錯誤，希轉知所屬遵照。(65 年稅務金融人員丙等特考)

檔號：
保存年限：

財政部函

地址：100-66臺北市愛國東路2號
傳真：02-0000-0000
聯絡人：○○○
聯絡電話：02-2356-8774

受文者：國內各銀行
發文日期：中華民國 00 年 00 月 00 日
發文字號：○○○第 0000000 號
速別：最速件
密等及解密條件或保密期限：普通

主旨：請注意改進櫃臺業務，尤以款項支，更不可疏忽錯誤，希轉知所屬照辦。

說明：

一、近來迭聞銀行發生溢領、冒領情事，致與顧客發生糾紛，造成社會不良印象。

二、應確保各金融機構與顧客存取現款之正確安全，加強爲顧客服務，並免爭端。

三、應督導所屬行員注意改進櫃臺業務及提高警惕，尤以款項收支，更不可疏忽錯誤，影響金融機構之聲譽。

部長○○○

4.試擬行政院人事行政局上行政院函：為擬訂行政院暨所屬部會處局署員工自強及康樂活動實施要點，報請核定實施。（66 年高考）

檔號：
保存年限：

行政院人事行政局　函

地址：100-51濟南路一段2-2號10樓
傳真：02-0000-0000
聯絡人：○○○
聯絡電話：02-239-9298

受文者：行政院

發文日期：中華民國 00 年 00 月 00 日
發文字號：○○○第 0000000 號
速別：最速件
密等及解密條件或保密期限：普通

主旨：擬訂「行政院暨所屬各部會處局署員工自強及康樂活動實施要點」，報請　核定後通函各機關實施。

說明：

一、中央機關員工自強及康樂活動，自實施以來，一般反映甚佳，對增進員工身心健康，加強單位間聯繫，及培養團隊精神，均具成效。

二、本局 67 年度預算業已列有此項經費，擬仍照往例繼續辦理。

三、為期今後辦理有所準據起見，特訂定本要點。

辦法：

一、參加對象：包括本院所屬一級機關員工，並邀請總統府及其他四院各一級機關員工參加。

二、活動項目：分各種球類比賽、橋藝比賽、棋藝比賽、書畫攝影展覽、登山健行活動、員工運動會等。

三、活動時間：每會計年度開始時，由本局按照預定計畫，分項分月進行。

四、經費：在本局所列康樂活動經費項下支應。

五、附擬訂實施要點一份。

局長　陳○○

5.行政院國家科學委員會鑒於配合國家經濟發展之需要，亟應加孩培植科技人才，其有關充實大專院校理工科系師資及設備等事項，宜由教育部統籌現劃，試擬國科會致教育部函。（66 年高考）

行政院國家科學委員會函

地址：臺北市和平東路一段 00 號
傳真：02-0000-0000
聯絡人：○○○
聯絡電話：02-0000-0000 轉225

受文者：教育部

發文日期：中華民國 00 年 00 月 002 日
發文字號：○○○第 0000000 號
速別：最速件
密等及解密條件或保密期限：普通
附件：

主旨：函請就主管業務，統籌規劃，積極培植科技人才，俾教育與經濟建設相配台，以適應當前情勢之需要。

說明：

一、近年國內經濟迅速發展，各項建設正加緊進行，根據本會調查資料顯示，各負責工程單位，普遍缺乏科技人才，如不及時補救，其後果將更趨嚴重。

二、貴部職掌全國教育，如何培植科技人才以配合國家建設，似應作全盤規劃，迅付實施。

辦法：

一、各大專院校應寬籌經費，充實理工科系師資及設備，擴充班次，增設獎學金，並擬訂其他獎助辦法，以鼓勵青年就學。

二、建議由教育部邀集有關機關及大專院校負責人，舉行會議，商討關於充分發揮教育功能，積極培植科技人才之具體可行辦法。

主任委員　徐 ○ ○

6.試擬臺灣省糧食局坎各縣市坎府函：為最近颱風過境，造成各他農田災害，本局為協助農民復耕生產，特訂定輔助辦法一種，茲檢送該辦法，希查照辦理。（66 年高考）

臺灣省糧食局　函

地址：臺中市○○路一段 00 號
傳真：04-0000-0000
聯絡人：○○○
聯絡電話：04-0000-0000 轉225

受文者：各縣市政府

發文日期：中華民國 00 年 00 月 002 日
發文字號：○○○第 0000000 號
速別：最速件
密等及解密條件或保密期限：普通
附件：

主旨：爲針對颱風災情，協助農民復耕生產，擬訂輔助辦法一種，函請查照辦理。

說明：

一、最近『賽洛瑪』及『薇拉』颱風先後侵襲省境，造成各地農田重大災害，本局報奉省府指示，應針對災情，迅採善後措施。

二、關於勘查風災工作，業由本局派遣小組分赴各縣市災區勘查完畢。

三、爲使災農得以早日復耕生產，特訂定本辦法。

辦法：

一、視農民受災之程度，分別採取撥款救濟，洽請行庫貸款，及增配肥料等措施。

二、協助搶修倉庫，調節各地糧食供應，輔導農民迅速恢復生產。

三、檢附輔助辦法一份。

副本：臺灣省政府祕書長、建設廳、農林廳

局長黃○○

7.擬臺北市教育局致本市各中學函：希加強學生生活輔導，促進品德修養，以消弭越軌行動（66 年普考第一梯次）。

檔號：
保存年限：

臺北市政府教育局　函

地址：臺北市和平東路一段 00 號
傳真：02-0000-0000
聯絡人：○○○
聯絡電話：02-0000-0000 轉225

受文者：本市各中學

發文日期：中華民國 00 年 00 月 002 日
發文字號：○○○第 0000000 號
速別：最速件
密等及解密條件或保密期限：普通
附件：

主旨：希加強學生生活輔導，促進品德修養，以消弭越軌行動。

說明：

一、據報近來各中學屢有學生越軌行動發生，破壞教學風氣，戕害學生身心，影響社會秩序。

二、中學學生血氣方剛，性情未定，容易衝動，致好勇鬥狠，滋生事端，亟宜糾正。

三、中學教育，不僅在知識之灌輸，尤重德育之培養，俾學生敬謹守法，成爲良好國民。

辦法：

一、身教重於言教，各教師應以身作則，循規蹈矩，謹言愼行，使學生平日耳濡月染，效法步趨，以收潛移默化之效。

二、利用週會朝會等時間，多講述修養品德格言或故事，使學生明瞭品德與人生之關係，進而重視品德修養。

三、多獎勵品德優良學生，並予隆重表揚，以資砥礪，俾見賢思齊，蔚成風氣。

四、布置教室及公共場所，多貼有關修身格言，俾資警惕。

五、國文公民歷史等課，應多灌輸民族精神倫理道德觀念，涵濡感化，俾循正道。

六、作文或講演賽等，應重品德方面之闡述，藉以增進認識。

七、導師應利用機會教育，隨時隨地，多予學生關心照拂，化暴戾爲祥和，預防越軌行動之發生。

八、今後將憑各校校風，作爲評鑑重要依據。

局 長 施 ○ ○

第二頁，共二頁

8.擬臺灣省政府致所屬各縣市政府函：希切實辦好今年本省各項地方公職人員選舉。（66年普考第二梯次）

檔號：
保存年限：

臺灣省政府函

地址：臺中市○○路一段00號
傳真：04-0000-0000
聯絡人：○○○
聯絡電話：04-0000-0000 轉102

受文者：所屬各縣市政府

發文日期：中華民國00年00月002日
發文字號：○○○第0000000號
速別：最速件
密等及解密條件或保密期限：普通
附件：

主旨：希切實辦好今年本省各項地方公職人員選舉。

說明：

一、今年本省各項地方公職人員選舉，業奉行政院本年00月00日○字第00號函：核定於本年11月19日全省同時舉行。本府於本年00月00日以○字第00號函：將應注意辦理事項，轉達貴府查照在案。

二、民主政治，首重選賢與能，選舉得人，則政治推行順利，方能造福地方。故今年本省各項地方公職人員選舉，關係今後政治前途甚鉅，自應慎重將事，力求圓滿完成。

辦法：

一、應本蔣院長所指示之公正、公開、公平三原則，嚴格執行。各地選舉事務所業務，希縝密策劃，切實檢查，做好各項準備工作。

第一頁，共二頁

二、選舉監察委員應發揮監察功能，端正選風，確保社會秩序安定，使選舉在守法節約原則下完成，嚴防發生弊竇。

三、候選人政見發表會之言論，如故意歪曲事實，譁眾取寵，偏激違紀，應設法制止，以免淆惑聽聞，並應事先通知候選人，藉資預防。

四、候選人遊行車輛，張貼標語，散發傳單，應防製造噪音與髒亂。

五、如有不法之徒，擾亂選舉場所，應嚴加制止，繩之以法。

六、附發「省地方公職人員選舉宣導要點」○份。

主 席 謝 ○ ○

第二頁，共二頁

9.擬某縣政府致某工廠函：該工廠排出煤煙及廢水，致附近空氣及水源嚴重污染，影響居民健康，請即設法改善。（66年普考）

檔號：
保存年限：

某某縣政府函

地址：臺中市○○路1段00號
傳真：04-0000-0000
聯絡人：○○○
聯絡電話：04-0000-0000 轉102

受文者：某某工廠
發文日期：中華民國00年00月002日
發文字號：○○○第0000000號
速別：最速件
密等及解密條件或保密期限：普通
附件：

主旨：貴廠排出煤煙及廢水，影響附近居民健康，請即設法改善。

說明：

一、現代國家對於公害，均法有明文，嚴加取締，以維國民健康。

二、據貴廠附近居民報稱：貴廠每日排出煤煙，致黑灰散佈附近天空一帶，又排出廢水甚多，注入附近河流，致水源亦受嚴重污染，影響居民健康甚鉅，函請本府取締。

三、經本府派員實地勘察上情屬實。

辦法：

一、請即停止燃燒生煤，改用其他燃料，以免再有煤煙排出。

二、請即採用廢水過濾辦法，將其所含廢物沉澱，俾水質淨化。

三、請於函到壹週內照辦。

四、今後如再有上項情事，當按「防制公害辦法」之規定：第一次處罰金三萬元，第二次處罰金五萬元，如仍不改善，當依法查封，禁止開工。

五、除函復附近居民外，請即照辦見復。

六、附行政院頒「防制公害辦法」壹份。

副本：本縣警察局、衛生局

縣　長　○　○　○

10.擬衛生署致臺灣省政府臺北市政府函：希加強食品衛生檢驗，以免發生中毒事件，而維國民健康。（66年普考建設人員）

檔號：
保存年限：

行政院衛生署　函

地址：100-92臺北市愛國東路00號
傳真：02-0000-0000
聯絡人：○○○
聯絡電話：02-0000-0000轉102

受文者：臺灣省政府、臺北、高雄市政府

發文日期：中華民國00年00月00日
發文字號：○○○第0000000號
速別：最速件
密等及解密條件或保密期限：普通
附件：

副本：內政部警政署、經濟部商品檢驗局

主旨：希加強食品衛生檢驗，以免產生中毒事件，而維國民健康。

說明：

一、近據報載：各地食品商店及餐廳，屢有不潔食品供應，致食用者發生中毒事件。

二、不少食品商及餐廳工作人員，衛生知識缺乏，商業道德低落，濫用硼砂或防腐劑，保持鮮度。或用色素，增加美觀。或用糖精香料等有害人體之化學物品，減低成本。或將已陳腐及污染食品，仍予出售。但圖私人利益，罔顧民眾健康，實有嚴加取締之必要。

辦法：

一、請轉知各地衛生機構，隨時派人會同警員，至轄區各食品商店餐廳，抽樣檢驗，如不合衛生者，嚴加取締，勒令銷燬。

二、依據「食品衛生管理法」之規定：有關食品飲料製造，

第一頁，共二頁

應標明製造日期及保存期限。如已逾時，應不准發售。

三、如發生食品中毒情事，應檢查原因，化驗食品，並嚴究責任，繩之以法。

四、檢查各食品製作場所，應力求衛生設備完善，並予消毒，避免污染。

五、勸導各食品商及餐廳負責人，應本良心，自動自發，加強食品管理，力求合於衛生，不使食用者受害。如有不接受勸導者，依「食品衛生管理法」之規定，得處壹萬伍千元以上、陸萬元以下之罰款。

六、茲印發「食品製作保管應注意衛生事項」○ 份，請轉發各食品商及餐廳照辦。

署長王○○

11.擬行政院函所屬各機關：說現職人員保薦優秀人員參加在職訓練及進修，檢附保薦要點，希照辦。（66 年金融乙等特考）

行政院　函

地址：100-58 臺北市忠孝東路1段1號
傳真：02-0000-0000
聯絡人：○○○
聯絡電話：02-0000-0000 轉101

受文者：各部會處局署及省市政府

發文日期：中華民國 00 年 00 月 00 日
發文字號：○○○第 0000000 號
速別：最速件
密等及解密條件或保密期限：普通

主旨：各機關應就現職人員保薦優秀人員參加在職訓練及進修，今檢附保薦要點，希切實照辦。

說明：

一、社會科技進步，各種專業技能日新又新，現職公務人員之在職訓練及進修，益形重要及迫切。

二、予公務人員在職訓練及進修之機會，不僅補充人員技術之不足，更可以激勵人員之工作潛能，提高效率。

辦法：

一、每年度保薦若干優秀之在職人員，予以在職訓練，並就各類人員所需技能、知識，施以不同的訓練。

二、鼓勵在職公務人員時常研讀、進修，並給予出國深造之機會，以取他人之長。

三、獎勵在職訓練或進修之有成者，如給予升遷機會等。

四、檢附「保薦要點」一份。

院長 ○○○

12.擬臺灣省政府致所屬各機關學校：為各級主管人員，應密切注意所屬員工品德生活，加強輔導考核：俾能防微杜漸，端肅政風。希遵照辦理。（67 年高考）

檔號：
保存年限：

臺灣省政府　函

地址：臺中市○○路一段 00 號
傳真：04-0000-0000
聯絡人：○○○
聯絡電話：04-0000-0000 轉102

受文者：所屬各機關學校

發文日期：中華民國 00 年 00 月 002 日
發文字號：○○○第 0000000 號
速別：最速件
密等及解密條件或保密期限：普通
附件：

主旨：各級主管人員應密切注意所屬員工品德生活，加強輔導考核。

說明：公教人員生活應敦品勵行，爲民表率，近查有少數人員，生活不檢，品德不端，爲社會所詬病，嚴重影響公教人員清譽。今後各級主管，應密切注意所屬員工品德生活，加強輔導考核，俾能防微杜漸，端肅政風。

主　席○○○

13.試擬省政府轉省議會建議考選部，請求每年高普考試於南部設立考區，以便民應試，並省民資。（67 年臺灣省基層人員乙等特考）

檔號：
保存年限：

臺灣省政府　函

地址：南投中興新村光華路 00 號
傳真：02-0000-0000
聯絡人：○○○
聯絡電話：02-0000-0000 轉102

受文者：考選部

發文日期：中華民國 00 年 00 月 002 日
發文字號：○○○第 0000000 號
速別：最速件
密等及解密條件或保密期限：普通
附件：

主旨：請每年高普考試於南部設立考區，以便民應試，並省民資。

說明：

一、據本省省議會 00 年 00 月 00 日○○○字第 000 號函辦理。

二、查每年高普考試報考人數達 6、7 萬人之多，南部應考人士幾佔半數，均集中在臺北市舉行，不但造成北市食宿交通問題，亦且增加南部考生旅途奔波費時費錢之苦，實有另設南部考區之必要。為此建議貴部每年高普考試於南部另設考區，以便民應試，並省民資。

主席○○○

14.試擬某縣政府致所屬各機關學校人民團體，響應冬令救濟，請踴躍捐贈函。（67 年臺省基層人員丙等特考）

○○縣政府函

地址：○○縣○○市○○路 00 號
傳真：05-0000-0000
聯絡人：○○○
聯絡電話：05-0000-00005

受文者：所屬各機關學校及人民團體

發文日期：中華民國 00 年 00 月 002 日
發文字號：○○○第 0000000 號
速別：最速件
密等及解密條件或保密期限：普通
附件：

主旨：請響應冬令救濟，請踴躍捐贈。

說明：歲暮已屆，貧苦人家正待救濟，爲此，本府特發起冬令救濟運動，自 12 月 1 日起至 12 月 31 日止，共計一個月，請轉知所屬員工及會員踴躍捐贈。

辦法：

一、捐贈不限於現金，食物、衣服及其他物品皆可。

二、各機關學校團體捐得之現金或物品，一律交由各該鄉鎮區公所民政課匯齊，統籌分配予轄區內登記有案之貧户。

三、熱心捐贈及捐贈特多者，請報由本府予以表揚

縣 長 ○ ○ ○

15.試擬臺灣省政府函各縣市政府，指示應朴人口密集地區，成立緊急醫療中心，以便及時救護臨時性災變之傷患民眾，附發「緊急醫療中心設置要點」一份。（68 年高考行政人員各類科）

臺灣省政府　函

地址：南投中興新村光華路 00 號
傳　真：02-0000-0000
聯絡人：○○○
聯絡電話：02-0000-0000 轉102

受文者：各縣市政府

發文日期：中華民國 00 年 00 月 002 日
發文字號：○○○第 0000000 號
速別：最速件
密等及解密條件或保密期限：普通
附件：

主旨：各縣市應即成立緊急醫療中心，以便及時救護臨時性災變之傷患民眾。附發「緊急醫療中心設置要點」，請照辦。

說明：

一、都市地區因人口集中，如遇天然或人爲災害，對於受災民眾，常因搶救失時，造成重大傷亡，類此不幸事件，近年時有發生。

二、爲減少傷亡損失，各縣市人口密集地區，應即設置「緊急醫療中心」，以應付突發災難事件。

三、茲經本府邀集有關單位研討「緊急醫療中心設置要點」一種，分行各縣市辦理。

主席林　洋　港

緊急醫療中權設置要點

一、縣市應於境內人口密集地區，設置「緊急醫療中心」，全縣市不以一處爲限。

二、本中心之主要任務，爲統籌搶救臨時性災變之傷患民眾，發揮整體工作精神，使傷亡人口減少至最低數。

三、縣市轄區內公私立醫院之設備及人力均應納入編組，接受中心統一指揮，擔負急救任務。

四、裝設專用電話，接受民眾報案，隨時指揮各醫院並協調當地警察及消防機構，與中心保持密切聯繫。

五、凡編配本中心之醫護人員，均須施以急救訓練。

六、縣市預算應增列『災害救濟』與『急難輔助』專款，遇有不足時，得申請省府補助之。

16.試擬行攻院農業發展委員會函省市玫府，為輔導農村青年創業改進農業技術，提高農民收益，特擬，訂輔助撥款計畫，函請查照。

（68年高考建設人員各類科，專門職業及技術人員各類科）

行政院農業發展委員會　函

地址：臺北市和平東路一段00號
傳真：02-0000-0000
聯絡人：○○○
聯絡電話：02-0000-0000 轉225

受文者：臺灣省政府、臺北、高雄市政府

發文日期：中華民國00年00月002日
發文字號：○○○第0000000號
速別：最速件
密等及解密條件或保密期限：普通
附件：

主旨：爲輔導農村青年創業，改進農業技術，提高農民收益，特擬訂輔助撥款計畫，函請查照。

說明：奉　行政院指示：爲配合政府長期經建計畫，應鼓勵優秀青年參加農業生產，改進技術，提高收益，使地方經濟益臻豐裕。著由本會負責推動。辦法：特擬訂『輔助農村青年增產創業撥款計畫』函請查照實施。

主任委員李崇道

輔助農村青年增產創業撥款計畫

一、本計畫以獎勵青年參與農村建設、繁榮地方經濟爲引叫

二、農村青年購置生產器具，得中請補助金。

三、農村青年獨立創業或改進農場經營老，得提出計畫申請貸款。

四、前項補助金及貸款之對象，以曾受政府舉辦之農技訓練或曾就讀農業系科畢業老爲優先。

五、本會預定本年度撥款新臺幣伍億元，分配省市政府轉發各級地方政府核實支用。

17.試擬行政院衛生署通函省、市、縣衛生行政主管機關，為維護國民健康，應注意查禁偽茶劣藥及危害人體之食品出售，違者從嚴處罰。（68 年高考律師）

檔號：
保存年限：

行政院衛生署　函

地址：100-92 臺北市愛國東路 00 號
傳真：02-0000-0000
聯絡人：○○○
聯絡電話：02-0000-0000 轉102

受文者：臺灣省政府衛生處臺北、高雄市政府衛生局

發文日期：中華民國 00 年 00 月 00 日
發文字號：○○○第 0000000 號
速別：最速件
密等及解密條件或保密期限：普通
附件：

主旨：爲維護國民健康，希注意查禁僞藥劣藥及危害人體之食品出售，違者從嚴處罰，請照辦，並轉行照辦。

説明：查強化藥物及食品之管理，爲現代國家維護國民健康之必要措施，最近常有不肖商人出售僞藥劣藥及危害人體之食品，以誇大不實之宣傳，愚騙民眾，貽害深遠，亟應從嚴取締。

辦法：各級衛生行政機構應將取締僞藥劣藥及不合規格之食品，列爲中心工作，指派專員經常定期檢驗及不定期抽查，並獎勵檢舉，擬訂執行取締及檢舉獎金辦法，以弘實效。

副本收受者：各縣市衛生局

署長王金茂

18.擬臺北市政府致所屬警察局函：市區內嚴禁儲藏易燃易爆之危險物品，希轉所屬，按戶清查取締，以策公共安全。（68 年普考普通行政人員等各類科）

檔號：
保存年限：

臺北市政府函

地址：100-08 臺北市市府路1號
傳真：02-0000-0000
聯絡人：○○○
聯絡電話：02-2720-8889

受文者：臺北市警察局

發文日期：中華民國 00 年 00 月 00 日
發文字號：○○○第 0000000 號
速別：最速件
密等及解密條件或保密期限：普通

主旨：市區內嚴禁儲藏易燃易爆之危險物品，即轉所屬，按户清查取締，以策公共安全，希照辦。

說明：

一、最近本市撫遠街及重慶北路先後發生爆炸慘案，人民生命財產損失甚鉅。

二、為免類似慘案再度發生，希督促所屬，嚴加預防。

三、茲檢附「危險物品管理辦法」三十份，希轉發參考。

辦法：

一、排定清查取締危險物品日程表，逐里按户清查。

二、清查對象：

(一)列管有案之危險物品行業。

(二) 製造、加工、儲存危險之地下工廠。

(三)儲存汽油或高度揮發性油類之場所。

(四)民眾檢舉可疑危險物品户。

三、發現危險物品，限其遷至安全郊區，如不照辦，可即依法予以嚴格取締。

副本：臺北市民政局、建設局、社會局、工務局

市 長　李 登 輝

19.擬行政院致所屬各機關函：請鼓勵同仁，節約消費，並依本院所訂「鼓勵公教人員儲蓄要點」，踴躍儲蓄。（68 年普考經濟行攻人員等各類科）

檔號：
保存年限：

行 政 院　函

地址：100-58 臺北市忠孝東路1段1號
傳真：02-0000-0000
聯 絡 人：○○○
聯絡電話：02-0000-0000 轉101

受文者：所屬各機關

發文日期：中華民國 00 年 00 月 00 日
發文字號：○○○第 0000000 號
速別：最速件
密等及解密條件或保密期限：普通

主旨：請鼓勵同仁節約消費，並依本院所訂「鼓勵公教人員儲蓄要點」，踴躍儲蓄。希　照辦。

說明：

一、當前國步多艱，大部分財力需用於充實國防及發展經濟，以厚植國力。政府關注公教人員，於本年總預算中，仍編列調整待遇之鉅額經費，以期改善公教人員生活。希各公教人員共體時艱，節約消費。

一、依行政院主計處統計，公教人員調整待遇，平均幅度約爲百分之 13.8，去年 7 月至今年 6 月，一年中都市消費者物價指數上升爲百分之 6.99，亦即公教人員實質增加收入約百分之 6 強，如節約消費，當可有力儲蓄。

三、爲配合「改善社會風氣」方案之推行，希各同仁以身作則，簡化生活，積極推行儉樸風尚，並踴躍儲蓄，充實國力。

辦法：

一、凡屬可撙節減免之消費，應儘量減免，尤忌鋪張浪費。

二、儲蓄採志願參加方式，利率採優惠存款利率計算。

三、享受免徵所得稅。

四、詳細辦法請參閱「鼓勵公教人員儲蓄要點」。

院 長　孫 運 璿

20.擬內政部致工業總會函：希轉各工廠，加強機器防護椅施，及新進人員訓練，預防暑期工讀生被機器軋傷事件，以維工業安全。（68年普考建設人員各類科）

檔號：
保存年限：

內政部　函

地址：100-08臺北市羅斯福路4段00號
傳真：02-0000-0000
聯絡人：○○○
聯絡電話：02-0000-00009

受文者：工業總會
發文日期：中華民國00年00月00日
發文字號：○○○第0000000號
速別：最速件
密等及解密條件或保密期限：普通

主旨：希轉各工廠，加強機器防護措施，及新進人員訓練，預防暑期工讀生被機器：軋傷事件，以維工業安全。

說明：

一、工業災害之發生，原因固多，而最主要是工廠安全防護措施不合理想。

二、勿惜小利，而忽視工業安全，一旦發生意外災害，業主不但應負法律責任，同時由於傷害勞動者，造成殘障，必使良心永遠不安。

三、新進人員，技能猶欠熟練，易遭意外傷害，尤其暑期工讀生，賺取微薄工資，貼補學費，極應予以照拂。故如何致力消除意外災害，加強職前訓練，實有必要。

辦法：

一、依法嚴格取締缺乏安全防護設施之工廠，責令改善。

二、新進人員予以職前訓練，講授工業安全方面之知識，學習期滿，方可正式參加工作行列。

三、對工讀生實習工作期間，應給予勞工福利。

副本：各地方工礦及勞工安全衛生檢查單位。

部　長邱創煥

21.擬行政院兩所屬各機關：希全面誰行『工作簡化』，切實簡化法令規章與作業程序，以提高工作效率，加強為民服務。（70 年高等考試各類行政人員）

行 政 院 函

地址：100-58 臺北市忠孝東路1段1號
傳真：02-0000-0000
聯絡人：○○○
聯絡電話：02-0000-0000 轉101

受文者：各部、會、行、局、署。
發文日期：中華民國 00 年 00 月 00 日
發文字號：○○○第 0000000 號
速別：最速件
密等及解密條件或保密期限：普通

主旨：希全面推行『工作簡化』，切實簡化法令規章與作業程序，以提高工作效率，加強爲民服務。

說明：

一、各機關之原有法令規章，繁瑣重複，作業程序亦每多不合精簡要求，以致工作效率降低，造成困擾不便，有乖便民之旨，深爲各方所詬病。

二、爲期切實改進此項缺失，必須貫澈推行『工作簡化』，以科學方法，確實分析現行工作處理實況，消除不必要流程，訂定更理想進步之工作程序與作業要領．以收事半功倍之效果，各機關並應將『工作簡化』列爲長期性重點工作。

辦法：

一、對於現行法令規章，應詳加檢討整理，力求統一簡化，其不適用者，分別予以合併或廢止，以避免重複累贅。

二、爲使工作方法符合標率化與簡單化，應對現行工作方法詳加研析，詳予紀錄，以備改進措施之參考。

三、『工作簡化』之主要著眼，必須以加強爲民服務爲依歸！萬勿有本末倒置之失，是所至要。

院長○○○

22.擬法務部函所屬檢察機關：政府為加強保障人民，經將刑事訴訟法部分條文修正公布，今徒辦素應特別注意其新增儿定，不得有所蔬誤，希查照並飭所屬知照。（71 年高考律師）

檔號：
保存年限：

法務部　函

地址：100-48 臺北市重慶南路1段138號
傳真：02-0000-0000
聯絡人：○○○
聯絡電話：02-2191-0189 轉101

受文者：所屬檢察機關
發文日期：中華民國 00 年 00 月 00 日
發文字號：○○○第 0000000 號
速別：最速件
密等及解密條件或保密期限：普通

受文者：所屬檢察機關

主旨：爲加強保障人權，今後辦案應特別注意刑事訴訟法部分修正條文及新增規定，不得有所疏誤，希查照並飭所屬知照。

說明：

一、政府爲促使民主法治更臻健全，以期充分保障人民之自由權利，業於 71 年 8 月 4 日公布修正刑事訴訟法部分條文及新增規定！今後辦案務必特加注意，不可輕忽。

二、修正之條文爲第二十七條、二十九條、三十條、三十一條、三十三條、三十四條、一○五條、二四五條及二五五條，新增第七十一條之一、八十八條之一條文。

部長李○○

23.依據下刊提示要點，撰採公文一件。

發文單位：臺北市光復區公所

主管社名：張志彊

內容要點：

㈠臺北市政府曾以（必 1）北市社 2 字第 3524 號函通令各區公所稱期整頓榫賬，消除髒亂。

㈡光復區公所經如期執行，甚報實施成果。

㈢執行有功人員計有股長李光宗、課員方誠中、王維立，請予敘獎。（71 年中小企銀特考）

檔號：
保存年限：

臺北市光復區公所　函

地址：100-48 臺北市光復路38號
傳真：02-0000-0000
聯絡人：○○○
聯絡電話：02-0000-0000 轉101

受文者：臺北市政府

發文日期：中華民國 00 年 00 月 00 日
發文字號：○○○第 0000000 號
速別：最速件
密等及解密條件或保密期限：普通

主旨：爲貫徹消除髒亂工作，整頓攤販，呈報執行成果及有功人員，請查照。

說明：

一、依鈞府（71）北市社 2 字第 3524 號函指示辦理。

二、該案經本區公所有關人員協調警務單位，派員至各巷道嚴格執行督導並取締。

三、檢附『本區整頓攤販消除髒亂成果表』乙份，並將有功人員計有股長李光宗、課員方誠中、王維立，請鈞府酌予敘獎。

區　長 張 志 強（職章）

24.擬國防部通令各級部隊官兵：為春節期近，應加強戒備，嚴防敵人滲透、偷襲、破壞，以確保復興基地安全。（72 年國防部行政及技衍軍法人員乙等特考）

檔號：
保存年限：

國防部　令

地址：100-48 臺北市博愛路172 號
傳真：02-0000-0000
聯絡人：○○○
聯絡電話：02-2311-6117

受文者：各級部隊官兵
發文日期：中華民國 00 年 00 月 00 日
發文字號：○○○第 0000000 號
速別：最速件
密等及解密條件或保密期限：普通

主旨：春節期近，應加強戒備，嚴防敵人滲透、偷襲、破壞，以確保復興基地安全。

說明：

一、我三軍將士以保國衛民爲職責，平時嚴守紀律，戮力操練，增進戰鬪技能，戰時服從命令，精誠團結，奮勇作戰，消滅敵人，以完成神聖使命。

二、春節期近，敵人可能趁我官兵歡度佳節精神鬆弛之時，對我侵犯，故全體官兵應提高警覺，加強戒備，嚴防敵人滲透、偷襲、破壞，以確保我復興基地安全。

部長○○○